English - Somali

ICTIONARY

QAMUUS

Ingiriisi - Soomaali

ADVANCED LEVEL

HAAN Associates · London · 1993

Reprint Edition © HAAN Associates 1993

ISBN 1 874209 16 2

Published by HAAN Associates
P.O. BOX 607
LONDON SW16 1EB

Cover design by HAAN Graphics
Printed and bound in Great Britain by The Ipswich Book Company Ltd.

NOTE TO THIS EDITION

The dictionary was first produced in Somalia in the 1970s. All print materials have been destroyed in the course of the recent upheavals in the country. This reprint is a contribution to preserving some of the valuable work which had been undertaken and which was in danger of being lost.

No single dictionary will meet each person's every need, and this small volume will take its place alongside an array of dictionaries to support the different stages of learning English.

Qaamuuskan waxaa markii ugu horeysay lagu daabacay Somaliya sanadkii 1970dii. Buugaagtii la daabacay oo dhami waxay baaba'aday intii xiisadaha hortalihi ka socodeen dalka. Dib u daabacaadani waxay qayb ka qaadanaysaa daryeelida falkan qaayaha leh oo hirgalay in uu dhumana ku sigtay. Qaamuuskani wuxuu kalmo weyn u geysanayaa dadka af-somaliga ku hadla ee doonaya, amma ha jeclaystaan amma dani ha ku qasabtee, in ay bartaan afka Ingriisiga.

TO THE USER:

The publication of this reprint edition is in response to the many requests we have received from Somali speakers who are finding it necessary, either by choice or force of circumstance, to learn the English language. Because of the acute shortage of suitable material, we have been conscious of the pressing need to make this volume available as soon as possible, and no major revisions or corrections have been attempted at this time.

Vocabulary. *There are over 5600 entries ranging from everyday words to words of medium to advanced level difficulty. Abbreviations (n./oun, v./erb, etc.) indicate the function of the word. Explanations are straighforward and concise.*

Pronunciation. *As already stated, no major revisions have been attempted, and it should be noted that the main shortcoming in the original work and thus of this edition is the phonetic transcription. The current pronunciation guide is quite inadequate for teaching good English pronunciation. Somali phonetics have been used to represent the way in which English words are pronounced, but since there are no Somali equivalent for some English sounds, the closest sound in Somali was substituted. In many cases, therefore, the phonetics used can achieve only an approximation of the correct English sound. For example, English sounds which have no equivalent in Somali include: p, v, z, th and ch; in these instances b, f, s, d and j respectively will sometimes have been substituted (see: accompany/akambani; harvest/haafist). Somali does not have the same combination of consonant clusters as English, and an extra vowel will often have been inserted between certain consonant combinations (see: black/balak; acquaintance/akweyntanis). Other pronunciation peculiarities will also be encountered.*

However, the student who is using this Dictionary is likely to be already familiar with English sounds; moreover the anomalies in phonetic transcription which have been pointed out may well be of assistance to the Teacher in undertanding where sound transfer problems can exist. Although the student should seek help from an English-speaker to achieve good pronunciation, we hope the student and the teacher will find the Dictionary adequate in other respects.

ADEEGSADE:

Dib u soo saarida daabacan danbe ee Qaamuuskan, Wuxuu jawaab u yahay codsiyo badan oo aannu ka helnay dadka af-somaliga ku hadla ee u arkay in ay af-ingriisiga bartaan in ay tahay daruur, amma dani ha ku khasabto amma ha jaclaystaanba eh. Baahida weyn ee loo qabo awgeed waxaannu culayska saaray in dhakhso loo helo. Degdegaa awgii, xoog badan lama saarin dibu eegistiisa iyo saxidiisa toona.

Erayo. In ka badan 5600 oo eray oo ka kooban erayda heerka sare ka dhexe ilaa erayada had iyo jeer sida joogtada ah loo adeegsado. Ayaa qaamuusku leeyahay. Sharaxu waa kooban yahay waannu fudud yahay.

Dhawaaqa. Sidaa horeba u soo sheeganay, dib u daabicidan haatan, la iskuma taxlujin in si aad ah dib loogu fiirsho, sidaa daraadeed waa in la ogaadaa in godalooladii uu kii hore lahaa iyo tuu leeyahay daabacan danbe ay tahay dhawaaqa. Dhawaaqa uu haatan adeegsanayaa qaamuusku ma ah kuwa ku haboon barashada dhawaaqii saxa ahaa ee afka Ingriiska. Dhawaaqa afka Ingriiska waxaa loo adeegsaday in lagu higaasho afka Somaliga, laakiin madaama aanay jirin dhawaaqyada afka ingriisiga qaarkood, dhawaaqyo af-somali ah oo u dhigmaa, waxaa la adeegsaday dhawaaqyada af-somaliga ka ugu dhawdhaw. Sidaa daraadeed, inta badan dhawaaqyaddaa la adeegsaday waxay keenaan dhawaaqii saxa ah ee afka Ingriisiga kii ugu dhawaa.

Tusaala ahaan dhawaaqyada af-ingriisiga ah ee aan lahayn dhawaaqyo u dhigma oo af-somali ah waxaa ka mid ah: p,v,z, th and ch iyaga oo kalana waxa loo isticmaalay b,f,d iyo j (eeg: accompany/akambani; harvest/haafist). Xarfaha af-Soomaaliga iskuma raacaan, sida kuwa af-Ingiriisiga had iyo jeer kala dhex gala shaqlo. Weliba waa lala kulmi karaa dhawaaqyo kale oo gaar ah.

Inkasta oo ardaygu la kaashan karo, qof af-ingriisiga yaqaan, si uu u kasbado dhawaaqa saxa ah, waxaannu aad ugu rajo weynahay in ardayga iyo maclinkuba ka heli doonaan, manaafaacad badan oo kale, oo ujeedooyinka qaamusku leeyahay ah.

GOGOLDHIG

Qaamuuskan waxaa loogu tala galay ciddii Af-Soomaali taqaanna ee dani ka hayso ama rabta in ay Afka Ingiriisiga barato, sidoo kale waxaa uu faa'iido weyn u yeelanayaa ciddii horey Afka Ingiriisiga u taqaanay ee dooneysa in ay sii kororsto barashada macnaha erayada Af-Ingiriisiga. Waxa kale ee uu Qaamuuskanu caawinyaa Ardayda Dugsiyada dhigata iyo ciddii kale ee isticmaalaysaba.

Sidaa darteed, Qaamuuskan waa mid muddo laga soo fakarayay layskuna soo dubbariday; iyada oo intaas lagu hawlanaa sidii erayga Ingiriisiga ah macna ku habboon ama la mid ah oo Af-soomaali ah loogu heli lahaa iyo sidii loogu dhib yarayn lahaa ama loogu fududayn lahaa Dadweynaha jecel ama xiiseynaya barashada Afka Ingiriisiga.

Erayada Af-ingiriisiga ah ee Af-soomaaliga lagu macneeyay ee Qaamuuskan ku qorani waa 6000 (Lix Kun) iyo dheeraad. Erayadaas oo ah kuwa la soo xulay iyada oo loo eegayo erayga iyo sida loo isticmaalo. Sidaas darteed erayada Qaamuuskan ku qorani waxay u badan yihiin kuwo had iyo jeer la isticmaalo. Waxa kale oo ku qoran erayo badan oo Saynis ah ama cilmiga kale lagu isticmaalo iyo kuwa kale oo farsamada la xidhiidho.

Waxaa laysku taxallujiyay laguna dadaalay sidii loo fududayn lahaa ku dhawaaqidda erayada Af-ingiriisiga ah ee ku macneysan Qaamuuskan. Haddaba inkasta oo ay jiraan dhibaatooyin badani haddana waa lagu guuleystay sidii loo dejin lahaa ku dhawaaqidda erayada Ingiriisiga ah oo Af-soomaali ahaan loogu dhawaaqayo, maxaa yeelay eray kasta ee qaamuuskan ku dhigan waxaa ku hor qoran sidii loogu dhawaaqi lahaa oo Af-soomaali. ku higaadsan ama ku qoran, una dhexeysa laba bilood dhexdood, waxa kale oo ku sii hor qoran macnihii erayga oo Af-soomaali ah.

Sidaas waxa loo yeelay in Qof kasta oo AF-soomaali yaqaanna uu eraga Ingiriisiga ah u baran lahaa ku dhawaaqiisa iyo macnihiisaba.

TUSMADA QAAMUUSKA

Sida hordhaca lagu soo sheegay erayada waxay isugu xigaan sida Alifbeetada Ingiriisidu isugu xigto. Isticmaaluhu Qaamuuskan wuxuu ku arki doonaa eray kastaa hortiisa xarfo ama eray la soo gabiyay kaas oo tilmaamaya erayga uu ku hor dhigan yahay Naxwahaan waxa uu yahay ama naxwaha Ingiriisida meesha uu kaga jiro.

Erayada qaarmood waxa ku hor qoran xarafka (v), kaas oo ka taagan erayga Ingiriisidda ah ee (Verb); eraygaasu waxa uu tilmaam-ayaa (Fal) ama waxa la sameeyay (la qabtay) markaas erayga uu xarafka (v) ku hor qoran yahay naxwe ahaan waa (Fal); erayada qaarkood kale waxaa ku hor dhigan xarafka (N) xarafkaas oo ka taagan erayga Ingiriisidda ah ee (Noun) oo la soo gaabiyay, eraygaasi waxa uu tilmaamayaa (Magac), marka aynu leenahay Magac uma jeedno Magac gaar ah oo kaliya ee waxaynu u jeednaa magac oo dhan.

Erayo kale ayaa jira oo uu ku hor qoran yahay (adj) seddexdaas xaraf waxay ka taagan yihiin erayga (Adjective); eraygaas oo tilmaam-aya sifo ama Magac wax ka sheegaya ha ogaado isticmaalaha Qaam-uusku, in erayga ay ku hor qoran yihiin xarfahaas uu yahay sifo ama uu magac wax ka sheegayo.

Xarfaha (adv) ee erayada qaarkood ku hor dhigan waxa ay ka taagan yihiin erayga (Adverb); eraygaas oo tilmaamaya ama wax ka sheegaya sidii falka loo qabtay, waayo dadku marka ay fal samey-nayaan dhawr siyood bay u qaban karaan sida si deg deg ah, si deggan iwm.

Erayo kale ayaa jira oo ay ku hor qoran yihiin (Prep.); afartaas xaraf waxay ka taagan yihiin erayga Ingiriisidda ah ee (Preposition) kaas oo naxwe ahaan tilmaamayo meeleeye. Waxa kale oo iyana jira erayo ay ku hor qoran yihiin xarfaha (Conj); xarafkaasu waxay ka taagan yihiin erayga Ingiriisidda ah ee (Conjuction) kaas oo tilmaam-aya xidhiidhiye (xiriiriye) ama eray laba hadal, eray ama laba weed-hood isku xidhaya.

Ha ogaado isticmaalaha Qaamuuskan in erayada ay hortiisa ku qoran yihiin xarafka (Conj) ay yihiin xidhiidhiyaal (xiriiriyayaal).

TUSMADII OO LA SOO URURIYEY

XARFAHA	ERAYGA AY KA TAAGAN YIHIIN	WAXA UU TILMAAMAYO
V.	Verb	Fal
N.	Noun	Magac
Adj.	Adjective	Sifo
Adv.	Adverb	Sidii falka loo qabtay
Prep.	Preposition	Meeleeye
Conj.	Conjuction	Xidhiidhiye
Pref.	Preffix	Hordhig

Abandon	*(abaandhan)v;*	Ka haajirid, Ka tegid aan soo noqod lahayn.
Abate	*.(Abeyt) v;*	Yaraato ama gudho (Dabaysha, Daadka, Xannuunka).
Abattoir	*(aabatwaa) n.*	Meesha Xoolaha lagu gawraco, Xerodhiig.
Abbreviate	*(abriifiyeyt) v.*	Soo gaabin erayo, sida JDS (Erayada oo la soo gaabsho).
Abbreviation	*(abriifiyeyshan) n.*	Erayga soo gaabiskiisa, Soo gaabis.
Abdicate	*(aabdhikeyt) v.*	Ka sabrid, La samro; is Casillid.
Abdication	*(aabdhikeyshan) n.*	Samir; Is Casilis.
Abdomen	*(aabdhowmen) n.*	Uusleyda (Caloosha, Xiidmaha, iwm.).
Abduct	*(aabdhakt) v.*	Khasab ku kaxaysi, Kufsasho.
Abduction	*(aabdakshan) v.*	Kufsi, Kaxaysasho Khasab ah.
Abed	*(abedh) adv.*	Waa Hurdaa ama way Huruddaa.
Aberration	*(Aabareyshan) n.*	Marin Habow.
Abhor	*(abhoo) v.*	Nebcaysad.
Abet	*(abet) v;*	Dembi ku kalkaalin; Ku dhiirrigelin xumaato.
Abide	*(abaaydh) v;*	Ballan Oofin, Mukhlisnimo.
Ability	*(abiliti) n;*	Karti.
Abject	*(Abjekt) adj;*	Xaalad xun.
Abjure	*(Abju) v;*	Ka dhaarasho, laga dhaarto
Able	*(Eybal) adj;*	Kari kara.
Ablution	*(Abluushan) n;*	Is-daahirin.
Abnegation	*(Abnigeyshan) n;*	Dafiraad.
Abnormal	*(Abnormal) adj;*	Aan caadi ahayn.
Aboard	*(Abodh) adv. Prep;*	Soo degid ama dhoofid

6

Abolish	*(Abolish) v;*	Joojin, Mamnuucid.
Abolition	*(Abolishan) n;*	Mamnuucis, Joojis.
Abominable	*(Abominabal) adj;*	La Nebcaysto; aan la jeclaysan, Karaa-hiyo.
Aboriginal	*(Abarijinal) Adj.*	Dadkii ama Waxyaabihii kale oo meel loogu Yimid iyaga oo sii deggan ama sii jooga.
Abortion	*(Abooshan) n;*	Dhicis, Dhicis, Dhicis.
Abortive	*(Abootif)*	Guul-darro ah; Dhicisoobay.
Abound	*(Abownd) v;*	Tiro badni, Xaddi Badan.
Above	*(Abaf) Prep. adv;*	Ka Korreeya, Kor.
Abroad	*(Abroodh) Adv.*	Dal Shisheeye, Dal qalaad, Waddam-mada Kale, Sii baahsan, Ku baahid.
Abrupt	*(Abrabt) Adj;*	Lama Filaan ah.
Abscess	*(aabses) n;*	Malax.
Abscond	*(Abiskond) v;*	Si Qarsoodi ah loola Baxsado.
Absence	*(Absanis) n;*	Maqnaasho.
Absent	*(Aabsant) Adj;*	Maqan, Aan Joogin.
Absantee	*(Aabsantii) n;*	Qofka Maqan, Qofka aan joogin.
Absolute	*(Absalyut) Adj;*	Dhammaystiran.
Absolution	*(Aabsalayuushan) n;*	Cafis, Saamaxaad (Xagga Diinta ah).
Absorb	*(Absoob) v;*	Muudsi ama Qabasho.
Absorption	*(Absoobshan) n;*	Muudsasho, Qabsasho.
Abstain	*(Abisteyn) v;*	Ka celin (Qof) Waxyaabaha Mukhaa-daraadka ah.
Abstract	*(Absitakt) Adj;*	Waxa aan la taaban karin; Sida, Qurux-da, Uurta, iwm.
Abundance	*(Abandhanis) n;*	Isku Filaansho, Aad u badan.
Abundant	*(Abandhant) Adj;*	Ka badan intii loo baahnaa.
Abuse	*(Abyuus) v;*	Si xun wax ula dhaqanto (U tidhaahdo) Caay, Habaar, iwm.

Abyss	*(Abis) n;*	God dheer oo aan Guntiisa la Arkayn; (Cadaabta Aakhiro).
Acacia	*(Akeysha) n;*	Dhirta Xabagta leh, Dhirta laga Xabakaysto (Faleen).
Acadamy	*(Akaadhami) n;*	Dugsi Waxbarasho heer sare oo loogu tala galay Aqoon gaar ah.
Accelerate	*(Aakselareyt) v;*	Karaarid; Karaarsiin.
Acceleration	*(Aakselareyshan) v;*	Karaar.
Accept	*(Aksebt) v;*	Aqbalid, la aqbalo; la yeelo.
Acceptance	*(Akseptanis) n;*	Macne laysku raacy oo eray leeyahay.
Access	*(Akses) n;*	Jid meel loo maro; Weerar kadis ah.
Accident	*(Aksidhant) n;*	Shil.
Accidental	*(Aaksidhantal) Adj;*	Si iska fursad ah isaga dhacay; iska dhacay.
Acclaim	*(Akleym) v;*	Soo dhaweyn Xamaasad leh.
Acclamation	*(Aaklameyshan) n;*	Ku raacis Xammaasad leh.
Accommodate	*(Aakomadheyt) v;*	Hurdo siin; Jiif Siin, Guri Siin.
Accompany	*(Akambani) v;*	Raacid, u wehelyeelid, la rafiiqid.
Accord	*(Akoodh) n;*	Siin; Heshiis ama macaahado (laba-dal)
Accordance	*(Akoodhanis) n;*	Loo eega, Laga tix raaco.
According	*(Akoodhing) Adj;*	Iyadoo loo eegayo.
Accordion	*(Akoodh-yan) n;*	Nooc ka mid ah Qalabka Muusigga la Garaaco.
Account	*(Akawnt) v.& n.*	Xisaab; u Fiirsasho.
Accountable	*(Akawntabal) Adj;*	Uga wakiil ah, ka mas'uul ah.
Accountant	*(Akawntant) n;*	Xisaabiye, Qofka Xisaabiyaha ah.
Accoutrements	*(Akuutramantis) n;*	Qalabka Askariga oonay ku jirin Hubka iyo dharku.
Accredit	*(Akredhit) v;*	Dirid Danjire Wata warqadihiisii

Accumulate	*(Akyuumyulet) n;*	Ururin Tiro badan, isdul tuulid.
Accumulator	*(Akyuumyuleyta) v;*	Beytariga weyn ee Korontada sida: ka Baabuurta oo kale.
Accurate	*(Akyurit) Adj;*	Quman, Khaalad ka reeban (Sax ah).
Accusation	*(Akyuseyshan) n;*	Ashkato, Dacwo.
Accuse	*(Akyuus) v;*	Dacwan, Ashtakayn.
Accustom	*(Akastam) v;*	Caadaysi, la caadaysto.
Ace	*(Eys) n;*	Yeeke (Ka turubka & Laadhuuda iwm.)
Acetylene	*(Asetiliin) n;*	Neef bilaa midab ah oo lagu shito Tiriig gaar ah iyo waxyaabo kale (Alxanka Naqaska).
Ache	*(Eyk) n;*	Xanuun Sida "Headache" (Madax-xa-nuun)
Achieve	*(Ajiif) v;*	Dhammayn, lib ku dhammayn.
Achievement	*(Ajiifmant) n;*	Wax si guul ah loo qabtay; Guul ku dhammays.
Achromatic	*(Aakrowmaatik) Adj;*	Wax aan Midab lahayn.
Acid	*(aasidh) n;*	Aaysiidh, Aashito.
Ack-ack	*(Aak-Aak) n;*	Hubka Lidka Dayuuradaha.
Acknowledge	*(Aknolij) v;*	Qirid. Qirtid, u mahadcelin.
Acknowledgement	*(Aknolijmant) n;*	Mahadcelin; Qiris.
Acme	*(Aakmi) n;*	Horumar Heerka ugu sarreeya.
Acquaint	*Akweynt) v;*	Barasho ama Ogaansho, sida qof aad baratay.
Acquaintance	*(Akweyntanis) n;*	Aqoonta Waaya-aragnimada lagu helo.
Acquire	*(Akwaaya) v;*	Marka aad wax ku heshid aqoon/karti.
Acre	*(Ayka) n;*	Qiyaas dhuleed oo la mid ah 4,840 Ta-laabo oo dhan kasta ama la mid ah 4000 Mitir oo dhan kasta ah.
Across	*(Akros) Prep. & Adv;*	Ka gudbid. Gudub u Jarid ama u marid dhinac ilaa dhinac.
Act	*(Aakt) n;*	Wax Qabasho, Wax Falid.

Acting	*(Aaktin) Adj;*	Ku sii Simid, Xil qof kale sii falid (in Muddo ah).
Action	*(Akshan) n;*	Wax Qabad, Dhaqaaq, Fal.
Active	*(Aktif) Adj;*	Firfircoon: Wax qabanaya.
Activity	*(Aktifiti) n;*	Firfircooni, Waxqabad.
Actor	*(Akta) n;*	Ninka Jilaha ah (Riwaayadaha ama Filimada iwm.).
Actress	*(Akt-ris) n;*	Naagta Jilaadda ah (Masraxyada iwm).
Actual	*(Aakjuwal) Adj;*	Xaqiiq ah, Run ah, Jira.
Actually	*(Aakjuwali) Adj;*	Xaqiiqdii, Runtii.
Actuate	*(Aakyuu-eyt) v;*	Ku dhalisa wax qabasho ama Ficil.
Acumen	*(Akyumen) n;*	Maskax-Furnaan, Fahmi-ogaal.
Acute	*(Akyuut) Adj;*	(Xagga Dareenka) Ku fiiqan; dareemi og; Xagasha ka yar 90 Digrii (Xisaabta)
Adage	*(Adhij) n;*	Odhaah Murti leh oo Hore loo yidhi, (Maaḥmaah Caadi ah).
Adapt	*(Adhabt) v;*	Markaad wax ka dhigtid sida cusub ee loo baahan yahay.
Add	*(Aadh) v;*	U geyn, Ku darid (Xisaabta).
Addition	*(Adhishan) n;*	Isku geyn, Isu-geynta Xisaabta Wadareynta.
Address	*(Adhres) v;*	Cinwaan.
Adduce	*(Adhyuus) v;*	Soo hor bandhigid Tusaale ahaan.
Adept	*(Adhebt) Adj;*	Khibrad, Waayo-aragnimo leh (Waxbarasho).
Adequate	*(Adhikwat) Adj;*	Ku filan, Haysta intii loo baahnaa.
Adhere	*(Adhiya) v;*	Isku Xadhid laba shay ama isku dhejin Taageerid.
Adherent	*(Adhiyarant) n;*	Taageere (Xisbi, Koox kubbadeed iwm,

Adhesive	*(Adhisif) Adj;*	Wax ku dhegaya (Sida: Xabagta, Balaastarka iwm).
Adieu	*(Adhyuu) Int;*	Nabad-gelyon aad Tidhaahdo Nabadgelyo.
Ad infinitum	*(Adhinfinaaytam) Lat;*	Aan Xad lahayn, ilaa weligii.
Adjacent	*(Adhjeysant) Adj;*	Ku xiga, Dhinac yaala, Ku naban (Se aan Ishaysan).
Adjust	*(Adjast) v;*	Sidhimin, isku hagaajin.
Administer	*(Adhministar) v;*	Maamulid; Xukumid, Hawl-Socodsiin iwm.
Administration	*(Adhministareyshan) n;*	Maamul.
Administrator	*(Adhministareytar) n;*	Maamule, Maareeye, Isuduwe.
Admirable	*(Adhmarabal) Adj;*	Aad u wanaagsan, fiican, Loo qushuuci karo.
Admiration	*(Adhmireyshan) n;*	Qushuuc.
Admire	*(Adhmaayr) v;*	Qushuucid.
Admit	*(Adhmit) v;*	Oggolaansho (Meel Gelid).
Admit	*(Adhmit) v;*	Oggolaansho, Qirid, la qirto.
Admittance	*(Adhmitanis) n;*	Oggolaansho (Meel Gelid).
Admixture	*(Admikisja) n;*	Isku dar-isku laaqid ama qasid.
Admonish	*(Adhmonish) v;*	U digid, la talin, ka waanin.
Adolescence	*(Adhowlesanis) n;*	Da'da Barbaarta, Muddada u dhaxaysa Carruurnimada ilaa Baaluqnimada.
Adopt	*(Adhopt) v;*	La qabatimo (Caado, Ra'yi iwm).
Adore	*(Adhoo) v;*	Caabudid.
Adult	*(Adhalt) Adj;*	Hanaqaad, Gaashaanqaad, Taabbagal (Dadka & Nafleydaba).
Adultery	*(Adhaltari) n;*	Sinada Qofka Xaaska leh (Sinaysi).
Adulteress	*(Adhaltares) n;*	Naagta Xaaska ah ee Sinaysata (Galmo xaaraan ah).
Advance	*(Adh-fans) c;*	Horusocod; n Horumarin, Horusocodsiin.

11

Advanced	*(adfaanst)adj.*	Horumaray.
Advantage	*(adfantij)n.*	Faa'iido. Waxyaabaha ay wax ku wanaagsan yihiin.
Advantageous	*(adfanteyjas)adj.*	Faa'iido leh. Wax laga heli karo.
Adventure	*(adfenja)n.*	Muqaamaraad. Waxyaabaha yaabka leh ee dhaca.
Adversary	*(aadfasari)n.*	Cadow.
Adversity	*(adfeesity)n.*	Marxalad xun (xagga jawiga).
Advertise	*(aadfataays)v.*	Xayeysiin. Iidheh ka bixin.
Advertisement	*(adfeetismant)n.*	Iideh. Xayeysiis.
Advice	*(adfaays)n.*	Talo.
Advisable	*(adfaasabal)adj.*	Fiican; layskula talin karo. Caqligal ah.
Advise	*(adfaayz)v.*	La talin, talo siin. Wax u sheegid.
Adze	*(aads)n.*	Yaanbo.
Aeon/Eon	*(ii'an)n.*	Wakhti ama Millay aad u dheer oon la qiyaasi karin.
Aerial	*(eeriyal)n.*	Hawada dhexe mari kara (ama jira) biraha & xarkaha laliya wararka, teligaraamada, TV, iwm.
Aeronautics	*(eeranootikis)n.*	Sayniska cirbaxnimada (Hawo-Marida).
Aeroplane	*(eeropileyn)n.*	Dayuurad.
Affable	*(aafabal)adj.*	Dabeecad fiican. Dad-dhexgal fiican, Edebsan.
Affair	*(afee)n.*	Arrin.
Affect	*(afekt)v.*	Wax dareen geliya. Waxyeeleeya. Ku rida (cudur).
Affectation	*(aafekteyshan)n.*	Dabeecad aan dhab ama dabiici ahayn.
Affection	*(afekshan)n.*	U dabacanaan. Jeclaan.
Affiance	*(affayans)v.*	Ballan-qaadid guur.
Affirm	*(afeem)v.*	Si adag aad u caddaysid, si qeexan u caddayn shaac ka qaadid.

12

Affluence	*(aafluwans)n.*	Maalqabis, maal, maal ku filnaasho.
Afford	*(afood)v.*	Awoodi kara, yeeli kara.
Afforest	*(aforist)v.*	Dhireyn, dhir ku beerid.
Affright	*(afraayt)v.*	Baqdin, ka bajin cabsi.
Affront	*(afant)v. & n.*	Cay badheedh ah, jareexayn.
Afield	*(afiild)adv.*	Ka fog hoyga.
Afire	*(afaaya)adv.*	Gubanaya; dabka dul saaran.
Aflame	*(afleym)adv.*	Ololaaya. Holcaya.
Afloat	*(aflowt)adv. & adj.*	Sabbaynaya, heehaabaya (biyaha ama hawada).
Afoot	*(afut)adj. & adv.*	U diyaar noqosho.
Afraid	*(afreyd)adj.*	Baqanaya, cabsanaya, la baqo.
Afresh	*(afresh)adv.*	Mar kale, hab cusub ama si cusub.
African	*(afrikan)n.*	Dadka ku nool Afrika.
After	*(aafta)prrep. & adv.*	Ka dib.
Afternoon	*(aaftanuun)n.*	Gelin dambe.
Again	*(ageyn)adv.*	Mar kale.
Against	*(ageynast)prep.*	Ka soo horjeed.
Agape	*(ageyp)adv. & adj.*	Af kala qaad.
Age	*(eyj)n.*	Da'
Agency	*(eyjansi)n.*	Wakaaladda ama wakaalad.
Agenda	*(ajenda)n.*	Waxyaabaha la qabanaayo, waxyaabaha lagaga wada hadlayo shir ama kulan.
Agent	*(eyjant)n.*	Qof cid ka wakiil ah.
Agglomerate	*(aglomareyt)v.*	Uruurin, meel isku uruurin.
Aggregate	*(aagrigeyt)v.*	Isku keenid, isku dhafid, isku ururin.
Aggression	*(agreshan)n.*	Gardarro ku dagaallan.
Aggressive	*(agresif)adj.*	Gardaran, dagaal badan.

Aglow	(Aglow) adv. & adj.	Midab dhalaalaya.
Ago	(Agow) adv.	Wakhti tagay, wakhti ka hor.
Agree	(Agrii)	Ku raacid, aqblid.
Agreement	(Agriimant) n.	Heshiis.
Agriculture	(Agrikalja) n.	Cilmiga ama Sayniska Beeraha.
Ahead	(ahedh) adv. & adj.	Hore, xagga hore, madaxa hore.
Aid	(Eydh) n & v.	Ujeeddo, muraayad, qasdi; ku jeedin (Bunduq iwm.)
Air	(Eer) n.	Hawo.
Airless	(Eeles) adj.	Hawo yar, neecaw ku filan lahayn.
Airy	(Eeri) adj.	Hawo neecaw ah oo badan leh (socota).
Akimbo	(Akimbow) adv.	Marka qofku gacmuhu dhexda ku haysto.
Akin	(Akin) Adj.	Isku cid, Isku reer ah, Isku qoys, Isku dhiig ah.
Alack	(Alaak) Int;	Murugo la ooy, calaacal la qaylin ama ooyid.
Alarm	(Alaam) n;	Digniin, Qaylo ama Sanqadh digniin ama Feejig Bixinaya.
Alarm-Clock	(Alaam-Kalok) n.	Saacadda Dawanka leh ee lagu tooso.
Album	(Albam) n;	Buugga Sawirada lagu ururiyo ama Xaafido, Tigidhada, Cajaladaha, Suxuunta iwm. Iyagana halka lagu urursho.
Alcohol	(Alkohol) n.	Isbiirte; Walax midab aan lahayn oo dareere ah oo waxyaabaha khamrada iwm. ku jira, Alkool.
Alert	(Aleet) Adj;	Digtoon, Feejigan.
Algebra	(Aljibra) n;	Nooc xisaabt ah oo Xarfo iyo Calaamado ka kooban.
Alien	(Eyliyan) n:	Waageeni, Laaji, Qofka dal Shisheeye jooga;

14

Alight	*(Alaayt) v.*	Dab Shidid, Gubid, Iftiimin, Ilaysiin; ka soo degid.
Align	*(Alaayn) v;*	Safid, Layn gelid, Saf samayn.
Alignment	*(Alaaynment) n;*	Saf
Alike	*(Alaayk) Adj;*	Isku eg, u eg.
Alimentary	*(Alimantari) adj;*	Cuntada iyo dheefshiidka ah.
Alive	*(Alaayf) adj;*	Nolol, Nolol leh.
All	*(ool) Adj, Pron. adv&n;*	Giddi, Dhammaan.
Allergy	*(Alaji)n;*	Xaaladda uu Qofka wax gaar ah: (Cunto, Sufur, Taabasho, iwm) uu jirkiisu diido, (Caaro).
Alley	*(Aali) n;*	Surin, Wadiiqo yar oo dhismayaasha kala dhex marta.
Alliance	*(Alaayanis) n;*	Isbahaysi, Gaashaanbuur.
Allocate	*(Alokeyt) v;*	Ugu talo galid.
Allot	*(Alot) v;*	Qaybin.
Allow	*(Alaw) v;*	U oggolaansho.
Allowance	*(Alawanis) n;*	Lacag Gunno ah, Gunno.
Allspice	*(Oolisbaays) n;*	Nooc Xawaashka ka mid ah.
Alloy	*(Aalooy)*	Bir ka samaysan Biro kale oo laysku daray.
Allusion	*(Alyuushan) n.*	Si Dadban wax uga sheegid.
Ally	*(Alay) v.*	Isbahaysad.
Almighty	*(Oolmaayti) adj.*	Lahaansho aan la qiyaasi karayn, qawadda oo dhan leh.
Almost	*(Oolmowst) adv.*	Ku dhawaad, ku dhawaaday, ku sigtay.
Alms	*(Aamis) n.*	Sadaqo, wixii hor Ilaah loo bixisto.
Alone	*(Alown) adj. adv.*	Keli, keli ahaan.

Along	*(Along) Prep.*	Dherertan, dhinacqaad: *(We walked along the road* = Annagu waddadaanu dhinac soconay).
Aloof	*(Aluuf) adj.adv.*	Ka durugsan, ka dheer, ka yara fog.
Aloud	*(Alawdh) adv.*	Kor u dhigid, kor ugu dhawaaqid.
Alphabet	*(Alfabet) n.*	Alefbeeto, Sida Xarfaha b t j x kh iwm.
Already	*(Oolredhi) adv.*	Durtaba.
Also	*(Oolsow) adv.*	Weliba.
Alter	*(Oolta) v.*	Isbeddelid ama beddelid.
Altercation	*(Oolterkeyshan) n;*	Ilaaqtan, Cilaaqtan.
Alternate	*(Ooltaneyt) adj.v.*	Isbeddedelaaya, Beddelid, talantaali.
Alternative	*(Oolteneytif) adj.*	Talantaali ah, talantaali.
Although	*(Ooldow) Conj.*	Inkastoo.
Altitude	*(Aaltityuudh) adv.*	Dherer, Inta meeli badda ka sarreyso.
Altogether	*(Ooltageda) adv.*	Kulli, dhammaanba, giddigoodba.
Aluminium	*(Aalyuuminiyam) n.*	Jaandi; Macdanta Jaandiga ah.
Always	*(Oolways) adv.*	Had iyo jeer.
Amass	*(Amaas) v.*	Rasayn.
Amaze	*(Ameys) v.*	La yaabid.
Ambassador	*(Ambaasadha) n.*	Danjire, Ambasatoor, Safiir.
Ambiguity	*(Aambigyuti) n.*	Aan la hubin macnaha; macno badan leh.
Ambiguous	*(Ambiguwaas) n.*	Hammad ama hiyi, Laab ku hayn.
Ambitious	*(Aambishas) n.*	Hammo badan, Hiyi badan ama fiican.
Ambulance	*(Ambyulanis) n.*	Dhoof, Baabuurka Qafilan ee dhaawaca lagu qaado iwm.
Amend	*(Amend) v.*	Laga roonaysiiyo, la hagaajiyo.

American	*(Amerikan) adj.*	Qofka Maraykanka ah, Reer Maraykan.
Amiable	*(Eymyable) adj.*	Dabeecad san, Qalbi naxariis.
Amicable	*(Amikabal) adj.*	Si saaxiibtinimo ah, loo qabtay si saaxiibtinimo.
Amity	*(Amiti) .*	Saaxiibtinimo (Laba qof ama laba dal ka dhexeysa).
Ammeter	*(Amita) n.*	Aalad ama Qalab lagu qiyaaso qulqulka Korontada.
Ammonia	*(Amownya) n.*	Neef Xoog leh oon Midab lahayn oo Ur Fiiqan (NH_4).
Ammunition	*(Aamyunishan) n.*	Kaydka Bakhaarrada ama Istoorada Milateriga ee Hubka.
Amnesia	*(Amniishiya) n.*	Xusuus Darro, Xusuus la'aan.
Amoeba	*(Amiiba) n.*	Wax yar oo Nool oonay ishu arkayn oo laga helo Biyaha.
Among	*(Amang) Prep.*	Dhexdooda, Ku dhex jira.
Amongst	*(Amangast) Prep.*	Dhexda ama badhtanka (Meel ama cid) ugu jira.
Amorous	*(Aamaras) Adj.*	Dhibyari ku jeclaan, Caashaq Fudud.
Amount	*(Amawnt) v.*	Isku Xisaabin, Xisaab.
Ampere	*(Aampee) n.*	Cabbirka Qiyaasta Qulqulka Maayadda Korontada.
Amphibian	*(Amfibiyan) n.*	Xayawaanka Berri Biyoodka ah (Raha oo kale).
Amplify	*(Amplifaay) v.*	Weyneeyn ama faahfaahin, (Siiba Raadyowga iwm.).
Amputate	*(Ampyuteyt) v.*	Waax Jarid Jidhka ah: (Gacan ama Lug).
Amuse	*(Amyuus) v.*	Maaweelin ama Madadaalin, ka farxin.
Anaconda	*(Ankonda) n.*	Mas weyn, Siiba nooc wax burburiya.

Anaemia	(Aniimya) n.	Dhiig yaraan, dhiig ku filan la'aan.
Analogy	(Anaalaji) n.	Isku yara dhigma, Qaybo isaga ekaan.
Analyse	(Analaays) n.	Intixaamid ama baadhid wax si loo barto waxa uu ka samaysan yahay.
Analysis	(Aanalisis) n.	Kala dhigdhigid.
Anarchy	(Anarki) n.	Dawlad la'aan, Nidaam La'aan.
Anatomy	(Anaatami) n.	Sayniska ama Cilmiga Barashada Dhiska Jirka xayawaanka.
Ancestor	(Ansista) n.	Awoowyadii hore Midkood (Qof) Tafiirtiisii hore Midood.
Anchor	(Anka) n.	Barroosin, Birta Markabka Dhulka loogu xidho.
Anchovy	(Anjafi) n.	Kalluun yar oo suugo laga samaysto.
Ancient	(Eynshant) adj.	Qadiim, Wakhti hore jiray, Beri hore jiray.
And	(Aand,) Conj.	Iyo
Angel	(Eynjal) n.	Malag (Masiixiyiintaa u taqaan).
Anger	(Anaga) n.	Cadho.
Angle	(Aangal) n.	Xagal.
Angry	(Angri) Adj.	Cadhoonaya; Cadhaysan.
Angular	(Angyula) Adj.	Xaglo leh, Cidhifyo leh, Xagleed, Xagleysan.
Animal	(Aanimal) n.	Xayawaan.
Animate	(Animit) Adj.	Nool, Noolayn.
Animosity	(Animositi) n.	Necbaysi ama Necbaasho xoog ah.
Ankle	(Ankal) n.	Canqow, Halka cagta iyo Lugta isku xidha.
Anneal	(Aniil) v.	Qunyar qaboojin (Biraha & Qaruuradaha iwm). si loo adkeeyo ama ay u adkaadan.
Annihilate	(Anaayhileyt) v.	Baabi'in, tirtirid (Wax jiray).

Anniversary	*(Anifeesari) n.*	Sannadguuro.
Announce	*(Anawns) v.*	Ku dhawaaqid, Daah ka qaadid.
Annoy	*(Anooy) Adj.*	Ka cadhaysiin.
Annual	*(Anyuwal) Adj.*	Sannad walba dhaca; Sannad Qudha ku dhammaada; Sannadkiiba.
Anomalous	*(Anomales) Adj.*	Sida Caadiga ah ka yara duwan.
Anonimous	*(Anonimas) Adj.*	Aan magac lahayn. Magac la'aan, Magac la'.
Anopheles	*(Anofaliis) n.*	Kaneecada nooca Cudurka duumada fidisa.
Another	*(Anada) Pron. Adj.*	Mid kale.
Answer	*(Aansa) n.v.*	Jawaab, ka jawaabid, laga jawaabo.
Answerable	*(Aansarabal) Adj.*	laga jawaabi karo.
Ant	*(Aant) n.*	Qudhaanjo.
Antagonist	*(Aantaaganist)n.*	Qofka la halgamaya mid kale.
Ante	*(Aanti) Pref.*	Hordhig ka hor.
Antelope	*(Aantilowp) n.*	Xayawaan deerada u eg.
Antemeridian	*(Aantimaridhiyan) Lat.*	"a.m" wakhtiga u dhexeeya Saqbadhka Habeenkii ilaa duhurka Maalintii.
		"8:30 a.m." Siddeedda iyo Badhka Aroornimo.
Antenuptial	*(Aantinapshal) Adj.*	Guurka ka hor, Guurka Hortii.
Anterior	*(Antiyariya) Adj.*	Ka hor imanaya (Wakhti ama meel).
Ante-room	*(Antirum) n.*	Qolka ka horreeya ka weyn.
Anther	*(Aantha) n.*	Mid ka mida qaybaha Ubaxa oo Bacrinta sida.
Anthropology	*(Anyharapolaji) n.*	Cilmiga ama sayniska Ninka ama Qofka: Bilowgiisii, Horumarkiisa, Caadooyinkiisa, Waxyaabuhuu rumaysan yahay iwm.
Anti	*(Aanti) Pref.*	(Hordhig) Ku lid ah, ka soo hor jeeda.
Anticipate	*(Aantisipeyt) v.*	Ka hor isticmaalid; rajayn.

19

Antidote	*(Aantidhowt) n.*	Dawo loo isticmaalo Lidka Sunta, ama ka sii hortegidda Sunta iwm.
Antiknock	*(Aantinok) n.*	Wax shidaalka Baabuurka lagu daro si Guuxa u yareeyo.
Antitank	*(Antitaank) Adj.*	Lidka Dabaabadaha (Milateriga).
Anus	*(Anas) n.*	Ibta Futada Xayawaanka (Godka).
Anvil	*(Anfil) n.*	Cudad, Cuddad; Birta Biraha lagu dul Tumo.
Anxiety	*(Ansaayati) n.*	Xaalad laga Walaaco Mustaqbalka Wax dhici doona.
Anxious	*(Aankshas) Adj.*	Ka xun, Ka werwersan.
Any	*(Eni) Adj. Pron. Adv.*	Walba (Wax marka aad sheegaysid ge- biba): Tusaale mid uun, Sida kuwa hoos qoran fiiri:-
Anybody	*(Enibodhi) n. pron.*	Ciduun, Qofuun, kuu doono ha ahaa- do.
Anyhow	*Enihaw) Adv.*	Si kasta, si walba.
Anyone	*(Eniwan) n. Pron.*	Miduun, qofuun.
Anything	*(Eniting) n. pron.*	Wuxuun.
Anyway **Anywhere**	*(Eniwey) adv.* *(Eniwee) adv.*	Si kastaba; Meel uun, meeshay doontaba ha noqo- tee.
Aorta	*(Eyoota) n.*	Halbawlaha dhiigga wadnaha ka qaada
Apart	*(Apaat) adv.*	Ka durugsan, ka fog.
Apartheid	*((Apaatheyt) n.*	Midab kala sooc.
Apartment	*(Appatment) n.*	Qol gaar ah oo Guriga ka mid ah.
Ape	*(Ayp) n.*	Daayeer aan Dabo lahayn: Goriile iwm.
Apex	*(Eypekes) n.*	Halka ugu Sarraysa.
Apiary	*(Eypiyari) n.*	Meesha Shinnida lagu xareeyo ama la- gu hayo.
Apocalypse	*(Apokalips) n.*	Waxyi (Cilmiga Xagga Ilaahay ka yi- maado).
Apologize	*(Apolajaays) v.*	Raalli gelin; meeldhac ka soo noqod (Raaliyeyn).

Apoplexy	(Aapapleksi) n.	Miyir doorsan, maan rogmad.
Apostrophe	(Apostarafi) n;	Hamse (').
Apparatus	(Apareytas) n.	Qalab wax loogu tala galay.
Apparent	(Appaarant) Adj.	Si qeexan loo arkayo ama loo fahmayo.
Appeal	(Apiil) v.n.	Codsasho Rafcaan, Dalbasho rafcaan, Racfaan.
Appear	(Abiya) v.	Muuqda, la arkayo.
Appearance	(Apiyaranis) n.	Muuqasho, Muuq.
Appease	(Apiis) v.	Aamusiin ama qaboojin (Qof cadhaysan).
Appendix	(Apendhikis) n.	Wax gadaal lagaga daro; Qabsin (Jid ku yaal).
Appetite	(Apitaayt) n.	Nafsad (Cunto cunid u niyad wanaag).
Applaud	(Aploodh) v.	U sacbin, sacab ku taageerid.
Apple	(Aabal) n.	Tufaax (khudrad)
Appliance	(Aplaaynis) n.	Qalab farsamo.
Applicable	(Aplikabal) adj.	La isticmaali karo, habboon ama lagu dhaqmi karo.
Applicant	(Aplikant) n.	Qofka Arjiga (dalabka) soo qorta.
Application	(Aplikeyshan) n.	Codsi sameyn, isticmaalid arji.
Apply	(Aplaay) v.	Isticmaalid.
Appoint	(Apooynt) v.	Go'aamid, qoondayn, u qabasho (Wakhti).
Appointment	(Apooyntmant) n.	Ballan, Wakhti la ballamo.
Apportion	(Apposhan) n.	Qaybin, tafaruqin, qaybqaybin.
Apposite	(Aapasit) adj.	Ku habboon, u qalma, sax ku ah:
Appreciate	(Apriishiyayt) v.	Qiimeyn faham ah, kor u dhigid (Mudnaasho)
Apprentice	(Aprentis) n.	Waxbartayaasha shaqada, ka loo yeelo inuu wax ka barto meelaha shaqadu ka socoto.
Apprise	(Apraays) v.	Ogeysiin, wargelin.

Approach	*(Aprowj) v.*	Ku dhawaansho, ku sii dhawaysad.
Appropriate	*(Aprowpiriyeyt) adj.*	Ku habboon, ku hagaagsan, ugu talo gelid.
Approve	*(Apruuf) v.*	Yeelid, u caddayn ama raaleyeysiin.
Approximate	*(Aproksimit) adj. v.*	Aad ugu dhow, iska sax, ku dhawayn tiro.
Approximately	*(Aproksimeytli) adv.*	Ugu dhawaan.
April	*(Aypriil) n.*	Bisha Afraad ee Sannadka Milaadiga, Abriil.
Aptitude	*(Aptityuudh) n.*	Karti dabiici ah oo xagga aqoonta ah.
Arab	*(Aarab) n.*	Carab.
Arable	*(Aarabal) adj.*	Ku habboon baaqbaaqa (Dhul) badanaaba la baqbaaqo.
Arbitrary	*(Aarbitrari) adj.*	Ku saleysan fikrad & ra'yi se aan sabab lahayn.
Arbour	*(Arbow) n.*	Meesha hadhka leh ee dhirta u dhaxaysa.
Arc	*(Aak) n.*	Qaanso (Xisaab).
Archbishop	*(Aajbishap) n.*	Wadaad ama Shiikh Kiniisadaha (Masiixi).
Archer	*(Aaja) n.*	Qofka Leebka & Qaansada wax ku toogta ama shiisha.
Architact	*(Aarkitekt) n.*	Qofka Sawira nakhshadaha dhismayaasha kana war haya shaqada dhismaha markay socoto.
Architecture	*(Aarkitekja) n.*	Cilmiga Dhismaha.
Archives	*(Aakaayfis) n.*	Meesha lagu kaydsho waraaqaha iyo warbixinada dawladda ama dadweynaha; Aarkiifiyo.
Area	*(Eeriya) n.*	Bed, Cabbirka sakxada.
Argue	*(Aagyuu) v.*	Murmid.
Arise	*(Araays) v.*	Soo bixid, Soo Shaacbixid.
Arithmetic	*(Arithmatik) n.*	Cilmiga tirada, Xisaab.

Arm	*(Aam) n.*	Cudud (Gacanta inteeda Calaacasha ka sarraysa); Hub; Hubsiin.
Armature	*(Aamajuwa) n.*	Qaybta Wareegta ee Daynamada.
Armour	*(Aama) n.*	Hu' ama dahaadh bir ka samaysan oo difaaca loo xidho.
Army	*(Aami) n.*	Ciidan Milatary, Ciidammada Gaashaandhigga.
Around	*(Arowind) adv.*	Dhinac kastaba, Hareeraha oo dhan meelahakan.
Arouse	*(Arows) v.*	Guubaabin, Kicin (Hiyi ama niyad).
Arrange	*(Areynj) v*	Isku hagaajin, nidaamin.
Arrangement	*(Areyngment) n.*	Nidaam, hagaajis.
Arrangement	*(Areyngmant) n.*	Nidaam, hagaajis.
Arrest	*(Arest) v.*	Xidhid, Qabasho (Jeelka la dhigo).
Arrive	*(Araayf) v.*	Meel gaadhid, (Halka uu socdaalku ku eg yahay).
Arrogant	*(Aragant) adj.*	Kibir weyn, Isla weyn, heer sare iskuhaysta.
Art	*(Aat) n.v.*	Shaqada Ninka, Xirfada Dadka (Aan Dabiiciga ahayn); Fan.
Artery	*(Aatari) n.*	Halbowle, (Kuwa dhiigga).
Arthritis	*(Aatharaaytis) n.*	Cudur ku dhaca Xaglaha.
Article	*(Aatikal) n.*	Qodob.
Artifact	*(Aatifakt) n.*	waxyaabaha aadamigu sameeyo, Aartafishal.
Artificial	*(Aatifishal) Adj.*	Aan dabiici ahayn ama dhab, wax qof sameeyay.
Artist	*(Aatist) n.*	qofka wax sawira ama Naqshadeeya.
Ascend	*(Asend) v.*	Kor u korid; Fuulid.
Ascertain	*(Aasateyn) v.*	Xaqiijin, Hubin.

Ash	*(Aash) n.*	Dambas.
Ash-tray	*(Aashtari) n.*	Walaxda Sigaarka lagu Bakhtiiyo ama la dul saaro.
Ashamed	*(Asheymidh) Adj.*	Isla yaabid, isku sheexid.
Ashore	*(Ashoo) Adj.*	Xagga Xeebta ee Xeebta.
Aside	*(Asaaydh) Adv.*	Dhinaceyn, Dhinac ama dhan ka yeelid (Dhigid).
Ask	*(Aask) v.*	Weydiin, la weydiiyo.
Asleep	*(Asliib) Adv. Adj.*	Gam'id; (Hurdo) Hurdaa.
Aspect	*(Aaspekt) n.*	Qaab ama Muuqaal uu qof ama Wax leeyahay
Asphalt	*(Aasfalt) n.*	Daamur, Laami.
Ass	*(Aas) n.*	Qofka edebta xun ama Nasakha ah.
Assassination	*(Asaasineyt) v.*	Dilid qof Muhiim ah (Madax ah).
Assault	*(Asolt) v.*	Weerar kedis ah oo Xoog leh.
Assemble	*(Aasembal) v.*	Isku ururin, Isku xidhxidhid.
Assembly	*(Asembali) n.*	Gole, Guddi loo Xilsaaray inay shaqo gaar ah fuliyaan.
Assert	*(Aseet) v.*	Ku Dacwoodid Wax qof kale, Xuquuaq mid kale ku dacwootid.
Assign	*(Asaayn) v.*	Lagu qaybiyo, loo qoondeeyo.
Assist	*(Asist) v.*	Caawin, Caawiye (qof).
Assistant	*(Asistant) n.*	Kaaliye, Caawiye (qof).
Associate	*(Asowshiit) adj.*	Isku xidhid, Isku keenid (Urur iwm).
Association	*(Asowsiyeyshan) Adj.*	Urur (Ujeeddo wada leh).
Assume	*(Asyuum) v.*	U qaado (Tusaale, Run u qaado).
Assurance	*(Ashuwaranis) n.*	Hubaal, Xaqiiq.
Assure	*(Ashuwa) v.*	Xaqiijin, Hubaal.
Astonish	*(Astonish) v.*	Aad u yaabid, Aad ula yaabid, Naxdin.
Astray	*(Astarey) Adv. Adj.*	Habow, Marin Habaabid, Ambasho.

Astronomy	(Astaronami) n.	Cilmiga Xiddigiska.
Asylum	(Asaaylam) n.	Meesha Dadka Waalan lagu xannaaneeyo.
Ate	(Ayt) v.	Waa cunay, Cunay ("EAT" Bay ka timid).
Atheism	(Eythiisam) n.	Rumasnaanta ama caqiidada inaan Ilaah jirin.
Atlas	(Aatlas) n.	Buugga Khariidadaha, Buugga Maababka.
Atmosphere	(Atmosfiya) n.	Hawada Dhulka Dushiisa.
Atom	(Atam) n.	Waa saxarka ugu yar ee aan la jajabin karin.
Attach	(Ataaj) v.	Isku xidhid, Isku dhejin.
Attack	(Ataak) n.	Weerarid, Weerar.
Attempt	(Atempt) v.	Isku deyid, tijaabin.
Attend	(Atendh) n.	Ka qaybgalid; ilaalin; u shaqayn.
Attendance	(Atendhanis) n.	Joogid, Xaadirid, Joogis.
Attention	(Atenshan) n.	Digtooni, si fiican u dhugasho.
Attitude	(Aatityuudh) v.	Joogga Qofka.
Attract	(Atraakt) v.	Soo Jiidasho (Sida Birlabta oo kale).
Attractive	(Atraaktif) adj.	Isjiidasho, la jeclaysanayo, ku soo jiidanayo.
Auction	(Oakashan) n.	Xaraash.
Audible	(Oodhibal) adj.	La maqli karo, la maqli karo.
Audience	(Oodhiyanis) n.	Dhageystayaal.
Audit	(Oodhit) n.	Dhegayste; Qofka hantidhowrka ah.
Auditor	(Oodhita) n.	Hantidhowre.
Auditory	(Oodhitari) adj.	Ee dareenka maqalka.
Auger	(Ooga) n.	Aalad looxaanta lagu dulceliyo.
August	(Oogast) n.	Bisha Siddeedaad ee sannadka Masiixiga; Ogosto.

Aunt	*(Aant) n.*	Eddo ama habaryar, aayo (ta uu qofka (Aabbihii qabo).
Aural	*(Ooral) n.*	Xubnaha ama qaybaha maqalka.
Auricle	*(Oorikal) n.*	Dhegta inteeda dibadda ah; godka sare ee wadnaha.
Author	*(Ootha) n.*	Qoraa, Qofka qora buug, sheeko iwm.
Authority	*(Oothirati) n.*	Awood.
Auto	*(Ootow) n.*	Hordhig Iskii, iswada; Baabuur iwm.
Automatic	*(Ootamaatik) adj.*	Is wada, iskii isku wada ama is dhaqaajiyay.
Automobile	*(Ootomawbil) n.*	Baabuur.
Autumn	*(Ootam) n.*	Fasalka, dayrta (wakhtiga).
Auxiliary	*(Oogsiliyari) adj.*	Caawin, caawin ama taageerid leh.
Avenue	*(Aafenyuu) n.*	Waddo hareeraha dhir ku leh, Suuq weyn ee waddada hareeraheeda dhismayaasha ku leh.
Average	*(Aafariij) n.*	Isku celcelin, isku celcelis.
Aversion	*(Afeeshan) n.*	Nebcaasho xoog ah.
Avert	*(Afeet) v.*	Maskax ka doorin; ka jeedin ama is hor taagid.
Aviary	*(Eyfiyari) n.*	Meesha Shimbiraha lagu dhaqo.
Aviation	*(Eyfiyeyshan) n.*	Cilmiga duulista, Cir-mareenimada.
Aviator	*(Eyfieyta) n.*	Qofka kontaroolka Dayuuradaha & Gaadiidka Cirka kala socodsiiya.
Avid	*(Afidh) adj.*	Ku hamuunsan, hunguri weyne.
Avoid	*(Afooydh) v.*	Ka hor tag; is hortaagid.
Await	*(Aweyt) v.*	La sugo, u keydsan.
Awake	*(Aweyk) v.*	Laga tooso hurdada.
Award	*(Awooydh) v.*	Abaalmarin.
Aware	*(Awee) adv.*	Yinqiinsi, aqoonsin.

26

Away	*(Awey) adv.*	Ka fog, maqan, fog.
Awe	*(Oo) n;*	Xushmeyn ay cabsi ku jirto; lagu cabsiiyo.
Awful	*(Ooful) adj.*	Aad u xun.
Awhile	*(Awaayl) adv.*	Wakhti yar ku siman.
Awl	*(Ool) n.*	Mudaca Kabaha lagu tolo.
Awning	*(Ooning) n.*	Shiraac, daah.
Axe	*(Aakas) n.*	Faash, Gudin.
Axiom	*(Aaksiyam) n.*	odhaah ama hadal laysku raacay, muran la'aan.
Axis	*(Aaksis) n.*	Xariiq Xudun ah.
Axle	*(Aaksal) n.*	Khalfad.
Azalea	*(Aseyliya) n.*	Noocyo Ubaxa cufan ka mid ah.
Azure	*(Eysa) Adj. n.*	Midab calan khafiifa sida Cirka oo kale.

___ B ___

Baa	*(baa) n.*	Cida idaha, iyo wixii u egba.
Baboon	*(Babuun) n.*	Daayeer weyn oo Wejiga eyga oo kale ah leh.
Baby	*(Beybi) n.*	Canug; ilma aad u yar.
Baccara	*(Baakaraa) n.*	Khamaarka Turubka lagu ciyaaro.
Baccy	*(Baaki) n.*	Buuri; Tubaako.
Bachelor	*(Baajala) n.*	Doob, Ninka aan guursan.
Back	*(Baak) n. Adj.*	Dhabar; Gadaal; Xagga dambe.
Backward	*(Baakwadh) Adj.*	Dib-u-socod; Xagga dambe; Dambeeya.
Bad	*(Baadh) adj.*	Xun, ma Wanaagsana.
Badminton	*(Baadhmintan) n.*	Ciyaarta, Teeniska dheer; Laliska dheer.
Bag	*(Baag) n.*	Alaabooyinka (shandadaha iwm.) ee safarka loo qaato.
Bail	*(Beyl) n.*	Ganaax Maxkamadeed.
Bait	*(Beyt) n.*	Culaaf, Raashinka ama waxyaabaha kale ee dabinka la gesho.
Bake	*(Beyk) v.*	Dubid; Solid; Moofayn; (Rootiga Keegga iwm.).
Baksheesh	*(Baakshiishka) n.*	Bakhshiish; Lacagta Abaal-marinta laysku siiyo.
Balance	*(Baalans) n.v.*	Miisaan, Miisaamid, isku dheellitir.
Bald	*(Booldh) adj.*	Timo la'aan, aan timo lahayn.
Balderdash	*(Booldadhaash) n.*	Hadal ama qoraal Maalayacni ah.
Baldric	*(Booldrik) n.*	Jeeni-qaar.
Bale	*(beyl) n.*	Dhibaato, Waxyeelo.
Ball	*(Bool) n.*	Kubbad.
Balloon	*(Baluun) n.*	(Biibiile); Caag laga Buuxsho naqas neef.
Ballot	*(Baalot) n.*	Xaashiyaha Doorashada.

Ban	*(Baan) v.*	Joojin; Mamnuucid.
Banana	*(Banaana) n.*	Muus (Khudrad).
Band	*(Baand) n.*	Koox, Urur Samaysan; Duub.
Bandage	*(Baandhij) n;*	⸴Baandheys; Maro qaro adag oo meesha Jirran lagu duubo.
Bandit	*(Baandhit) n.*	Budhcad; Dadka xoog wax ku dhaca.
Bane	*(Beyn) n.*	Sun; Dhibaatayn.
Bang	*(Baang) n.*	Sanqar; Qaylo kadis ah.
Banish	*(Baanish) n.*	Masaafurin; Dal dibadda looga saaro.
Bank	*(Baank) n.v.*	Baan; Bangi (Meesha ama Xafiisyada Lacagta).
Bankrupt	*(baankrabt) n.*	Qaan; Fakhriyid, Kicid.
Banquet	*(Baankwitt) n.*	Casuumad; Qado-sharaf ama casho-sharaf.
Bar	*(baa) n.v.*	Meesha wax lagu cabbo ama laga cuno (Baar).
Barbarian	*(Baabeeriyen) adj. n.*	Ilbax la'aan.
Barber	*(Baaba) n.*	Timo-Xiire; Jeega xiire.
Bare	*(Bee) adj.*	qaawan.
Bargain	*(Baagin) n.*	Baayactan; Baqsid.
Bark	*(Baak) n.*	Jilifta dhirta; Cida eyga.
Barometer	*(Baromita) n.*	Qalab lagu qiyaaso Cadaadiska Hawada.
Baroque	*(Barowk) adj.*	Si heer sare ah loo qurxiyo.
Barouche	*(Ba'ruush) n.*	Gaadhi-faras.
Barrack	*(Baarak) n.*	Guryaha Askartu Wadajir ugu nooshahay; diidmo qaylo Buuq leh.
Barrage	*(baaraaysh) n.*	Biyo-xireen.
Barrel	*(Baaral) n.*	Foosto.
Barren	*(Baaran) adj.*	Dhirta aan Midhaha bixin, Naagta aan dhalin (Ma dhasho).

Barrier	(Baariye) n.	Aan laga gudbi karin.
Barrow	(Baarow) n.	Kaaryoone.
Base	(Beys) v.	Dakhar ama jebin.
Basic	(Beysik) adj.	Gundhig; Aasaasi, Sal.
Basin	(Beysin) n.	Saxan bir ama dhoobo ah oo wax lagu shubto.
Basket	(Baaskit) n.	Sallad, Sanbiil, Kolay.
Bass	(Baas) n.	Nooc Kalluunka ka mid ah.
Basinet	(Baasinet) n.	Baabuur Caeruureed.
Bastard	(Baastadh) n.	Garac, Qof meher la'aan ku dhashay.
Bat	(Baat) n.	Fiidmeer.
Bath	(Baath) n.	Qubaysi, Maydhashada jirka.
Bathe	(Beyd) v.	Biyo ku shubid.
Batman	(Baatmaan) n.	U-adeegaha Sarkaalka Ciidanka.
Baton	(Baatan) n.	Usha ninka Booliska ah qaato.
Battalion	(Bataalyan) n.	Guuto (Ciidan ah).
Battery	(Baatari) n.	Beytari, Qalab koranto laga helo.
Battle	(Baatal) n.	Dagaal ka dhex dhaca laba dal ama laba Ciidan.
Batty	(Baati) adj.	Yar waallan; Qof yara waalan.
Bawl	(Bool) v.	Qaylin ama oohin dheer.
Bayonet	(Beyanit) n.	Soodh, Maddiisha bunduqa afkiisa la gesho.
Bazaar	(Basaa) n.	Suuqa Ganacsiga.
Bazooka	(Basuuka) n.	Qoriga ama Bunduqa Lidka Kaaraha ama dubaabadda.
Beach	(Biij) n.	Meelaha badda lagaga dabbaasho.
Bead	(Biidh) n.	Kuul, Tusbax iwm.
Beak	(Biik) n.	Afka dhuuban ee Shimbiraha.
Beam	(Biim) n.	Biin, Nooc miro dhireed ah.

Beam	*(Biim) n.*	Dhig-dhexe.
Bean	*(Biin) n.*	Madax Kuti.
Bearable	*(Beerabal) adj.*	Loo adkaysan karo.
Beard	*(Biyedh) n.*	Gadh, Timaha ka soo baxa gadhka.
Bearer	*(Beera) n.*	Qofka badhi-walaha ah.
Beast	*(Biist) n.*	Xayawaanka afarta addin leh; Qofka Axmaqa ah.
Beat	*(Biit) v.*	Garaacid, Tumid, laga badiyo.
Beatify	*(Bi'atifaay) v.*	U bushaarayn, ka farxin.
Beatitude	*(Bi'atityuudh) n.*	Aad u faraxsan.
Beautiful	*(Biyuutiful) adj.*	Qurxoon, qurux badan.
Beauty	*(Biyuuti) n.*	Qurux.
Because	*(Bikoos) Conj.*	Maxaa yeelay, Maxaa wacay.
Become	*(Bikam) v.*	Yimaado, Noqda (He has Became a famous Man Wuxuu noqday Nin Caan ah.)
Bed	*(Bedh) n.v.*	Sariir.
Bee	*(Bii) n.*	Shinni, Cayayaanka malabka sameeya.
Beef	*(Biif) n.*	Hilibka lo'da.
Beer	*(Biiya) n.*	Biire, Nooc Khamri ah.
Beeswax	*(Biis-Waks) n.*	Laxda Shinnidu Malabka ku samayso.
Beetle	*(Biital) n.*	Nooc Cayayaanka ka mid ah.
Before	*(Bifo) Prep. & adv.*	Ka hor, hore.
Befoul	*(Bifawl) v.*	Wasakhayn.
Beg	*(Beg) v.*	Baryid, dawarsi.
Began	*(Begaan) v.*	Bilaabay, la bilaabay.
Beggar	*(Beggar) n.*	Miskiin, Qofka dawarsada.
Begin	*(Begin) v.*	Bilaabid.
Beguile	*(Begaayl) v.*	Khiyaameyn.

31

Behave	*(Beheyf) v.*	Layska dhigo, ula dhaqmo.
Behaviour	*(Beheyfiya) n.*	Akhlaaq, dabeecad.
Behead	*(Behedh) v.*	Madax ka goyn, gurta laga jaro.
Behind	*(Behaaynd) adv & n.*	Xagga dambe, gadaal.
Being	*(Bii'ing) n.*	Jiritaan, jira.
Belabour	*(Bileyba) v.*	Aad u garaacid, garaacid xoog leh.
Belated	*(Bileytidh) adj.*	Habsamid, Saacad dib uga dhicid.

Belief	*(Biliif) n.*	Rumeyn, qirid, ictiqaad.
Believe	*(Beliif) v.*	Rumeysan, qirsan.
Bell	*(Bel) n.*	Jeles, dawan.
Belle	*(Bel) n.*	Gabadh ama naag qurux badan.
Bellicose	*(Belikows) adj.*	U janjeedha xagga Dagaalka, Dagaal jecel.
Belong	*(Bilong) v.*	Leh, iska leh.
Beloved	*(Bilofidh) adj.*	La jeclaado, jecelyahay.
Below	*(Bilow) Prep. & adv.*	Ka hooseeye, hoos.
Belt	*(Belt) n.*	Suun (Ka dhexda lagu xidho oo kale).
Bench	*(Benj) n.*	Miiska Shaqo-xirfadeedka lagu dul qabto.
Bend	*(Bend) v.*	Qalloocin.
Beneath	*(Beniith) Prep.*	Xagga hoose, ka hooseeye, hoos yaal.
Beneficial	*(Benifishal) adj.*	Faa'iido ama waxtar u leh.
Benefit	*(Benifit) n.*	Faa'iido, waxtar.
Beri-beri	*(Beriberi) n.*	Jirro ay fiitamiin la'aantu keento.
Berth	*(Beeth) n.*	Meesha la seexdo ee tareenka, Markabka ama Dayuuradda iwm.
Beside	*(Bisaaydh) Prep.*	Dhinaceeda, ku naban; marka loo eego *(Come and sit Beside me* **"Ii kaalay oo** dhinaceyga fariiso").

32

Besides	*(bisaaydis)prep.*	Weliba....; oo kale.
Besiege	*(bisiij)v.*	Hareerayn, go'doomin.
Besmirch	*(bismeej)v.*	Wasakhayn.
Best	*(best)adv. adj. v.*	Ugu wanaagsan, ugu fiican.
Bet	*(bet)v.*	Sharad; sharatan.
Betray	*(bitrey)v.*	Daacad-daro, aamin darro.
Betroth	*(bitrowth)v.*	Doonan; (Guurka) sida gabadha Cali bay u doonan tahay.
Better	*(beta)adj. adv.*	Ka wanaagsan, ka fiican, ka roon.
Beverage	*(befarij)n.*	Cabitaan. Sharaab, wax kasta oo la cabbo (sida caano, shaah, khamri, iwm.)
Bevy	*(befi)n.*	Shirikad ama urur haween ah; raxan-shimbiro ah.
Bewilder	*(biwilda)v.*	Dhaka-faar. Madax-fajac, amakaak.
Bewitch	*(biwij)v.*	Fal u qabatin, sixiraad; khushuuc gelin.
Beyond	*(biyond)prep. & adv.*	Xagga shishe, dhanka kale; ka shi-sheeya; ka dib.
Bible	*(baaybal)n.*	Kitaabka Masiixiyiinta.
Biceps	*(baaysebis)n.*	Muruqa gacanta.
Bicycle	*(baaysikal)n.*	Baaskeel. Bushkuleeti.
Big	*(big)adj.*	Weyn.
Bigamy	*(bigami)n.*	Ninka labada naagood qaba, nin laba xaas leh.
Bikini	*(bikiini)n*	Dharka ay dumarku gashadaan marka ay dabbaalanayaan; dharka dabbaasha ee haweenka.
Bile	*(baayl)n.*	Dheecaan qaraar oo beerku ku soo daayo marka cuntada dheef-shiidkeedu socdo oo wax ka fara dheef-shiidka.
Bilharzia	*(bilhaarsiya)n.*	Kaadi-dhiig (cudur).
Bi-lingual	*(baaylingwal)adj.*	Laba Af (luqadood) ku hadlaya; laba Af yaqaan oo qori kara akhriyina karo.

Bill	*(Bil) n.*	Biil, wax macmiil loo qaato oo wakhti lagu bixiyo.
Billion	*(Bilyon) n.*	Malyan malyan; milyan meelood oo malyan ah.
Billy-goat	*(Biligawt) n.*	Orgi.
Binoculars	*(Baaynokyulas) n.*	
		Diirad, qalab aragga soo dhaweeya.
Biography	*(Baayografi) n.*	Qof taariikhdii oo uu qof kale qoray.
Biology	*(Baay'ology) n.*	Cilmiga barashada Noolaha, nafleyda.
Biped	*(Baaypodh) n.*	Nafleyda labada Lugood ku socota sida Dadka, shimbiraha iwm.
Bird	*(Beedh) n.*	Shimbir.
Birth	*(Beeth) n.*	Dhalasho.
Biscuit	*(Biskit) n.*	Buskut.
Bisect	*(Baaysekt) v.*	U kala goyn laba meelood oo is le'eg ama u kala qaybin laba meelood oo is le'eg.
Bit	*(Bit) n.*	Xakame; in yar.
Bitch	*(Bij) n.*	Dheddigga ama ka dheddig ee Eyga, Yeyga ama Dawacada.
Bite	*(Baayt) v.*	Qaniin, qaniinyo.
Bitter	*(Bita) adj.*	Qaraar, qadhaadh, dhadhan qaraar.
Blab	*(Balaab) v.*	Hadal nacasnimo ah; si dabaalnimo ah iska hadashid; sir sheegid.
Black	*(Balaak) n.*	Madow, midab madow.
Bladder	*(Bilaadar) n.*	Xameyti.
Blade	*(Bileydh) n.*	Mindida ama soodhka iwm. intiisa ballaaran ee wax jarta; seefta intiisa ballaaran.
Blame	*(Bileym) v.*	Canaan, eedayn.
Blank	*(Balaank) adj.*	Xaashi aan waxba ku qorneyn, Xaashi cad ama banaan.

Blanket	*(Balaankit) n.*	Buste, maro (Suuf) qaro weyn oo dhaxanta laga huwado ama Sariirta lagu goglo.
Bleat	*(Biliit) n.*	Cida Idaha (Ariga) Weylaha.
Bleed	*(Biliidd) v.*	Ka dhiijin, dhiig ka keenid.
Bless	*(Beles) v.*	U ducayn, Alla u baryid.
Blind	*(Balaaynd) adj.*	Indha la'; aan waxba arkayn.
Blink	*(Bilink) v.*	Il-jibin, sanqasho.
Blithering	*(Biiltharing) adj.*	Iska hadalid; hadal badni nacasnimo ah.
Bloated	*(Balowtid) adj.*	Bararay, bararsan (meel jiran).
Block	*(Bolok) n.*	Waslad weyn oo ah qori. loox, dhagax iwm.
Blockhead	*(Bolokhedh) n.*	Qofka sakhiifka ah.
Blood	*(Bladh) n.*	Dhiig.
Bloody	*(Baladhi) adj.*	Dhiigga leh, Dhiig leh.
Blossm	*(Blosam) n.*	Ubax (siiba ka dhirta khudaarada leh).
Blow	*(Blow) v.*	Afuufid; neecow qaadasho; garaacid, tumis.
Bludgeon	*(Balajan) n.*	Budh, Ul madax kuusan oo gacan qabsi leh.
Blue	*(Buluu) n.*	Midabka Cirka oo kale, (Calanka Soomaalida midabkiisa oo kale).
Blunt	*(Balant) adj.*	Af la', raawis ah, aan waxba jarayn.
Boa	*(Bowa) n.*	Jebiso.
Boat	*(Bowt) n.*	Dooni.
Bobby	*(Bobi) n. slang.*	Askari Boolis ah.
Body	*(Bodhi) n.*	Jidh, Jirka.
Boil	*(Booyl) n & v.*	Karkarin, baylin.
Bolt	*(Bowlt) n.*	Bool, boolka wax lagu xodho.
Bomb	*(Bom) n.*	Qunbulad, bambaane.

Bombard	*(Bombaadh) v.*	Duqeyn, (Dagaal Ciidameed) weerar laxaad leh oo hubeysan.
Bondage	*(Bondhij) n.*	Addoonnimo.
Bone	*(Bown) n.*	Laf.
Bonny	*(Boni) adj.*	Aragti caafimaad leh, caafimaadqaba.
Bony	*(Bowni) adj.*	Lafo leh, lafo miiran ah; cadku ku yar yahay.
Booby	*(Buubi) n.*	Qof doqon ah, maran ah, segegar.
Book	*(Buk) n.*	Buug, buugga ku qorid.
Bookish	*(Bukish) adj.*	Qofka wax akhriska badan leh.
Boost	*(Buust) v.*	Sii kordhin, sii hinqadsiin, sii cusboonaysiin.
Boot	*(Buut) n.*	Buudh, Kabaha dusha ka qafilan.
Booth	*(Buuth) n.*	Balbalo.
Border	*(Boodhar) n.*	Xad, xariiq laba dal kala qaybisa.
Bore	*(Boor) v.*	Daloolin; ka daloolin xagga maskaxda ah).
Borrow	*(Borow) v.*	La amaahiyo.
Botany	*(Botani) v.*	Cilmiga barashada dhirta.
Bother	*(Bothar) v.*	Arbushaad, la arbusho *(What is bothering you? maxaa ku haya?)*.
Bottle	*(Botol) n.*	Dhalo, qaruurad wax lagu shuban karo.
Bottom	*(Botam) n.*	Gunta ama xagga ugu hoosaysa.
Boudoir	*(Buudhwaa) n.*	Qolka dumarku ku beddeshaan, qolka fadhiga ee dumarka.
Bounce	*(Baawns) v.*	La soo cesho, dib uga soo booda.
Boundary	*(Bawndari) n.*	Xarriiqa laba meelood kala qaybiya, Xad, Xuduud.
Bourgeois	*'Bu'ashwa) n.*	Maalqabeen dhexe.
Bow	*(Baw) v.*	Sujuudis, madax foorarin.

Bowser	*(bawsa)n.*	Baabuurka diyaaradaha shidaalka siiya.
Box	*(boks)n. v.*	Shandad. Sanduuq. Feedh (tantoomo).
Boy	*(booy)n.*	wiil.
Boycott	*(boykot)v.*	Qaaddacaad.
Brackish	*(braakish)adj.*	Biyo xaraq ah. Biyo adag (dhadhan).
Brae	*(brey)n.*	Janjeedh; buur sinteed ama sanaag.
Brain	*(breyn)n.*	Maskax.
Brake	*(breyk)n.*	Bireegga ama fareenka wax socda lagu joojiyo, sida bireegga baabuurka joojiya.
Braille	*(breyl)n.*	Habka dadka indhaha la' wax loogu dhigo.
Branch	*(braanj)n.*	Laan geed; laan.
Brand	*(braand)n.*	Summad, calaamad, maddane, birta wax lagu sunto.
Brassiere	*(braasiyee)n.*	Keeshali, candho saabka dumarka.
Brave	*(breyf)adj.*	Geesi.
Bravo	*(braafow)n.*	Eray kor loogu dhawaaqo markaad. Qofka leedahay si fiican baad fashay
Bray	*(brey)n.*	Cidi dameerka.
Brazier	*(breysiya)n.*	Girgire bir ah; jalamad ama marakab bir ah.
Bread	*(bred)n.*	Rooti, furin, canjeeero, laxoox.
Breadth	*(bredath)n.*	Qiyaasta ama masaafadda ballaarka. Balac.
Breakfast	*(brekfast)n.*	Quraac.
Breast	*(brest)n.*	Naas. Naaska dumarka.
Breath	*(breth)n.*	Neefshaso.
Breed	*(briid)n.*	Taransiin (dhalmada). Dhaqis (xoola-ha).

Bribe	*(Braayb) n.*	Laaluush.
Brick	*(Brik) n.*	Jaajuur.
Bridal	*(Briydhal) n.*	Casuumad ama sooryo aroos.
Bridegroom	*(Baraaydhguruun) n.*	Ninka Arooska ah.
Bridsmaid	*(Braaydhismeydh) n.*	Minxiisad aan weli guursan.
Bridge	*(Brij) n.*	Biriish ama Buundo, Meesha togga lagaga dul tallaabo.
Bridle	*(Braaydhal) n.*	Xakamaha Faraska.
Brief	*(Briif) adj.n.*	(Hadal, Qoraal, iwm.) oo yar ama wakhti yar ku eg.
Brigade	*(Brigeydh) n.*	Guuto (Ciidan).
Brigand	*(Brigand) n.*	Qof ka mid ah dad budh-cad ah.
Bright	*(Braayt) adj.*	Dhalaalaya, Caddaana.
Brilliant	*(Brilyant) Adj.*	Aad u dhalaalaya.
Brim	*(Brim) n.*	Qar.
Bring	*(Bring) v.*	Keen, la kaalay.
Brisket	*(Briskit) n.*	Naasaha Xayawaanka.
Britain	*(Britan) n.*	Dalka Ingiriiska.
British	*(Britsh) Adj.*	Dadka Ingiriiska ah, Qofka Ingiriiska ah.
Broad	*(Broodh) Adj. n.*	Ballaaran.
Broadcast	*(Broodhkast) v;*	Warfaafinta.
Broil	*(Brool) v.n.*	Dubis, Solis, Sida Hilibka Dabka lagu dul Solo.
Broken	*(Browkan)*	Wuu jaban yahay.
Broker	*(Browka) n.*	Baayac-Mushtar, Qof Ganacsadaha ah.
Broom	*(Bruum) n.*	Xaaqdin, Mafiiq.
Brothel	*(Brothal) n.*	Aqalka ama guriga Sharmuutooyinka loogu tago, Guriga Dhillooyinka lagu booqdo.

Brought	*(Broot) v.*	(Bring) la keenay, la keeno.
Brow	*(Braw) n.*	Sunnayaasha, Timaha Indhaha Dushooda ka baxa.
Brown	*(Brawn) adj. n.*	Midab boodhe ah.
Brush	*(Brash) n.v.*	Burush; Buraash ku masaxid, Burushayn.
Brutal	*(Bruutal) Adj.*	Waxshi, Axmaq.
Brute	*(Bruut) n.*	(Xayawaanka oo idil Ninka Mooyee, Xayawaanka oo dhan dadka Mooyee, Qof Iska Xayawaana.
Bucket	*(Bakit) n.*	Baaldi, Sibraar iwm.
Budget	*(Badhjit) n.*	Miisaaniyad.
Bug	*(Bag) n.*	Dukhaan, Kutaan.
Bugle	*(Biyuugal) n.*	Bigilka ama Turuumbada Ciidammada oo Afuufo.
Build	*(Bildh) v.*	Dhis, Dhisid.
Building	*(Bildhing) n.*	Dhismo, Guri iwm.
Bulldozer	*(Buldhosa) n.*	Cagafta afka ballaaran leh ee wax burburisa.
Bullet	*(Bulit) n.*	Rasaas; Xabadda wax disha.
Bulletin	*(Bullitin) n.*	Maqaalad.
Bully	*(Buli) n. Adj.*	Hilibka lo'da oo qasacadaysan; Fiican; qofka xoog ama awood wax bajiya ee inta ka liidata ku cabcabsiiya.
Bump	*(Bamb) v.*	dakhar; Madaxa oo wax la yeelo.
Bunch	*(Banj) n.*	Xidhmo, wax isku gunta, *(A Bunch of* keys Xidhmo Furayaal ah).
Bungalow	*(Bangalow) n.*	Guri fillo ah ama Bangalo.
Bunker	*(Banka) n.*	Meesha tareenka ama markabka shidaalka loogu kaydiyo.
Bunkum	*(Bankama) n.*	Hadal aan Ujeeddo lahayn.
Burden	*(Beedhan) n.*	Culays.

Burglar	*(beeg;a)n.*	Qofka habeenkii guryaha jabsada si uu u xado. Tuugga habeenkii guryaha xada.
Burial	*(beriyal)n.*	Aas, xabaalis ama duugis, marka qof la aasayo.
Burn	*(been)n. v.*	Gubid. La gubo.
Burrow	*(barow)n.*	God dacaweed ama godka dacawada iwm.
Burst	*(beest)v. n.*	Qarxid. Furka-tuuris, sida bamka iwm
Bury	*(beri)v.*	Aasid. Xabaalid. Duugid. Marka qof dhintay xabaasha lagu rido ee la aaso.
Bus	*(bas)n.*	Bas. Baabuurka baska ah.
Bush	*(bush)n.*	Kayn. Duurka.
Business	*(bisinis)n.*	Ganacsi. Shaqada ganacsiga; shaqo.
Busy	*(bisi)adj.*	Mashquul. Hawl badan.
But	*(bat)con. prep.*	Se, ha yeeshee. Laakiin.
Butter	*(bata)n.*	Subag burcad ah (buuro). Burcad, wax lagu darsado.
Butterfly	*(batafalaay)n.*	Balanbaalis.
Buttock	*(batak)n.*	Badhida dadka sal ahaan. Sal.
Button	*(batan)n.*	Sureer. Badhan. Galuus.
Buy	*(baay)v.*	Iibsi. Gadasho.
Bye-bye	*(baaybaay)n. int.*	Nabadgelyo; eray carruurtu ay wax ku nabadgeliso.
Byre	*(baaya)n.*	Xerada lo'da.

Cab	*(kaab)n.*	Gaadhi-Faras ama tigta. Shidhka tareenka ama baabuurka iwm.
Cabal	*(kabaal)n.*	Koox sir siyaasadeed haysa.
Cabbage	*(kaabij)n.*	Waa khudrad, kaabash.
Cabin	*(kaabin)n.*	Qol hurdo oo markabka ama dayuuradda ku yaalla, dargad ama cariish yar.
Cabinet	*(kaabinet)n.*	Kabadhka ama armaajada weelka; golaha wasiirrada; qol gaar loo leeyahay.
Cable	*(keybal)n.*	Xadhig weyn oo gar ah (kuwa maraa-kiibta iyo korontada); wararka laga tebiy 'keybalka'.
Caboose	*(kabuus)n.*	Qolka markabka wax loogu kariyo; kijinka markabka.
Cabriolet	*(kaabriyoley)n.*	Baabuur yar dusha qaawan (bannaan).
Cacao	*(kakaaw)n.*	Midho ama geedka kookaha iyo shag-laydka laga sameeyo.
Cackle	*(kaakal)n.*	Qeylada ama dhawaaqa digaagadda markay dhasho; qosolka dheer.
Cactus	*(kaaktas)n.*	Geedka tiinka.
Cadence	*(keydanis)n.*	Cod, dhawaaq ama hadal si is le'eg u baxaya.
Cadet	*(kadet)n.*	Ardayga kulliyadda ciidanka badda ama cirka dhigta; wiilka yar.
Cadge	*(kaaj)v.*	Tuugsi. Baryo. Dawersi.
Cafe	*(kaafey)n.*	Makhaayad. Maqaaxi.
Cage	*(keyj)n.*	Qafis. Kaamka maxaabiista dagaalka lagu hayo.
Cake	*(keyk)n.*	Keeg. Doolshe (Cunto).
Calamity	*(kalaamiti)n.*	Masiibo khatar ah.

Calcium	*(Kaalsiyam) n.*	Kaalsho, Macdan Jidhka (Lafaha & *Il-*kaha) ku jirta.
Calculate	*(Kalkyuleyt) v.*	Ka shaqee ama soo saar (Xisaab).
Calculus	*(Kalkyulas) n.*	Nooc Xisaabta ka mid ah, Kalkulas.
Calendar	*(Kaalindha) n.*	Taariikh la tirsado.
Calf	*(Kaaf) n.*	Weyl, ilmaha yar ee lo'da, weysha.
Calico	*(Kaalkow) n.*	Go' cad ama Turraaxad.
Call	*(Kool) v.*	Wacid, u yeedhid, la waco, loo yeedho.
Calligraphy	*(Kaligarafi) n.*	Far dhigan, Qoraal, Qoraal qurux badan.
Callipers	*(Kaalibas) n.*	Aalad lagu qiyaaso dhumucda.
Callous	*(Kaalas) Adj.*	Safanta jidka ee hawsha badani dhaliso.
Callus	*(Kaalas) n.*	Meel adag, dhumuc leh oo maqaarka jidka ku samaysanta sida barta, Burada iwm.
Calm	*(Kaam) Adj.*	La dejiyo, la qaboojiyo:(To calm dawn in lays qaboojiyo).
Camel	*(Kaamal) n.*	Awr, Ratti, Geel.
Camera	*(Kaamara) n.*	Aalad ama qalab wax lag sawiro-Kamarad.
Camp	*(Kaamb) n.*	Xero.
Campaign	*(Kaambeyn) n.*	Olole.
Campus	*(Kaambas) n.*	Dhulka dhismaha dugsiga, Kulliyadda Jaamacaddu ku taal.
Can	*(kaan) Int.*	Karaya, Karaysa: *(Can you pay?)* Ma bixin karaysaa?).
Canal	*(Kanaal) n.*	Biyo mareen laba badood isku xidha.
Cancel	*(Kaansal) v.*	La buriyo, la takooro, la iska dhaafo.
Cancer	*(Kaansa) n.*	Waa Cudur khatar ah oo loo dhinto, Qoor-gooye.

Candidate	*(Kaandhidheyt) n.*	Qofka Imtixaanka qaada; Qofka la soo Sharxo.
Candle	*(Kandhal) n.*	Shamac la shito si uu iftiin u bixiyo.
Cane	*(Keyn) n.*	Qasabka Sonkorta laga sameeyo; Qasacad.
Canine	*(Kaaneyn) Adj.*	Fool (Ilkaha Dadka Foolasha).
Cannibal	*(Kaanibal) n.*	dadqal, Qofka Hilibka Dadka cuna.
Cannon	*(Kaanan) n.*	Madfac (Noocii Hore).
Canoe	*(Kanuu) n.*	Huudhi, Huuri, Saxiimada yar ee seebka lagu kaxeeyo.
Canvas	*(Kaanfas) n.*	Shiraac, Darbaal.
Cap	*(Kaab) n.*	Koofiyad, Koofiyadda Madaxa la gashado.
Capable	*(Keypabal) Adj.*	Kari kara, la kari karo.
Capacity	*(Kappaasiti) n.*	Mug, intuu shay qaadi karo.
Cape	*(Keyb) n.*	Maro garbaha la saaro oon gacmo lahayn; dhul badda gashan.
Capital	*(Kaapital) n.*	Magaalo Madax, Caasimad; Xarfaha waaweyn ee Alafbeetada; Qaniimadama Hanti (Lacag iwm.).
Capon	*(Keypan) n.*	Digirinka lab ee la naaxsado (Sii loo (Cuno).
Capsicum	*(Kaapsikam) n.*	Basbaas Akhdar, Basbaas cagaar.
Captain	*(Kaaptin) n.*	Dhamme (Saddex Xiddigle); Madax qaybeed.
Caption	*(Kaapshan) n.*	Erayo wax ka yara faaloonaya (Sinimaha iwm) Hordhac yar oo erayo ah (Qoral daabacan).
Captive	*(Kaabtif) Adj.*	La haye, la xidhay.

Capture	*(Kaapja)v.*	La qabto.
Car	*(Kaa) n.*	Baabuur yar, Fatuurad.
Carafe	*(Karaaf)n.*	Dhalada biyaha ee Miiska.
Caramel	*(Kaaramal) n.*	Nacnac.
Caraway	*(Kaarawey) n.*	Geed xawaashka ka mid ah.
Carbine	*(Kaabeyn)*	Bunduq yar, Kaarabiin.
Carbon	*(Kaaboon) n.*	Curiyaha Kaarboonka C.
Carboy	*(Kaab-oy) n.*	Dhalo weyn oo saab leh.
Carburetter	*(Kaabyureta) n.*	Qeybta qaraxu ka dhaco ee Injiinka (Gaariga).
Carcass	*(Karkas) n.*	Raqda xayawaanka (Xoolaha).
Card	*(Kaadh) n.*	Kaadh, Kaarka Turubka oo kale.
Cardamon	*(Kaadhaman) n.*	Haylka (Xawaash).
Cardinal	*(Kaadhinal) Adj.*	Aad u muhiim ah, uu wax ku tiirsan yahay.
Care	*(Kee) n.v.*	Feejignaan; ilaalin, xannaanayn, Daryeelid.
Career	*(Kariya) n.*	Horumar nololeed, horukac.
Careful	*(Keeful) Adj.*	U feejignaan, Daryeel leh.
Careless	*(Keelis) Adj.*	Feejig la'aan, Xannaano darro.
Caress	*(Kares) n.*	Taabash Jaccyl ku jira (Dhunkasho).
Cargo	*(Kaagow) n.*	Alaabta Markabka lagu qaado.
Caries	*(Keeriis) n.*	Lafo Qudhunka ,Ilka Qudhunka (Suuska).
Carnage	*(Kaanij) n.*	Dilista dad badan, le'adka (Sida Goobta Dagaalka).
Carnivore	*(Kaanifoo) n.*	Habar-Dugaag, Xayawaanka Hilib Cunka ah.
Carp	*(Kaap) n.*	Kalluunka biyaha macaan ku nool.
Carpet	*(Kaabit) n.*	Roog ama ruumi, gogosha Sibidhka (Dhulka) lagu goglo.
Carpenter	*(Kaapinta) n.*	Nijaar, Ninka Farsamada qoryaha (Looxyada) iyo ku shaqeyntooda yaqaana.

44

Carriage	(Kaarij) n.	Gaari faras shaag leh.
Carrier	(Kaariya) n.	Xamaal, qaade.
Carrion	(Kaariyen) n.	Bakhti.
Carròt	(Kaarat) n.	Dabacase, Geed (Khudrad) Badhidiisa la cuno.
Carry	(Kaari) v.	Qaadid, la qaado, qaad (Amar).
Cart	(Kaat)	Gaadhi Carabi, Gaadhi Dameer.
Cartilage	(Kaatilij) n.	Carjaw.
Carton	(Kaatuun) n.	Kartuush, Kartoon.
Cartridge	(Kaatirij) n.	Qasharka Rasaasta.
Case	(Keys) n.	Kiish, Shandad, Kiis.
Cash	(Kaash) n.	Naqad (Bixinta Lacagta).
Cashier	(Kaashiye) n.	Lacag haye.
Casing	(Keysing) n.	Daboolid, Dahaadhid.
Casino	(Kasiinow) n.	Meesha lagu tunto ama lagu khamaaro.
Casket	(Kaaskit) n.	Shandad yar oo Warqadaha iyo Alaabta yar yar lagu rito.
Casque	(Kaaska) n.	Koofiyadda Milateriga ee Birta ah (Halmat).
Cast	(Kaast) v.	Tuurid, la tuuro ama la rido.
Castigate	(Kaastigeyt) v.	Ciqaab xun.
Castle	(Kaastal)n.	Qalcad Milateri.
Castrate	(Kaastreyt) v.	Dhufaanid, Xaniinyo ka siibid ama ka saarid.
Casual	(Kaashyuwal) Adj.	Wax dar Alle isaga dhacay.
Cat	(Kaat) n.	Bisad, Dinnad, Mukulaal, Basho.
Catalepsy	(Kaatalepsi) n.	Suuxitaan, Suuxis (Cudurka Suuxdinta).

45

Catapult	*(Kaatapalt) n.*	Shimbir-laaye (Qalab).
Cataract	*(Kaataraakt) n.*	Gebi weyn oo biyo shub ah.
Catarrh	*(Kataa) n.*	Sanboor (Cudur).
Catastrophe	*(Kataastaraf) n.*	Masiibo lama filaan ah oo kedisa.
Catch	*(Kaaj) v.*	Qabo, la qabto, Gacanta lagu dhigo.
Category	*(Kaatigari) n.*	Dabaqad.
Caterpillar	*(Kaatapila) n.*	Diir, Dirxiga Balanbaalista noqda.
Cattle	*(Kaatal) n.*	Lo'.
Cauldron	*(Kool-daran) n.*	Dhere weyn.
Cause	*(Koos) n.*	Sabab.
Caustic	*(Koostik) Adj.*	Lagu gubi karo ama lagu dumin karo fal Kiimiko.
Caution	*(Kooshan) n.*	Fiijignaan, ka tabaabusheysi.
Cavalry	*(Kaafalri) n.*	Askarta ku dagaal gasha Fardaha, (Fardooleyda).
Cave	*(Keyf) n.*	God.
Cavity	*(Kaafiti) n.*	Meesha (Meel) madhan ee adkaha ku taal Jidka).
Cayenne	*(Keyan) n.*	Nooc Basbaas ah oo aad u kulul.
Cease	*(Siis) v.*	Joojin : (Cease fire—Xabbad Joojin).
Ceiling	*(Siiling) n.*	Saqafka Jiignadda ka hooseeya (Siliig).
Celebrate	*(Selibreyt) v.*	Dabbaaldegid, Damaashaadid.
Celerity	*(Sileriti) n.*	Degdegga.
Celibacy	*(Selibasi) n.*	Doobnimo ama Gashaantinnimo (Gabarnimo).
Cell	*(Sel) n.*	Qol yar oo Jeelka ku yaal (Qolka Ciqaabta); Unugga Jirka; Dhagaxa Danabka leh ee Radiyowga, Toojka iwm. lagu isticmaalo.

Cement	(Simant) n.	Sibidh, Shamiinto.
Cemetery	(Semitri) n.	Qabuuraha, Xabaalaha.
Censor	(Sensa) n.	Cid awood u leh inuu baadho warqadaha Filimada, Wargeysyada iwm. (Sarkaal Awoodda leh).
Census	(Sensas) n.	Tira Koobta Dadka Dalka.
Cent	(Sent) n.	(1/100 shilin).
Centenary	(Sentiinari) n. Adj.	Sannadguurada Boqolaad.
Centigrade	(Sentigreydh) Adj.	Halbeegga kulaylka, Sentigireet, Heerka kulka.
Centigramme	(Sentigaraam) n.	Qiyaas 1/100 Garaam; Miisaan — Halbeg.
Centimeter	(Sentimitta) n.	Qiyaas ama Cabbir (1/100 mitir) Dherer.
Central	(Sentral) Adj.	Badhtamaha, Dhexaadka, Dhexdhexaadka.
Centralize	(Sentralaays) v.	Badhtanka la keeno, La dhexdhexaadiyo.
Centre	(Senta) n.	Dhexda, Xarun.
Century	(Senshari) n.	Qarni, 100 Sannadood.
Cereal	(Siyriyel) n.	Heed (Qamandi, Bariis, Sarreen, Heed iwm.).
Cerebral	(Seribaral) adj.	Qeybta Sare ee Maskaxda.
Ceremony	(Serimani) n.	Xaflad.
Certain	(Seetan) Adj.	Hubaal, Xaqiiq.
Certificate	(Setifikit) n.	Shahaadad.

Chain	*(jeyn)n.*	Silsilad.
Chair	*(jee)n.*	Kursi.
Chalk	*(jook)n.*	Tamaashiir, ta sabuuradda lagu qoro.
Challenge	*(jaalinj)n.*	Martiqaadka laguugu yeedho inaad wax ka ciyaarto ama tartan gasho.
Chamber	*(jeymba)n.*	Qol.
Champion	*(jaampiyan)n.*	Ciyaartooy.
Chance	*(jaanis)n.*	Fursad.
Chandler	*(jaandhala)n.*	Qofka gada (iibiya) shamaca, saliidda, saabuunta; qofka markabka shiraaca, xarkaha iwm. ka shaqeeya.
Change	*(jeynj)v. n.*	Beddelid. Beddel.
Chanty, Shanty	*(jaanti/shaanti)n.*	Ku heesidda shaqada.
Chap	*(jaap)n.*	Haraga jidhka. Daanka (nin; wiil).
Chapter	*(jaapta)n.*	Tuduc (qaybaha buugga).
Charcoal	*(jaakowl)n.*	Dhuxul.
Charge	*(jaaj)n. v.*	Ganaax. Dacwayn (xukun) lagu qaado, la danbeeyo.
Charity	*(jaariti)n.*	U debecsanaan. U roonaanta dadka jilicsan ama faqiirka.
Charm	*(jaam)n.*	Soo jiidasho. Jinniyad, xaga quruxda
Charter	*(jaata)n.*	Warqad ballan qaad.
Chase	*(jeys)v.*	Eryad, la eryado.
Chaste	*(jeyst)adj.*	Hadal qeexan.
Chastise	*(jaastaays)v.*	Ciqaabid xun. Ciqaab.
Chat	*(jaat)v.*	Kaftamid.
Chatter	*(jaata)v.*	Jaafajiriq. Hadal hantataac ah.
Chaufeur	*(showfee)n.*	Wadaha ama darewalka lacagta la siiyo.
Cheap	*(jiip)n.*	Rakhiis ah.

Cheat	*(Jiit) v.*	Khiyaamayn.
Check	*(Jek) v.*	Hubin, Hubi, Hubso.
Cheek	*(Jiik) n.*	Dhaban.
Cheer	*(Jiya) v.*	Ka farxin.
Cheerful	*(Jiiyaful) Adj.*	Ku Farxad gelinaya, kaa farxinaya.
Cheerio	*(Jiyeriyow) Int.*	Nabadgelyo, Isnabadgelyeyn.
Cheerless	*(Jiyelis) Adj.*	Murugeysan, aan faraxsaneyn.
Cheese	*(Jiis) n.*	Burcad, Nooc subag ah.
Cheetah	*(Jiita) n.*	Bahal Haramcadka u eg
Chef	*(Shef) n.*	Dabbaakha ama kariyaha Hudheelka-Baarka (Madaxa Kariyada).
Chemical	*(Kemikal) adj.*	Kimiko.
Chemise	*(Jimiis) n.*	Googarada Dumarka.
Chemist	*(Kemist) n.*	Qofka aqoonta u leh Cilmiga Kiimika-**da**
Chemistry	*(Kemistyari) n.*	Cilmiga Kiimikada.
Cheque	*(Jeeg) n.*	Warqadda Lacagta; Jeeg.
Cherish	*(Jerish) v.*	Yiddidiilo gelin.
Chess	*(Jes) n.*	Shax, Ciyaar (Miiseed) la ciyaaro.
Chest	*(Jest) n.*	Xabadka, Laab; Kabadhka yar (Kabadiin ama Tawaleed).
Chevron	*(Shefron) n.*	**Alifka Askarta (Darajo).**
Chew	*(Juu) v.*	Calaalid, Raamsi, (Cunto Calalin).
Chick	*(Jik) n.*	Shimbirta yar, ilmaha yar.
Chicken	*(Jikin) n.*	Digaagga yaryar.
Chief	*(Jiif) n.*	Qofka meel maamula.
Chieftain	*(Jiiftan) n.*	Nabad-doon, Caaqil.
Chignon	*(Shiiyong) n.*	Guntintaama Duubka timaha ee Dumarku Madaxa qadaadkiisa ku samaystaan.

Child	*(Jaayldh) n.*	Carruur, ilmo, Qofka yar.
Children	*(Jildheen) n.*	Carruurta yaryar, Dadka yaryar = Carruur (Wadar).
Chill	*(Jil) n.*	Qabowga dhaxanta Xun, oof wareen (Koolba Aariyo).
Chilli,	*(Jili) n.*	Meesha loogu tala galay inuu qiiqu (Qaacu) ka baxo ee guryaha, Warshadaha iwm.
Chin	*(Jin) n.*	Gadhka (Timaha maaha ee Jidhka uun)
Chine	*(Jayn) n.*	Laf-Dhabarta Xoolaha.
Chink	*(Jink) n.v.*	Dalool yar ama dillaac oo derbiga ku yaal; Sanqadha Lacagta.
Chintz	*(Jintis) n.*	Daah Daabac leh.
Chip	*(Jip) n.*	Falliidh yar oo Xabuub ah (Birta, Looxa, Quraaradda, Dhagaxa iwm.) ka go'a.
Chirp	*(Jeep) n.v.*	Sanqadha ama dhawaaqa dhuuban ee Fudud; Sida ka cayayaanka.
Chirrup	*(Jirb) n.v.*	Yuuska Cayayaanka (oo kale).
Chisel	*(Jisal) n.*	Qalab wax lagu jaro (Birta, Shiine).
Chit	*(Jit) n.*	Gabanka-Gabanta (Yar).
Chloride	*(Kalooraaydh) n.*	Wixii curyaha Kaloorin ku jiro.
Chloroform	*(Kaloorafoom) n.*	Daawada qofka lagu suuxiyo marka la qalayo.
Chlorine	*(Kalooriin) n.*	Curiyaha Cagaar-Hurdi ah, Qarmuun ah.
Choice	*(Jooys) n.*	Doorasho; Laba wax marka la kala doorto.
Choke	*(Jowk) n.*	Ku sixadka; ku mirgasho; ku saxasho.
Cholera	*(Kolera) n.*	Daacuun Calooleedka (Cudur Dalalka Kulul ku badan).
Choose	*(Juus) v.*	Dooratid, Xulid, la doorto, la Xusho.

Chop	*(Jop) v.*	Gudin ku jarid, Ku goynta ama ku jaridda (Looxa, Cadka iwm.) ee Faaska ama Gudinta.
Chop-Chop	*(Jop-Jop) Adj.*	Degdeg, si deg deg ah.
Chopper	*(Jopa) n.*	Faash Weyn.
Chord	*(Kodh) n.*	Boqon (Xisaabta).
Chorus	*(Kooras) n.*	Koox hablo ah, Koox gabdho ah.
Christ	*(Karaayst) n.*	Masiixi (Nebi Ciise).
Christian	*(Kiriystiyan) Adj.*	Masiixi ah, Kiristaan ah.
Christmas	*(Kirismas) n.*	Damaashaad sannadkiiba mar ah oo Dhalashada Nebi Ciise Masiixiyiintu Xusto; Ciidda Masiixiyiintu Xusto 25-ka Disembar).
Chromium	*(Karowm-yam) n.*	Curiye waxa adag lagu dahaado = la mariyo.
Chronic	*(Koronik) Adj.*	Xanuun ama Xaalad Dabadheeraad oo raaga.
Chronology	*(karanolaji) n.*	Cilmiga Isku Dubbaridka Taariikhaha wax dhacaan liis garaynta.
Chuck	*(Jak) n.*	Qosol hoos ah oo Aamusni (Afka oo Xiran) la qoslo.
Chuck	*(Jak) n.*	Qaybta toornada ka mid ah loogu qabto Birta la samaynayo.
Chum	*(Jam) n.*	Saaxiib aad kuugu xidhan.
Chump	*(Jamp) n.*	Kurtun Qori ah, waslad Hilib ah; Madax Adag.
Chunk	*(Jank) n.*	Waslad laga jaray (In Hilib ah, Saanjad Rooti ah ama Burcad).
Church	*(Jeej) n.*	Kiniisad, Meesha ay Masiixiyiintu ku Tukato.
Churl	*(Jeel) n.*	Qofka Maaquuraha ah, Qaabka Xun, ama Dhalmo xumaystay.

Churn	*(Jeen) n.*	Haanta ama dhiisha weyn ee Caanaha lagu lulo si Subag looga saaro.
Chutney	*(Jatni) n.*	Shigniga Raashinka lagu Cuno (Basbaas la ridqay, liin dhanaan & waxyaalo kale oo laysku daray).
Cider	*(Saaydha) n.*	Wax la cabbo oo tufaaxa laga sameeyo.
Cigarette	*(Sigaret) n.*	Sigaar.
Cinch	*(Sinj) n.*	Wax hawl yar oo lana Hubo, Wax la Hubo.
Cinema	*(Sinima) n.*	Shaneemo, Sinime, Meesha Filimada lagu daawado.
Cipher = Cypher	*(Saayfa) n.*	Tirada ah "0" = Eber; Qof ama wax aan muhiim ahayn.
Circle	*(Seekal) n.*	Goobo.
Circuit	*(Seekit) n.*	Mareeg.
Circular	*(Seekyula) Adj.*	Wareegsan, la goobay; Wareegto.
Circulation	*(Seerkulayshan) n.*	Wareeg (Sida: Dhiska Wareegga ee Dhiigga).
Circumcise	*(Seekamsaays) v.*	Gudniinka (Ragga), Jaridda Balagta Buuryada ku taal.
Circumference	*(Sekamfaranis) n.*	Wareegga Goobada.
Circumspect	*(Seekamispekt) Adj.*	U Feejignaanta wax walba int aanad qaban ama ku dhaqaaqin.
Circumstance	*(Seekamistanis) n.*	Duruuf.
Circus	*(Seekas) n.*	Gole Ciyaareed ("Stadium").
Cistern	*(Sistan) n.*	Haanta Biyaha ee Guryaha kor saaran.
Citizen	*(Sitisan) n.*	Reer Magaal, qof ilbax ah.
Cirtus	*(Sitras) n.*	Dhirta bahda Liinta ah.
City	*(Siti) n.*	Magaalo weyn.
Civic (s)	*(Sifik) (is) n.adj.*	Cilmiga Bulshada.
Civies	*(Sifis) n.*	Dharka Dadka aan Ciidammada ahayn (Rayadka ah).

Civil	*(Sifil) Adj.*	Shicib, Rayid, (Dad-weyne).
Civilian	*(Sifilyan) n.Adj.*	Rayid, Qofka aan Ciidammada ka mid ahayn.
Civilization	*(Sifilaayseeshan) n.*	Ilbaxnimo, Xadaarad.
Civilize	*(Sifilaays) v.*	Ilbixid, la ilbixiyo, Jaahilnimada laga saaro oo wax la baro.
Claim	*(Kileym) v.*	Ku doodis, Ku dacwoodid, Andacoodid.
Claimant	*(Kileymant) n.*	Qofka Dacwoonaya, Andacoonaya.
Clairvoyance	*(Kaleefooyanis) n.*	Awoodda uu qof Maskaxda ka arkayo wax dhici doona ama wax ka jira meel fog (Aragti la'aan) Qof sidaasi ah.)
Clamber	*(Kalaamba) n.*	Koritaan adag, Fuulis adag.
Clamour	*(Kalaama) n.*	Sawaxan iyo qaylo dheer oo Madax arbush ah.
Clamp	*(Kalaamp) n.*	Qalab wax la isugu qabto (Si adag) oo laysugu xejiyo.
Clan	*(Kalaan) n.*	Jilib qabiil ka mid ah, Qoys ama reer.
Clandestine	*(Klaandherstin) Adj.*	Sir, qarsoodi ah.
Clang	*(Klaang) v.n.*	Dawan sanqadhi keento, sida Dubbe bir lagu dhuftay.
Clank	*(Klaank) v.n.*	Ka sanqadhin (Sanqadh) Dawan si aan aad ahayn
Clannish	*(Klaanish) Adj.*	U hiilin, Garabsiin Qabiileed, u qabyaaladayn.
Clap	*(Klaap) v.*	Sacab tumid, Sacab garaacid, u sacabbayn, u sacbid.
Clapper	*(Klaapa) n.*	Carrabka Koorta ama dawanka.

Clarify	*(Klaarifaay) v.*	Qeexid, Caddayn, Sifayn.
Clarinet	*(Klaarinet) n.*	Aalad la afuufo oo qalabka Muusigga ah.
Clash	*(Klaash) v.*	Isku dhufasho, is duqayn.
Clasp	*(Klaasp) n.*	Qalab wax laysugu qabto (2 shay) laysugu cadaadiyo-isku xidhka gacmaha ee faraha lays waydaarsho.
Class	*(Klaas) n.*	Fasal; Dabaqad.
Classic	*(Klaasik) Adj.*	Wax tayo heer sare ah leh.
Classification	*(Klaasifikayshan) n.*	Kala Soocid, kala qaybid.
Clavicle	*(Klaadikal) n.*	Lafta Kalxanta.
Claws	*(Kloos) n.*	Ciddiyaha fiiqan ee soo godan (Sida kuwa Dhuuryada).
Clay	*(Kiley) n.*	Dhoobo.
Clean	*(Kiliin) Adj.v.*	Nadiif, Nadiifin.
Clear	*(Kilee) Adj. adv.*	Qeexid, qeexan.
Cleave	*(Kliif) v.*	Kala Jarid, Kala gooyn.
Clemency	*(Klemansi) n.*	Naxariis, Dabceesanaan.
Clerical	*(Klerikal) Adj.*	Karraani-nimo.
Clench	*(Klenj) v.*	Isku cadaadis, Isku xidhis aad ah.
Clerk	*(Klaak) n.*	Karraani, Qofka ka shaqeeya Xafiis Baan, iwm ee qora Xisaabaha iyo warqadaha.
Clever	*(Klefa) Adj.*	Xariif.
Client	*(Klaayant) n.*	Macmiil; Qofka looyarka ama qareenka loo yahay.
Cliff	*(Klif) n.*	Fiiqa ama Caarada Dhagax weyn (Siiba Cirifyada badda).
Climate	*(Klaaymit) n.*	Cimilo.
Climax	*(Klaaymaakas) n.*	Marxaladda ugu Xiiso badan (Ugu heer sareysa) Sheekada ama riwaayadda.

Climb	*(Klaaymb) v.*	Kor u korid; Korista dhirta-Gidaarka Buurta iwm.
Clinch	*(Klinj) v.*	Musbaar ku garaacid.
Clinic	*(Klink) n.*	Xafiiska Takhtarka; Isbitaal.
Clip	*(Klip) n.*	Biinka wax laysugu qabto (Warqada-ha).
Clock	*(Klok) n.*	Saacadda weyn ee Miiska ama darbiga.
Clog	*(Klog) n.*	Kabo Jaantoodu loox tahay (Qaraafic); Gufeyn.
Close	*(Klows) Adj. n.v.*	Xidhid, Xidh; ku dhawaan ama ku dhaweyn.
Clot	*(Klot) n.*	Xinjir (Kuus dhiig ah).
Cloud	*(Klawdh) n.*	Daruur.
Club	*(Klab) n.*	Budh, ul Madax buuran; Karaawil Turub; URUR Dad ah.
Clump	*(Klamp) n.*	Burka Cawska ah.
Clutch	*(Klaj) v.n.*	Gacan ku buuxsi;Kileyshka Baabuurka.
Coach	*(Kowj) n.*	TababarahaCiyaaraha iyo Atlaantikada.
Coal	*(Kowl) n.*	Dhuxusha Dhulka laga soo qodo.
Coarse	*(Koos) Adj.*	Qallafsan.
Coast	*(Kowst) n.*	Xeeb, Badda dhinaceeda (Dhulka badda u dhow).
Coat	*(Kowt) n.*	Koodh.
Cobra	*(Kowbra) n.*	Mas sun leh oo Afrika & Indiyalaga helo.
Cob-Web	*(Kob-web) n.*	Xuub Caaro.
Coca-Cola	*(Kowka-kowla) n.*	Cabitaan aan aalkool lahayn, Kokakoola.
Cockroach	*(Kowgruuj) n.*	Baranbaro.

Coconut	*(Kowkownet) n.*	Qunbe.
Code	*(Kowdh) n.*	Hab-dhiska Sharci Ururinta.
Co-Education	*(Kowedhyukeyshan) n.*	Wax wada dhigashada ama wax wada-barashada wiilasha iyo gabdhaha.
Coeval	*(Kowiifal) Adj. n.*	Isku da' ama isku fil.
Coffee	*(Kofi) n.*	Bun; Kafee.
Coffer	*(Kofa) n.*	Sanduuq weyn oo adag oo Lacagta & Dahabka iwm. lagu rito ama lagu qaato KHASNAD.
Cog	*(Kog) n.*	Ilkaha Geerka.
Cogitate	*(Kojiteyt) v.*	U fakirid si qoto dheer, aad u Fakirid.
Cognate	*(Kogneyt) Adj.*	Isku tafiir ah, meel badan wadaaga oo isaga mid ah, wax meel ka soo wada far-camay.
Cognomen	*(Kognowman) v.*	Naanays (Magac dheeraad).
Cohabit	*(Kowhaabit) v.*	Wada noolaasho sida labada is qaba.
Cohere	*(Koa-hiye) v.*	Isku dhegga, isku Midooba.
Coif	*(Kooyf) n.*	Koofiyad.
Coil	*(Kooyl) n.v.*	Ku Duubid, Duub (Wax Duuban).
Coin	*(Kooyn) n.*	Lacagta, qadaadiicda ah, Dhurui, La-cagta dhagaxda ah.
Cold	*(Kowldh) Adj. n.*	Qabow, Duray, Hargab (Durey) Jirro qufac leh.
Colic	*(Kolik) n.*	Calool Xanuun weyn oo aan shuban ahayn.
Collaborate	*(Kalaabareyt) v.*	Wada shaqeyn, siiba Qoraalka ama Fanka.
Collapse	*(Kalaaps) v.*	Dumid, Burburid.
Collar	*(Kola) n.*	Kaladhka Shaadhka (Shaatiga), Koodhka iwm.
Collation	*(Koleyshan) n.*	Cuwaaf, Cunto Fudud oo la cuno mar-mar biririfta oo kale — ama lagu sii su-go Cunaynta.

Colleague	*(Koliig) n.*	Qof la shaqeeyo dad ay isku darajo yi-hiin.
Collect	*(Kolakt) v.*	Ururid, isku ururid.
Collection	*(Kolekshan) n.*	Ururis, Isku keenis.
College	*(Kolji) n.*	Kulliyad, Xarun Tacliineed (Wax lagu barto).
Collide	*(Kàlaaydh) v.*	Isku dhicid, is duqayn.
Collocation	*(Kolowkeyshan) n.*	Isu ururin, Isku bahayn, isku dubba-ridid. Laba Daraadle ardayda.
Colon	*(Kowlan) n.*	Qaybta hoose ee weyn ee xiidmaha (Mindhicirka) Weyn; laba dhibcood oo is kor saaran (:).
Colonel	*(Keenel) n.*	Gaashaanle Sare (Darajo Ciidameed).
Colonist	*(Kolanist) n.*	Qofka Mustacmarka ah; gumeyste.
Colonialism	*(Koloniisam) n.*	Gumeysi, Mustacmar.
Colonize	*(Kolanaays) v.*	Gumeysad; la Gumeysto.
Colony	*(Kolani) n.*	Mustacmarad, Dhulka la gumeysto.
Colour	*(Kalar) n.*	Midab: (Casaan, Madow, Boodhe, Ca-gaar, Hurdi; iwm).
Colt	*(Kowlt) n.*	Faraska yar; Ninka yar ee waayo-arag-nimada yar leh.
Column	*(Kolam) n.*	Tiir dheer; Saf Gudban.
Coma	*(Kowma) n.*	Hurdada dheer ee aan dabiiciga ahayn, Suuris, Sardho dheer.
Comb	*(Kowmb) n.*	Shanlo, Gadhfeedh (Farfeer), Qalabka timaha lagu feero.
Combat	*(Kombat) n.*	Hardan, Dagaal laba qof ah.
Combination	*(Kombineyshan) n.*	Isku darid, Isku biirin = Isku biiris.
Combine	*(Kambaayn) n.*	Isku darid.
Combustible	*(Kambastibal) Adj.*	Guban og, Holci kara, holci og, Dab-qabsiga u hawl yar oo guban og).
Combustion	*(Kambasjan) v.*	Qarxid, Gubasho.

Come	(Kam) v.	Kaalay, imow.
Comedy	(Komedhi) n.	Qayb Riwaayadda ka mid ah oo la xiriirta nolol maalmeedka oon Murugo lahayn.
Comestible	(Komestibal) n.	La cuno.
Comfort	(Kamfat) n.	Raaxaysi.
Comfortable	(Kamfatabal) Adj.	Raaxo leh.
Comfy	(Kamfi) Adj.	Raaxo leh.
Comic	(Komik) Adj.	Ka qosliya Dadka.
Comma	(Koma) n.	Hakad (').
Command	(Komaandh) n.v.	Amar, amarsiin.
Commander	(Komandha) n.	Taliye (Ciidammada ah).
Commend	(Kamendh) v.	Ammaanid.
Comment	(Koment) n.	Faallo.
Commerce	(Komees) n.	Ganacsi.
Commissioner	(Kamishana) n.	Wakiil Hay'adeed.
Committee	(Kamiti) n.	Guddi.
Common	(Koman) Adj.	Caadi ah, Dadka ka dhexeeya.
Commonwealth	(Komanwelth) n.	Barwaaqosooran ka dhexeeya Dalal Isbahaystay.
Communicate	(Komyuunikeyt) v.	Isgaarsiinin, La isgaarsiiyo.
Communism	(Komyuunissam) n.	Mabda'a Shuuciyadda, Hantiwadaagga.
Communication	(Komyuunikeyshan) v.	Isgaadhsiinta.
Community	(Komyuuniti) n.	Bulsho, Dad meel ku wada nool.
Commutator	(Komyuteytar) n.	Qalab korontada talantaaliga ah u rogga ama beddela toos; Qofka kala beddela.
Compact	(Kompaakt) n. adj.	Heshiiska dhex mara Xisbiyo; qandaraas; isku xidhid adag.

Companion	*(Kompaanyan) n.*	Wehel, Rafiiq, Saaxiib kula jira.
Company	*(Kompani) n.*	Shirkad.
Compare	*(Kompeer) v.*	Isu eegid, isu qiyaasid, is barbardhig.
Comparsion	*(Kompaarisan) n.*	Is barbardhigis.
Compass	*(Kompaas) n.*	Aalad Saacadda u eg oo leh Irbad til-maanta Jihada waqooyi (Jihooyinka la-gu kala garto); qalab lagu sawiro goobada ama wareegga; "JIHEEYE".
Compassion	*(Kompaashan) n.*	U jiidh dabacsanaan.
Compel	*(Kompel) v.*	Ku qasab, ku dirqiyid.
Compensation	*(Kompenseyshan) n.*	Xaqid, xaqsiin.
Compete	*(Kompiit) v.*	Tartamis, beratan.
Competent	*(Kompitant) adj.*	U leh karti, awood, tamar, xirfad iyo aqoon inuu qabato waxa loo baahan yahay.
Competion	*(Kompitishan) n.*	Tartan, baratan.
Competitor	*(Kompetitar) n.*	Ururinta iyo hagaajinta wararka (Buug, liis, warbixin lagu qoro).
Complacent	*(Kompleysant) adj.*	is raali gelin, isku camirid.
Complain	*(Kompleyn) v.*	Cambaareyn, dhaleeceyn, laga dacwoo-do.
Complete	*(Kompliit) adj. v.*	Dhan, la dhammeeyo, dhammee.
Complex	*(Komplekas) adj.*	Adag in la fahmo; isku dhisid.
Complicate	*(Komplikeyt) v.*	La adkeeyay (in la fahmi karo).
Compliment	*(Komplimant) n.*	Salaan, hambalyo, bogaadin.
Component	*(Kompanant) adj.*	Qayb wax ku idlaysa, kuu dhameystira.
Compose	*(Kompows) v.*	Ka koobid, isku biirid.
Composition	*(Komposishan) n.*	Curis, Isku dar, isku biiris, isku dhisid.
Compound	*(Kompowdh) n. adj.*	Isku dhis.
Comprehension	*(Komprihenshan) n.*	Layli (Su'aalo = halxidhaale Casharka dib).

Compress	*(Kompres) v = n.*	Isku cadaadin.
Compulsory	*(Kompalsari) adj.*	Bil qasab.
Computer	*(Kompyuutar) n.*	Kumbuyuutar, qalab sida maskaxda biniaadamka loogu adeegsado (fikir).
Comrade	*(Komridh) n.*	Jaalle, saaxiib daacad ah.
Con	*(Kon) v.*	Is baris, waxbarasho, wax is barid.
Conceal	*(Kansiil) v.*	Qarin, khabbeyn, sir hayn.
Concede	*(Konsiidh) v.*	Siin, u oggolaan.
Concentrate	*(Konsentreyt) v.*	Rib (dareeraha) kulmin, isku uruurin.
Concept	*(Konsebt) n.*	Ra'yi.
Concern	*(Konseen) v n.*	Ku saabsan, ku xiriirta.
Concert	*(Konsert) n.v.*	Riwaayad, la hagaajiyo.
Conch	*(Konj) n.*	Alaalaxay, xaaxeeyo.
Conclude	*(Konkluudh) v.*	La gabagebeeyo.
Conclusion	*(Konkluushan) n.*	Gabagabo.
Concrete	*(Konkriit) adj.*	Shubka sibidhka — sabbad.
Condenser	*(Kondhensar) n.*	Kabaasitar. (walax korontada kaydisa).
Conduct	*(Kondhakt) v.*	AKhlaaq, dabeecad.
Conductor	*(Kondhaktar) n.*	Gudbiye, tebeye, Qofka Lacagta ka uruursha baska ama tareenka: (Kaari).
Conduit	*(Kondhit) n.*	Tuumbada ama qasabadda weyn ee biyaha ama korontada la dhex mariyo.
Cone	*(Kown) n.*	Koor.
Confabulate	*(Kanfaabyuleyt) v.*	Hadal; kaftan saaxiibtinnimo.
Confederate	*(Konfedharit) v.*	Is gaashaanbuureysi.
Conference	*(Konfaranis) n.*	Shir, kulan.
Confidence	*(Konfidhanis) n.*	Kalsooni.
Confines	*(Konfaaynis) n.*	Xad, heer.

Confirm	*(Konfeem) v.*	La sheego, lagu raacsan yahay.
Conflict	*(Konf-likt) n.*	Dirir, dagaal, is khilaaf.
Conformation	*(Konfoomeyshan) n.*	Jidka ama habka wax loo sameeyo.
confront	*(Konfrant) v.*	Iska hor keenid, is qaabbilsiin (weji-we-ji).
Confuse	*(Konf-yuus) v.*	Dhaka-faar, maskax fajac..
Confute	*(Konf-yuut) v.*	Ku caddayn (inuu qof) khalad samee-yay ama been sheegay.
Congestion	*(Kanjesjan) n.*	Aad loo buuxsho, aad u buuxis, ca-mirid.
Congratulation	*(Kongraatyuleyshan) n.*	Tahniyad, hambalyo.
Congregate	*(Kongrigeyt) v.*	Isku keenid, isku ururid (Dadka).
Congress	*(Kongres) n.*	Fadhi, shir, kulan (xagga dowladda ah).
Congruent	*(Konguru-ant) adj.*	Ku habboon laysku raacay, lagu raa-cay.
Conjunction	*(Konjank-shan) n.*	Xidhiidhiye (Naxwe).
Conquer	*(Konkar) v.*	Qabsasho, xoog ku qabsi.
Conscious	*(Konshas) adj.*	U feejignaan, u baraarugsan.
Consent	*(Konsent) v.*	Oggolaansho siin, fasax siin.
Conservation	*(Konsafeyshan) n.*	Ilaalinta, Dhawridda, daryeelidda ama Madhxinta biyaha, kaynta dhirta, ko-rontada iwm.
Consider	*(Konsidhar) v.*	Tixgelid, ka fikirid.
Consist	*(Konsist) v.*	Ka kooban.
Consomme	*(Konsomey) n.*	Maraq, fuud: (Hilibka ka baxa).
Conspiracy	*(Konispirasi) n.*	Mu'aamarad.

Conspire	(Konsipaayar) v.	Mu'aamaradayn, mu'aamara dhisid.
Constant	(Konistant) adj.	Joogto, aan isbeddelin.
Constipation	(Konistipeyshan) n.	Calool fadhi, markay caloosha taagan tahay, saxaro yaraan.
Constitution	(Konistityuushan) n.	Dastuur, Distuur, sharci = qawaaniin ay dawladi ku dhaqanto.
Constrict	(Konistrikt) v.	Isku uruurin, isku xejin, isku yarayn isku cidhiidhid.
Construct	(Konistrakt) v.	Dhisid, rakibid, laysku rakibo ama dhiso.
Construction	(Konistrakshan) n.	Dhis, dhisme.
Construe	(Konisturuu) v.	Tarjumid, ama qeexid.
Consult	(Konsalt) v.	La tashi.
Consume	(Konsyuum) v.	La isticmaalo, cunid ama cabid.
Consuption	(Konsamp-shan) n.	Isticmaalis; cudur siiba ku dhaca sambabada.
Contact	(Kontakt) v.	Is taabsiin, (Isku nabid) la xidhiidhis.
Contagion	(Konteyjan) n.	Cudurka ku faafa taabashada.
Contain	(Konteyn)	Xaqirid, tixgelin la'aan, yasid.
Content	(Kontent) n.	Inta ku jirta meel, ka kooban.
Continent	(Kontinent) n.	Qaarad; iska-adkaan.
Continual	(Kontinyuwal) adj.	Socod goor walba ah joogsaneyn ama marmar yara hakada.
Continue	(Kontinyuu) v.	La wado, la socodsiiyo.
Contract	(Kontraakt) n.	Qandaraas, heshiis.
Contraction	(Kontraak-shan) n.	Isku soo uruurid.
Contradict	(Kontaradhikt) n.	Is burin.
Contradiction	.(Kontraadhikshan) n.	Burin.
Contrary	(Kontraari) adj.	Lid.
Control	(Kontrowl) n.	Ilaalin oo kala dabarid.
Convalesce	(Konfalas) v.	Ladnaan, cudur ka caafimaadid.

Convenient	(Konfiinyant) adj.	Ku habboon.
Converge	(Konfeej) v.	Isku koobis, meel la isugu keeno.
Conversation	(Konfaseyshan) n.	Wada hadal, wada sheekeysi, haasaawe.
Convert	(Kanfeet) v.n.	Ka beddelin, (qaab) ka wareejin.
Convey	(Konfey) v.	Gaarsii, ka gee, dareensii (fariin).
Convoke	(Konfowk) v.	Isugu yeerid, kulansiin.
Cook	(Kuk) v.n.	Kariye, la kariyo.
Cool	(Kuul) adj.	Qabowga yar, kaad.
Coop	(Kuup) n.	Qafiska Digaagga lagu xereeyo.
Cooperation	(Kowpareyshan) n.	Iskaashi.
Copper	(Kowpar) n.	Maar, (Macdan).
Copulate	(Kopyuleyt) v.	Isa saarashada xayawaanka.
Copy	(Kopi) n.v.	Nuqli, nuqul.
Cormorant	(Koomarant) n.	Xuur-badeed.
Corn	(Koon) n.	Hadhuudh, Masaggo, Badar.
Corner	(Koonar) n.	Dacal, koone, gees.
Cornet	(Koont) n.	Aalad la afuufo (Muusigga).
Corolla	(Korola) n.	Qaybta hoose ee ubaxa.
Corporal	(Kooparal) n.	Laba alifle (darajo ciidan).
Corps	(Koo) n.	Mid ka mid ah laamaha tiknikada ciidanka.
Corpse	(Koopas) n.	Meydka dadka, Qofka dhinta meydkiisa.
Correct	(Korekt) adj. n.	Saxid, sax, waa sax.
Correction	(Korejshan) n.	Saxis, saxnimo. ·
Corrective	(Korektif) adj.	La saxi karo, sax ah.
Correspond	(Korispondh) v.	Xidhiidhin, xidhiidh is waydaarin; isle'-ekeyn.

Correspondence	*(Korispodhanis) n.*	Heshiis; isu ekaan; cilaaqaad waraaqo qoris ama diris.
Corridor	*(Koridhor) n.*	Wadiiqooyinka dhismaha ku dhex yaal.
Corrugate	*(Korugeyt) v.*	Tuuro-tuureyn (xariiryen).
Corrupt	*(Korapt) adj.*	Musuqid ama musuq sameyn.
Corruption	*(Karapshan) n.*	Musuqmaasuq.
Cortex	*(Kootekas) n.*	Jidhif, qolof, dahaadh.
Cosmos	*(Kosmos) n.*	Caalamka, kownka.
Cost	*(Kost) n.*	Qiime; qaali ah.
Cot	*(Kot) n.*	Xool, sariirta carruurta lagu seexiyo.
Cottage	*(Kotij) n.*	Cariish, guri yar.
Cotton	*(Koton) n.*	Cudbi, suufka (Ka dharka laga sameeyo).
Cough	*(Kof) v.*	Qufac.
Council	*(Kawnsil) n.*	Guddi, gole.
Counsel	*(Kownsal) n.*	La tashi.
Count	*(Kawnt) v.*	Tirin, la tiriyo sida: 1,2,3,4,5,6,7,8,. . . .
Counter	*(Kawntar) n.*	Mafrasho, miiska badeecada lagu gado;
Counter	*(Kawntar) n.*	Ku lid ah; ku rogaal celin wareer dagaal.
Counter-clockwise	*(Kawnta-klokwaays) dv.*	U socoda (ka wareegaya) xagga bidixda.
Counterpoise	*(Kawntabooys) n.*	Dheellitir.
Countless	*(Kawntlis) adj.*	Aan la tirin karin, way tiro daysay-xaddhaaf.
Country	*(Kawntari) n.*	Dal (waddan).
Country-side	*(Kantari-saaydh) n.*	Miyiga, dalka miyigiisa.
Coup	*(Kuu) n.*	Inqilaab.
Couple	*(Kapal) n.*	Laba qof ama laba shay, (Nin & Naag).
Courage	*(Karij) v.*	Dhiirrigelin.

Courageous	*(Karajas) adj.*	Geesi, dhiirri badan, dhiirran, aan cab-sanin.
Course	*(Koos) n. v.*	Wax dhigasho (Socda).
Court	*(Koot) n.*	Maxkamadda ama Maxkamad.
Courtly	*(Koortli) adj.*	Edebsan oo sharaf leh.
Cousin	*(Kasin) n.*	Ina'adeer.
Cover	*(Kafa) n & v.*	Dahaadh, daboolid.
Cow	*(Kaw) n.*	Sac (Lo'da ka dheddig).
Coward	*(Kawadh) n.*	Fulay, Qofka baqdinta badan.
Coy	*(Kooy) adj.*	Inanta xishoodka badan, gabadh xi-shoota, xishmada badan.
Crab	*(Karaab) n.*	Carsaanyo.
Crack	*(Kraak) n.*	Dillaaca, dildillaaca, jeedhadh.
Craft	*(kraaft) n.*	Xirfad, (hawl-gacmeed).
Craftsman	*(Kraaftsman) n.*	Xirfadle, Ninka hawl gacmeedka u xir-fadda leh.
Cram	*(Kraam) v.*	Cabbeyn.
Cramp	*(Kraamp) n. & v.*	Kabuubyo; ciriiri; ku cidhiidhiyid.
Crane	*(Krayn) n.*	Xuur; wiish; luqun fidin.
Crash	*(Kraash) n.*	Degdeg; duqeyn.
Crawl	*(Krool) v.*	Xabad ku socod, xamaarasho; (sida maska, dirxiga iwm).
Crazy	*(Kreysi) adj.*	Waa waalan yahay, nasakh.
Creak	*(Kriik) n.*	Jiiqjiiq, sanqadha ama dhawaaq ay sa-meeyaan wax saliid la'aan isu xoqaya.
Cream	*(Kriim) n.*	Burcad; labeen.
Create	*(Kriiyeyt) v.*	Abuurid, ku abuurto, ku dhaliso.
Creator	*(Krii-eyta) n.*	Abuure (Eebe. Macbuudka): ka wax abuura.

Creature	*(Kriija) n.*	Nafley, noole.
Creche	*(Kreysh) n.*	Xannaanada Dhallaanka.
Credible	*(Kredhabl) adj.*	La rumeysan karo, la qaadan karo, la garowsan karo.
Creep	*(Kriip) v.*	Guurguurasho.
Cremate	*(Krimeyt) v.*	Meyd gubid, la gubo meydka.
Crescent	*(Kresant) n.*	Bil; wax sida bisha u soo qoolaaban.
Crew	*(kruu) n.*	Shaqaalaha Markabka, Doonida, Dayuuradda iwm.
Crib	*(Kriib) n.*	Xoolka carruurta lagu seexiyo.
Crick	*(Krik) n.*	Muruqa luqunta ama dhabarka galaa.
Cricket	*(Krikit) n.*	Kabajaa; ciyaarta xeegada.
Crime	*(Kraaym) n.*	Dembi.
Criminal	*(Kriminal) adj.*	Dambiile; dambiga, la xidhiidha dembi.
Cringe	*(Krinj) v.*	Waabasho.
Crisis	*(kraaysis) n.*	Ka qaylin dhibaato, ka mudaharaadid.
Critical	*(Kritikal) adj.*	Heer qadhaadh, heer xun.
Crook	*(Kruk) n.*	Bakoorad; khaa'in, tuug.
Criticism	*(Kiritisisam) n.*	Ceebeyn, dhaleeceyn, cambaarayn.
Crocodile	*(Krokadhaayl) n.*	Yaxaas.
Crop	*(Krob) n.*	Xabuub, miro; (Hadhuudh, bariis, qamandi).
Cross	*(Kros) n.v.*	ka tallaabid; isku tallaabsi, laanqayr.
Cross-eyed	*(Kros-aydh) adj.*	Cawaran, Qofka indhuhu iska soo horjeedaan.
Cross-roads	*(Krosrowdhis) n.*	Isgoyska waddada.
Croup	*(Kruup) n.*	Kixda (Cudur) kix.

Crow	*(Krow) n.*	Tuke (Shimbir madow oo hilib cun ah).
Crowd	*(Krawdh) n.*	Buuq (dadka meel isugu urura).
Crown	*(Krown) n.v.*	Taaj; u caleema saarid.
Crude	*(Kruudh) adj.*	Aan bislayn, qaydhin.
Cruel	*(Kruwal) adj.*	Axmaq, cadow ah, aan tudhin.
Crunch	*(Kranj) v.*	Ruugid.
Crush	*(Krash) n.v.*	Duqayn, jiidhid.
Crutch	*(Kraj) n.*	Ulaha curyaanka ama qofka dhutinaya ku socdo.
Cry	*(Kraay) v.*	Qaylo, ooyid.
Cub	*(Kab) n.*	Libaax yar, (Dhasha ah) ilmaha: Dawacada, Shabeelka iwm.
Cube	*(Kuyuub) n.*	Walax saddex dhinac leh: saddex jibbaar (4 X 4 X 4 = 64).
Cud	*(Kadh) n.*	Calyoceliska xoolaha ishinka ah; calanaqsi.
Culivate	*(Klaltifeyt) v.*	Beer falid, beer qodid.
Culture	*(Kalja) n.*	Dhaqan.
Cup	*(Kap) n.*	Koob (weel).
Cure	*(Kuyuu'a) v.*	Daawayn, la daaweeyo.
Curfew	*(Keefyuu) n.*	Bandoo.
Curious	*(Kiyuuwariyes) adj.*	jecel inuu wax walba ogaado.
Current	*(Karant) Adj. n.*	Socda; Qulqul.
Curtain	*(Keetan) n.*	Daah; Marada lagu shaqlo Iridda & Daaqadaha.
Curve	*(Keef) n.*	Qallooc; Qoolaab.
Cushion	*(Kushan) n.*	Wax lagu fariisto oo Buush ah (Jilicsan).
Custard	*(Kastadh) n.*	labaniyad (Cunto Qabow).
Custom	*(Kastam) n.*	Caado.

Cut	*(Kat) n.*	Gooyn; la jaro ama la gooyo.
Customer	*(kastama) n.*	Qof macmiilnimo meel wax uga iibsada.
Cut-throat	*(Kat-tharowt) v.*	Gawràcis, Gawrac.
Cycle	*(Saaykal) n.*	Wareeg.
Cylinder	*(Silindha) n.*	Dhululubo.

—— D ——

Dad	*(Dhaadh) n.*	Eray ay carruurtu aabbahood ugu yeeraan.
Dagger	*(Dhaaga) n.*	Toorray, Amlay, Golxob.
Daily	*(Dheyli) Adj. n.*	Maalin walba.
Dairy	*(Dheeri) n.*	Dukaanka Caanaha, Subagga, Ukunta iwm lagu iibiyo; meesha la dhigo ama lagu sameeyo Caanaha, Subagga iwm.
Dam	*(Dhaam) n.*	Biyo-Xidheen.
Damage	*(Dhaamij) n.*	Waxyeelo, Dhaawacaad; Badhi-gooyo (Lacag).
Dame	*(Dheym) n.*	Naagta la qabo.
Damp	*(Dhaamp) Adj.*	Suyuc ah, Aan weli qalalin.
Damsel **Damsel**	*(Dhaamp) Adj.* *(Dhaamasal) n.*	Gabadha aan wali la guursan.
Dance	*(Dhaans) n.*	La ciyaaro, Qoob-ka-ciyaar, Niikis.
Danger	*(Deeynja)*	Khatar, Halis.
Dark	*(Dhaak) Adj.*	Mugdi; Iftiin la'aan.
Darken	*(Dhaakan) v.*	La Mugdiyeeyo ama Mugdi laga yeelo.
Darling	*(Dhaaling) n.*	Qofka ama shayga si aad ah loo jecel yahay ama qof u jecel-yahay.
Darn	*(Dhaan) v.*	Tolid.
Dash	*(Dhaash) v.n.*	Loo tuuro ama loo gooyo si Xoog ah; Baabi'in.
Dash	*(Dhaash) n.v.*	Loo tuuro ama loo gano si Xoog ah; hirdi.
Dastard	*(Dhaastadh) n.*	Fuley; Fulay isa sii Halliga.
Date	*(Dheyt) v.*	Taariikh, Odhaah Waqtiga ah (Maalin, Bil; Sannad); Sida : 26kii Juun, 1960kii; Timir, Midhaha timirta.

Daughter	*(dhoota) n.*	Inanta, Gabarta qof dhalay ama inantaada: (*She is my daughter* = Iyadu waa inanteydii).
Daunt	*(dhoont) v.*	(Niyad jebin.
Dawn	*(Dhoon) n.*	Waaberi.
Day	*(Dhey) n.*	Maalin, Dharaar.
Daylight	*(Dheylaayt) n.*	Iftiinka ama ilayska maalintii, Dharaarnimo.
Daze	*(Dheys) v.*	Nasakhin, Wareerid.
Dead	*(Dhedh) Adj. n.*	Dhimaad, Mootan.
Deadlock	*(Dhedhlok) n.*	Ku khasaarid, Guul-darro.
Deaf	*(Dhef) Adj.*	Dhega la'aan; aan waxba maqlayn, Dhegoole.
Deafen	*(Dhefan) v.*	Dhego-Barjayn; Qaylo ama Buuq ama sanqar badan oo aan waxba laga maqli karin.
Deal	*(Dhiil) v.n.*	La xintirsad; Macaamilaad.
Dear	*(Dhiya) Adj.*	Qaali; la jecelyahay; ku dheer (Jacayl).
Death	*(Dheth) n.*	Dhimasho, Geeri.
Debate	*(Dhibeyt) n.*	Dood.
Debility	*(Dhibiliti) n.*	Tamar-darro; Taag-darro.
Debt	*(Dhebt) n.*	Qaan, Deyn.
Debtor	*(Dhebto) n.*	Deynsane, Qofka qaamaysan.
Decade	*(Dhikeydh) n.*	Muddo toban sano ah.
Decapitate	*(Dhikaabiteyt) v.*	Kur ka jarid; Madax ka goyn.
Decamp	*(Dhikaamb) v.*	Baxsasho.
Decay	*(Dhikey) v.*	Qudhun; Qudhmid.
Deceit	*(dhisit) n.*	Khiyaamo; Beenbeenis.
Deceive	*(Dhisiif) v.*	Khiyaamayn.

Decelerate	(Dhisilareyt) v.	Karaar-dhimid.
December	(Dhisemba) n.	Bisha ugu dambaysa Sannadka Miilaadiga.
Decent	(Dhisant) Adj.	Hagaagsan; Habboon.
Decide	(Dhisaaydh) v.	go'aamin; Go'aan la gaadho, talo-goosid.
Decimal	(Dhesimal) Adj.	Jajab tobanle.
Decision	(Dhisishan) n.	Go'aan, Qaraar.
Deck	(Dhek) n.	Sagxad; Sagxad Bannaan; Sharxid ama qurxin.
Declaration	(Dheklareyshan) n.	Caddayn, Shaaca-ka-qaadid; ku dhawaaqid.
Declare	(Dhiglee) v.	Ku dhawaaqin, Shaac-bixin.
Decline	(Dhiklaayn) v.	La dhaho "Maya", Diidmo ama ku gacmo-saydhid; hoos u dhac.
Decompose	(dhikampows) v.	Kala jajabin; kala saarid.
Decorate	(Dhekareyt) v.	Qurxin, Sharraxaad.
Decoration	(Dhekoreyshan) n.	Sharrax; Qurxid.
Decrease	(dhikriis) v.	Yarayn; Dhimid.
Decrepit	(Dhikrepit) Adj.	Duq ah; Taag-darro da' ama qabow ah.
Deduct	(Dhidhakt) v.	Ka jarid.
Deed	(Dhiidh) n.	Fal ama wax gabasho.
Deep	(Dhiip) Adj. Adv.	Hoos u dheer, godan.
Deer	(Dhii) n.	Deero (Ugaadh).
Defeat	(Dhifiit) v.	Jebin, ka guulaysi.
Defence	(Dhifens) n.	Daafac, Gaashaandhig.
Defend	(Dhifend) v.	Daaficid; Gaashaan-daruurid.
Deficiency	(Dhifishansi) n.	Yaraan ama la'aan wax muhiim ah.
Defile	(Dhifaayl) v.	Wasakhayn; fadarayn.
Define	(Dhifaayn) v.	Sharaxa Macnaha; Macnayn (Erayada).

Definition	*(Dhifinishan) n.*	Sharraxaad: Macno-Sheegid.
Deflect	*(Dhiflekt) n.*	Dhan u leexad; ka leexin.
Deform	*(Dhifoom) v.*	Kharribaad; Qaabka-ka-xumayn.
Degrade	*(Dhigreydh) v.*	Hoos u dhac; dib u dhicid.
Degree	*(Dhigrii) n.*	Qiyaas lagu qiyaaso Xaglaha, digrii.
Dehorn	*(Dhiihoon) v.*	Geeso-ka-jarid, Geeso ka gooyn (Lo').
Deject	*(Dhijekt) v.*	Ka murugaysiin, Niyad Jebin.
Delay	*(Dhilay) v.*	Dib u dhigid; u kaadin (Dhawrid).
Delectation	*(Dhiilketeyshan) n.*	Maaweelin; Madadaalin.
Delegate	*(Dhiligeyt) v.*	U ergeyn; Ergo u dirid; Qofka Ereyga.
Deliberate	*(Dhilibareyt) v.*	Badheedid; ula kac.
Delegation	*(Dheligeyshan) n.*	Wafdi, koox dad ah oo ergo loo diro.
Delicate	*(Dhelikit) Adj.*	Jilicsan; Khafiif ah; Qoonmi kara.
Delight	*(Dhilaayt) v.n.*	Ka faraxsiin; Jeclaysi in; ka helid.
Deliver	*(Dhilifa) v.*	Gaadhsiin; u geyn.
De-Luxe	*(Dhelukus) Adj.*	Leh tayo heer sare ah; Raaxo heer sare.
Demand	*(Dhimaand) v.n.*	Weydiisasho; Ku adkaysad doonis.
Demarcation	*(Dhimareyshan) n.*	Xadayn, qoondayn, Xad-Xariiqid.
Demobilize	*(Dhiimowbilaays)v.*	Ka sii deyn ama ka ruqseyn shaqada Ciidammada (Milateriga).
Democracy	*(Dhimokrasi) n.*	Hab dawladeed uu dadku xuquuqda u siman yahay, Dawlad Dadweynuhu iska dhex doortaan Madaxdooda.
Democratic	*(Dhimokraatig) Adj.*	Dimogaratig ah ama ka samaysan oo ku dhisan Xuquuqda dadweynaha.
Demonstrate	*(Dhemanistreyt) v.*	Qeexid; Mudaharaadid.
Demonstration	*(Dhemanstreyshan) n.*	Mudaaharaad.

Demoralize	*(Dhimoralaays) v.*	Niyad Dilid, Niyad Jebin.
Demote	*(Dhimowt) v.*	Casilid.
Deniable	*(dhinaayabul) Adj.*	La beenin karo ama la burin karo.
Denominate	*(Dhinimineyt) v.*	U magacbixin, u magacaabid.
Denominator	*(Dhinimineyta) n.*	Tirada hoose ee jajabka Sida: $\frac{1}{2}$, $\frac{1}{2}$,.
Denounce	*(Dhinawns) v.*	Dhaleecayn; Cambaarayn.
Density	*(Dhinsiti) n.*	Cuf.
Dental	*(Dhental) n.*	Ee ilkaha; ilkaha ah.
Dentist	*(Dhentiist) n.*	Takhtarka ilkaha.
Deny	*(Dhinaay) v.*	Beenayn; Dafiraad.
Depart	*(Dhipaat) v.*	Dhoofid, Tegid.
Department	*(Dhipaatment) n.*	Hay'ad; qayb ama laan ka mid ah Dawlad; ganacsi; Jaamacad iwm.
Departure	*(Dhippaja) n.*	Dhoofitaan, Dhoof.
Depend	*(Dhipend) v.*	ku tiirsan.
Dependant	*(Dhipendhant) Adj.*	Ku tiirsane.
Dependance	*(Dhipendhanis) n.*	Ku tiirsanaan.
Deport	*(Dhipoot) v.*	Casilid, Martab ka qaadid; Xukun ka rid.
Deposit	*(Dhipowsit) v.n.*	Carbuun, Deebaaji.
Depreciate	*(Dhipriishiyeyt) v.*	Qiimo dhicid, qiimo ridid.
Depress	*(Dhipres) v.*	Hoos u cadaadin.
Depth	*(Dhepth) n.*	Dherer hoose; Dhererka gunta.
Deputy	*(Dhibyuuti) n.*	Dhibitaati.
Descend	*(Dhisend) v.*	Ka soo degid, ka soo dhaadhicid, hoos uga soo degid.
Describe	*(Dhiskaraayb) v.*	Sharxid, Sifayn, Faahfaahin.
Description	*(Dhiskaripshan) n.*	Sharax, Sifo, Sifaalo.

Desert	*(Dhiseet) v.*	Ka qaxid, ka qaxid, Qixid.
Desert	*(Dhisat) n.*	Lama degaan, Sida: Saxaraha.
Deserve	*(Dhiseef) v.*	Loo qalmo xaq loo yeesho.
Design	*(Dhisaayn) n.*	Ugu talo-gal, Qorshayn.
Desirable	*(Disaayrabal) Adj*	La jeclaan karo, loo bogi karo.
Desk	*(Dhesk) n.*	Miiska wax lagu akhristo ama lagu qorto.
Desperate	*(Dhisparit) v.*	Mintidid; waa ka cadday arrini.
Despise	*(Dhispaays) v.*	Xaqirid, Yasid, Quursi.
Despot	*(Dhispot) n.*	Taliye ama qof meel haysta oo Xukunkiisu xad dhaaf yahay. Macangag.
Destination	*(Dhistineyshan) n.*	Meesha qof ama wax ku egyahay - ee Socdaalkiisu ku dhammaanayo/gebagaboobayo.
Destitute	*(Dhistityuut) Adj.*	Caydh ah; Caydhoobay.
Destroy	*(Dhistarooy) v.*	Burburin; Baabi'in; Dumin.
Destruction	*(Dhistarakshan) n.*	Dumis, Baaba' Burbur.
Destructive	*(Dhistaraktif) Adj.*	Wax burburinaya; Baabi'inaya.
Detail	*(Dhiteyl) n.v.*	Si buuxda loo sharxo ama looga faa'-loodo.
Detect	*(Dhitekt) v.*	Baadhid.
Detective	*(Dhitektif) Adj.*	Qofka shaqadiisu tahay Dembi Baaris, Qofka Dembiyada Baara.
Deteriorate	*(Dhitieriyereyt) v.*	Xumaada ama qiimo yaraada.
Determine	*(Dhiteemin) v.*	Ku adkaysi, goosasho (Qaraar), Caddayn.
Detest	*(Dhitest) v.*	Aad u necbaysi, Karhid.
Detonate	*(Dhitowneyt) v.*	Qarxid sanqadh weyn leh.
Detriment	*(Dheteriment) n.*	Wax-yeelo.
Devalue	*(Dhiifaalyuu) v.*	Qiimo rididda Lacagta adag; Siiba Dahabka.

Devastate	*(Dhifaasteyt) v.*	Baabi'in.
Develop	*(Dhifelop) v.*	Horukicin, korin, Korid.
Development	*(Dhifelapmant) n.*	Horukac; Horumar.
Device	*(Dhifaays) n.*	Qalab.
Devil	*(Dhefil) n.*	Qofka shaydaanka ah, Waxyeelaca badan.
Devise	*(Dhifaays) v.*	Fikrid, Qorsheyn, Dejin.
Devoid	*(Dhifooydh) Adj.*	La'aan, ay ka madhan tahay.
Devote	*(Difowt) v.*	Isku taxallujin.
Devour	*(Dhifawa) v.*	Liqliqid, Cunto cunid-dedejin
Dew	*(Dhiyuu) n.*	Dheddo, Ciiro.
Dewlap	*(Dhiyuulaab) n.*	Macal.
Dhobi	*(Dhowbi) n.*	Doobbi; Dhardhaqe (Hindiya baa ooga yaqaan).
Dhow	*(Dhaw) n.*	Sixiimad.
Diagram	*(Dhaayagraam) n.*	Jaantus, sawir.
Dialect	*(Dhaayalekt) n.*	Lahjad. odhaahda Luuqadda.
Dialogue	*(Dhaayalog) n.*	Sheeko laba qof ku dhexeysa
Diameter	*(Dhaayaamita) n.*	Dhexroore, goobada dhexroorkeeda.
Diamond	*(Dhaayamond) n.*	Dheeman (Macdan).
Diary	*(Dhaayari) n.*	Xusuusqor.
Dice	*(Dhaays) n.*	Lafta Laadhuuda.
Dictation	*(Dhikteyshan) n.*	Yeeris; Yeedhis (Qoraal laysugu yeerinayo).
Dictator	*(Dhikteyta) n.*	Taliye Kibraani ah.
Dictionary	*(Dhik-shaneri) n.*	Qaamuus; Eray-Bixiye.
Die	*(Dhaay) n.v.*	Dhimo; Dhimasho.
Diesel	*(Dhiisal) n.*	Naafto (Wixii ku shaqeeya Naafto).
Diet	*(Dhaayat) n.*	Nooc cuno la cuno ah.

Differ	*(Dhifa) v.*	Kala duwan, ka duwan, kala geddisan.
Difference	*(Dhif-ranis) n.*	Kala duwanaasho; Faraq.
Differentiate	*(Dhifa-renshiyeyt) v.*	Kala Saarid.
Difficult	*(Dhifikalt) Adj.*	Aan sahlanayn, aan xal loo helayn.
Dig	*(Dhig) v.*	Qodid.
Digest	*(Dhaayjest) v.*	Dheef Shiidid.
Digestion	*(Dhaayjest-shan) n.*	Dheef-shiid.
Digit	*(Dhijit) n.*	Tirarada u dhexaysa 0 ilaa 9 midkood.
Dignity	*(Dhigniti) n.*	Sharaf.
Dilemma	*(Dhilema) n.*	Laba daran midkood Dooro.
Dilute	*(Dhiaaylyuut) v.*	Badhxid; Badhax ka dhigtid: (Dareera).
Dim	*(Dhim) Adj.*	Diniikh (Ilayska).
Dimension	*(Dhimenshan) n.*	Qiyaas.
Dine	*(Dhaayn) v.*	Qadayn; Qado-cunid.
Dinner	*(Dhina) n.*	hadhimo ama qado.
Dip	*(Dhip) v.*	Muquurin; la muquursho.
Diploma	*(Dhiplowma) n.*	Shahaado Aqooneed.
Diplomat	*(Dhiplamaat) n.*	Qofka Siyaasiga ah (Arrimaha Dawladda).
Diplomatic	*(Dhiplamaatik) Adj.*	Siyaasadeed, la xiriirta siyaasadda.
Direct	*(Dhirekt) Adj.v.*	Toos ah, Tilmaamid.
Dipper	*(Dhipa) n.*	Dhure: (Fandhaalka dheer).
Direction	*(Dhaayrekshan) n.*	Jiho.
Directly	*(Dhirektli) Adv.*	Si toos ah.
Director	*(Dhirekta) n.*	Agaasime, Qofka meel agaasime ka ah.
Dirt	*(Dheet) n.*	Wasakh, Aan nadiif ahayn.
Dirty	*(Dheeti) Adj.*	Wasakhsan, aan Mayrnayn.
Disability	*(Dhis'abiliti) n.*	Tamar la'aan; Kart darro.

Disadvantage	*(Dhis'adhfaantij) n.*	Faa'iido darro; dhibaato ama khasaare.
Disagree	*(Dhis-agrii) v.*	Ku diidid; ku raacid la'aan.
Disappear	*(Dhis-apiye) v.*	Qarin, aan la arkayn.
Disappoint	*(Dhisa-apooynt) v.*	Ka xumaan; ku gacmo-saydhid.
Disarrange	*(Dhis-areynj) v.*	Kala daadin; hab ka lumin.
Disaster	*(Dhisa-asta) n.*	Waxyeelo weyn, Masiibo weyn.
Disc	*(Dhisk) n.*	Saxan.
Discharge	*(Dhisjaaj) n.v.*	Ka rogid, ka sii dayn ama ka dirid; Bixin ama dirid danab - Neef-dareere iwm.
Disciple	*(Dhisaaypal) n.*	Khaliif ama Muriid (Diineed).
Discipline	*(Dhisiplayn) n.*	Xeer-Edebeed.
Disclose	*(Dhis-kalows) v.*	Dabool ka qaadid, Daah ka qaadid u bandhigid.
Discomfort	*(Dhis-kamfat) n.*	Raaxo la'aan.
Disconnect	*(Dhis-kannekt) v.*	kala furid.
Discourage	*(Dhis-karij) v.*	Niyad-jebin.
Discover	*(Dhiskafa) v.*	Soo ogaan, soo helid (Wax aan hore loo aqoon se jira).
Discredit	*(Dhiskredhit) n.*	Aaminaad la'aan; Qiris la'aan.
Discuss	*(Dhiskas) v.*	Laga wada hadlo, laga wada faalloodo; Gorfayn; falanqeyn.
Discussion	*(Dhiskaashan) n.*	Faallo.
Disease	*(Dhisiis) n.*	Cudur; Jirro.
Disgrace	*(Dhisgireys) n.*	Sharaf-dhac.
Disguise	*(Dhisgays) n.*	Midab geddiyid; Isqaab geddiyin.
Dish	*(Dhish) n.*	Sixni; Xeedho.
Dishonest	*(Dhis-honist) Adj.*	Aan daacad ahayn, khaayin.
Dishonour	*(Dhis-hona) n.*	Sharaf darro.

77

Disjoint	*(Dhisjooynt) v.*	Kala furfurid.
Dislike	*(Dhislaayk) v.*	Necbaansho; Karaahid; Nicid.
Dismal	*(Dhismal) Adj.*	Murugaysan, ka xun.
Dismantle	*(Dhismaantal) v.*	Furfurid.
Dismiss	*(Dhismis) v.*	Shaqo ka eryid; Sii dayn; la waayid ama Maskax ka sii dayn.
Dismount	*(Dhismawnt) v.*	Ka degid (Wax aad fuushanayd).
Disobey	*(Dhis-obey) v.*	Addeecid la'aan.
Disparity	*(Dhispaariti) n.*	Sinnaan la'aan; kala duwanaan.
Dispel	*(Dhispel) v.*	Kaxayn, kala kaxayn ama kala firdhin.
Dispensary	*(Dhispensari) n.*	Meesha dawooyinka lagu bixiyo; Isbitaalka yar ee dawooyinka laga qaato.
Disperse	*(Dhispees) v.*	Kala dareerin, kala baahin ama kala firdhin.
displease	*(Dhispilis) v.*	Aan faraxsanayn; ka cadhaysiin.
Disprove	*(Dhispruuf) v.*	Burin; beenayn.
Dispute	*Dhisp-yuut) n.*	Muran; Dood ama fadqalalo.
Disquiet	*(Dhisku-waayat) v.*	Arbushaad.
Disregard	*(Dhisrigaadh) v.*	Tixgelin la'aan, xurmo la'aan.
Disrespect	*(Dhisrispekt) n.*	Ixtiraam Darro.
Dissatisfy	*(Dhis-saatisfaay) v.*	Raali ma aha, Raalligelin la'aan.
Dissension	*(Dhisenshan) n.*	Dagaal ama dirir, afka cadho lagu wada hadlo, afka oo layska dagaalo.
Dissident	*(Dhisidhant) Adj.*	Takooran.
Dissimilar	*(Dhisimila) Adj.*	Aan isu ekayn, kala gooni ah.
Dissolve	*(Dhisolf) v.*	Milid, Biyo ku dhex Laaqid: Sida Sonkorta marka lagu dhex walaaqo Biyo iwm.
Dissuade	*(Dhisweydh) v.*	Ka waanin; Waano ama taxadar Siin.
Distance	*(Dhistanis) n.*	Masaafo; Inta meeli jirto ama fog tahay.

Distant	*(Dhistant) Adj.*	Fog; aan dhawayn.
Distemper	*(Dhistempa) n.*	Istambar; Rinji biyo lagu qaso oo Gidaarada & saqafyada Guryaha lagu Midabeeyo; Cudur ku dhaca eyda & Xayawaanka kale qaarkood oo qufac iyo taag darro ku reeba.
Distinguish	*(Dhistingwish) v.*	Kala garasho.
Distrain	*(Dhistareyn) v.*	Rahmaad; Kala rahmid.
Distribute	*(Dhis-tribyuut) v.*	Kala qaybin; u qaybin; Qaybqaybin.
District	*(Dhistrikt) n.*	Degmo.
Disturb	*(Dhisteeb) v.*	Arbushid; Rabshayn.
Disturbance	*(Dhisteebanis) n.*	Arbush, Rabash.
Disuse	*(Dhisyuus) n.*	Aan isticmaal dambe lahayn, aan dib loo isticmaalin.
Ditch	*(Dhij) n.*	Saaqiyad; Gacan (ka biyuhu maraan).
Dive	*(Dhaayf) v.*	Quusid; Muquurasho; Quusin (Sida Dabbaasha marka biyaha la dhex muquurto).
Diverse	*(Dhaayfees) Adj.*	Kala jaad ah, kala qaab ah; kala nooc ah.
Diversify	*(Dhaayfeesifaay) v.*	Kala soocid; kala duwid iwm.
Divert	*(Dhaayfeet) v.*	Duwid; weecin; Leexin.
Divide	*(Dhifaaydh) v.*	Qaybin; Qaybid.
Dividers	*(Dhifaaydhas) n.*	Kambaska wax lagu qiyaaso.
Division	*(Dhifaayshan) n.*	Isku qaybin.
Divorce	*(Dhifoos) n.v.*	Furid; Furis (Ninka & Naagta isqaba markay kala tagaan).
Dixie	*(Dhiksi) n.*	Digsi.
Dizzy	*(Dhisi) Adj.*	Marka qofku dayoobo. Dayow ama wareero.

Do	*(Dhuu) v.*	Qabo ama fal (Wax) yeel.
Doctor	*(Dhokta) n.*	Takhtar, Qofka wax daweeya ee Cilmiga dawooyinka bartay; Qofka haysta Shahaadada ugu sarreysa ee Jaamacadeed.
Doctrine	*(Dhok-traayn) n.*	Caqiido.
Document	*(Dhokyumant)*	Waraaqaha Sharciga.
Dog	*(Dhog) n.*	Eey.
Dogged	*(Dhogid) Adj.*	Canaad ah, Madax adag.
Doings	*(Dhuu'ingis) n.*	Waxyaabaha la qabtay ama la qabanayo.
Doll	*(Dhol) n.*	Caruusadaha yaryar ee Carruurtu ku ciyaarto.
Dollar	*(Dholla) n.*	Lacagta Mareykanka (iyo Dalal yar oo kale laga isticmaalo.
Domestic	*(Dhomestik) Adj.*	Ee hooyga, Aan dibadda ahayn; la rabayn karo.
Domino	*(Dhominow) n.*	Dubnad; Ciyaar miiseed.
Donkey	*(Dhong-ki) n.*	Dameer.
Door	*(Dhoo) n.*	Irrid, Albaab.
Dot	*(Dhot) n.*	Dhibic.
Dotage	*(Dhowtij) n.*	Asaasaq.
Double	*(Dhabal) Adj. adv.v.*	Laba jeer; laba ah.
Doubt	*(Dhawt) n.v.*	Shaki, ka shakiyin.
Doubtful	*(Dhowt-ful) Adj.*	Shaki badan, Shaki miidhaan ah.
Doubtless	*(Dhowt-less) Adj.*	Shaki la'aan.
Dove	*(Dhof) n.*	Qoollay; Shinbir qoollay la yiraa.
Down	*(Dhawn) n.adv.*	Xagga hoose, Hoos.
Downward	*(Dhawn-wedh) Adj.*	Xagga hoose; Geesta hoose; Hoos u jeeda.

Dowry	*(Dhawari) n.*	Meher, Hanti ama lacag la siiyo gabadha la guursado.
Doze	*(Dhows) v.*	Laamadoodsi.
Dozen	*(Dhasin) n.*	Tiro Laba iyo toban ah: Dersin.
Drag	*(Dharaag) v.*	Jiidis dhib leh, Qunyar loo jiido (Xoog).
Drain	*(Dhreyn) n.*	Qasabadda ama dhuunta qashinka (Bulaacada) qaadda; Qashin Qubis.
Drama	*(Dhraama) n.*	Riwaayad.
Dramatist	*(Dhraamatist) n.*	Qoraha sheekooyinka Riwaayadaha.
Drank	*(Dhraank) v.*	Wuu/Way Cabbay/Cabtay; La cabbay.
Draught	*(Dhraaft) n.*	Hawo meel dhex socota (Wareegaysa).
Draw	*(Dhroo) v.*	Sawir Samee; Ka ridis; Ka tuurid.
Drawing-room	*(Dhroo'ing-rum) n.*	Qolka Martida la geeyo.
Dread	*(Dhredh) n.*	Cabsi ama baqdin weyn.
Dream	*(Dhriim) n.*	Riyo; La riyoodo (Hurdada dhexdeeda).
Dreamy	*(Dhriimi) Adj.*	Riyo-riyo ah; Wax aan xaqiiq ahayn.
Dress	*(Dhres) n.v.*	Dhar-Xidhasho; Labbis.
Dried	*(Dhraaydh) v.*	La qalajiyey; la engejiyey.
Drill	*(Dhril) n.*	Qalab wax lagu dalooliyo, Walax daloolada lagu sameeyo.
Drink	*(Dhrink) v.*	Cabbid; Cab; Cabbitaan ama sharaab.
Drive	*(Dhraayf) v.*	Kaxayn, Wadid.
Driver	*(Dhraayfa) n.*	Wade; Qofka Baabuurta kaxeeya; Daraawal.
Drizzle	*(Dhrisal) v.*	Shuux (Roob).

Drop	(Dhrob) n.v.	Tifiq; Dhibic dareera ah; Ridis.
Drought	(Dhrawt) n.	Abaar raagta; Abaar wakhti dheer.
Drown	(Dhrawn) n.	Qarraqan (Biyo ku dhex dhimasho).
Drug	(Dhrag) n.	Daawo; Daroogo; Waxyaabaha Maskaxda Geddiya.
Drum	(Dhram) n.	Durbaan.
Dry	(Dhraay) Adj. v.	Qallajin, Engejin; Qallalan ama engegan.
Duck	(Dhak) n.	Shimbir
Dull	(Dhal) Adj.	Aan qeexnayn; Xiiso ma leh; Fahmo daran.
Dumb	(Dham) Adj.	Aan hadli karayn; Aamusid xoogay.
During	(Dhuyuuring) Prep.	Inta wakhti socda; Wakhti (Gaar ah) Dhexdi.
Dust	(Dhast) n.	Boodh; Siigo; Bus.
Dynamo	(Dhaaynamow) n.	Mishiin Quwadda qaaca, ta Biyaha iwm. u Beddela tamar danab (Koronto).
Dysentery	(Disentary) n.	Xundhur; Cudur ku dhaca Mindhicirka.

—— E ——

Each	(Iij) Adj. Pron.	Midkiiba, Mid kastaba.
Eager	(Iiga) Adj.	Ku haliilid, Aad u xiisayn;
Eagle	(Iigel) n.	Gorgor; Shimbir weyn oo aragti fiican.
Ear	(I'a) n.	Dheg; dhegta wax lagu maqlo.
Early	(Eeli) Adv.	Goor-hore; Wakhti hore.
Earth	(Eeth) n.	Dhulkan aynu ku dul noolnahay.
Earthquake	(Eeth-kuweyk) n.	Dhulgariir.
East	(Iist) n.	Jihada Bari; Qorax ka soo bax.

Eastern	*(Iistan) Adj.*	Xagga Bari; Bariyeysa; ee Bari.
Easy	*(Iisi) Adj.*	Hawl yar; Aan adkayn.
Eat	*(Iit) v.*	Cunid.
Echo	*(Ekow) n.*	Dayaan; Sanqadha dib u soo noqo-ta.
Eclipse	*(Iklipis) n.*	Dayax ama qorrax madoobaad.
Economic	*(Iikanomik) Adj.*	Ee dhaqaaleed; Dhaqaale ah.
Economist	*(Ikonomist) n.*	Qofka Dhaqaale-yahanka ah.
Economy	*(Ikonomi) n.*	Dhaqaale.
Edge	*(Ej) n.*	Daraf; Dacal; Giftin.
Edible	*(Edhibal) Adj.*	La cuni karo.
Edition	*(Idhishan) n.*	Daabacaad (Buugaagta).
Editor	*(Idhita) n.*	Qofka soo diyaariya ee isku soo dubbarida soo saaridda Buugaagta; Filimada, Wargeysyada iwm.
Educate	*(Idhyukeyt) v.*	Tababarid; tarbiibin; Waxbarid; Barbaarin.
Educator	*(Edhyukeyta) n.*	Qofka wax tababara ama barbaariya.
Education	*(Idhyukeyshan) n.*	Wax-barasho, Tacliin .
Effect	*(Ifekt) v.*	Dhaliyo, ka soo baxa; ka yimaada.
Effectuate	*(Ifekt-yuweet) v.*	Guul ku dhammaystirid.
Effort	*(Ifat) n.*	Awood wax qabasha.
Effrontery	*(Ifrantari) n.*	Indho adayg, khaso la'aan.
Egg	*(Eg) n.*	Ukun, Ugxan, Beed.
Egyptian	*(Ijipshan) adj. n.*	Masri, Masaari ah.
Eight	*(Eyt) n.*	Sideed (Tiro) 8.
Either	*(Aatha) adj. n.*	Mid ahaan, mid ama ka kale, ...kasta.
Elbow	*(Elbow) n.*	Suxulka gacanta, xusul.
Elder	*(Elder) adj.*	Ka roon, ka wayn.

Eldest	*(Eldhist) adj.*	Curadka reerka, ka ugu weyn ama ugu hor dhashay.
Elect	*(Ilekt) v.adj.*	La doorto, doorid, la doortay.
Election	*(Ilekshan) n.*	Doorasho, afti.
Electric	*(Ilektirik) adj.*	Danabaysan, koronto ah ama leh.
Electrician	*(Ilektirishan) n.*	Qofka yaqaan farsamada korontada.
Electricity	*(Ilektirisiti) n.*	Danab, koronto.
Element	*(Eliment) n.*	Curiye.
Elementary	*(Elimentari) adj.*	Bilowga, bilow ah, hoose (ah).
Elephant	*(Elifant) n.*	Maroodi.
Elivate	*(Elifeyt) v.*	Kor u qaadid.
Eleven	*(Elefan) n.*	Kow iyo toban, tiro.
Eligible	*(Elijibal) v.*	La dooran karo ama la qaadan karo, habboon.
Eliminate	*(Elimineyt) v.*	Tirtirid, ka takhalusid, iska tuurid.
Elocution	*(Elakyuushan) n.*	Aftahanimo.
Elongate	*(Iilongeyt) v.*	Kala jiidid, kala saarid ama dheerayn.
Else	*(Elis) adv.*	kale.
Elsewhere	*(Eliswee) adv.*	Meel kale.
Elucidate	*(Iluusidheyt) v.*	Qeexid, caddayn, bayaamin.
Emancipate	*(Imaansipeyt) v.*	Xorayn.
Embassy	*(Imbasi) n.*	Safaarad, Xilka Danjiraha.
Embellish	*(Embelish) v.*	Qurxin, xarakay.
Emblem	*(Emblam) n.*	Summad, ama calaamad wax ka taagan.
Emerge	*(Imeej) v.*	Soo bixid (wax meel ku qarsoonaa).
Emergency	*(Imeejansi) n.*	Gargaar degdeg ah.
Emigrate	*(Emigreyt) v.*	Haajirid, qixid.

Emotion	*(Imowshan) n.*	Niyad kicin ama niyad kacsanaan, niyad kac.
Emperor	*(Empara) n.*	Boqor.
Empire	*(Empaaya) n.*	Boqortooyo.
Employ	*(Implooy) v.*	Shaqo siin, shaqo bixin.
Employee	*(Implooyii) n.*	Cidda ama qofka shaqeeya.
Employer	*(Implooya) n.*	Cidda loo shaqeeyo.
Employment	*(Implooyment) n.*	Shaqo.
Empress	*(Emparis) n.*	Naagta Boqortooyo Xukunta; Naagta Boqorka.
Empty	*(Empti) Adj.*	Madhan; Aanay waxba ku jirin; Faaruq.
Enable	*(Ineybal) v.*	Awood siin ama karsiin.
Encase	*(Inkeys) v.*	Shaqlid; Qafis gelin; Dahaadhid.
Encore	*(Onkoo) Int.*	Ku dhawaaqid ah: Ku celiya; Mar kale; ama Biis.
Encounter	*(Inkawta) v.*	Food Saarid (Dhibaato ama waxyeelo).
Encoruage	*(Inkarij) v.*	Dhiirrigelin.
End	*(End) n.*	Dhammaad; Dhammayn, ugu dambayn.
Endanger	*(Indheynja) v.*	Khatar gelin.
Endless	*(Indhlis) Adj.*	Aan dhammaad lahayn, aan weligii joogsanayn.
Endurance	*(Indhyuuranis) n.*	U adkaysi, u adkaysasho.
Endure	*(Indhyuu'a) v.*	U adkaysid, u adkaysad.
Enemy	*(Inimi) n.*	Cadow.
Energetic	*(Enajetik) Adj.*	Tamar badan, Tamar leh; tamar lagu falay/qabtay.
Energy	*(Enaji) n.*	Tamar.
Enforce	*(Infoos) v.*	Xoog ku marin, ku khasbid.

Engage	*(Ingeyj) v.*	Doonanaan.
Engineer	*(Injinee) n.*	Aqoonyahan farsamo.
Enjoy	*(Injooy) n.*	Farxad, Raalli gelin.
Enlarge	*(Inlaaj) v.*	Weynayn.
Enlighten	*(Inlaaytan) v.*	Aqoon u kordhin, Jahli ka saarid ama ka Jaahil Bixin.
Enough	*(Inaf) Adj. n. adv.*	Ku filan, kafayn kara.
Enrich	*Inrij) v.*	Nafaqayn: maalayn.
Ensure	*(Inshu'a) v.*	Hubin, Xaqiijin.
Enter	*(Enta) v.*	Gelid, la galo.
Entertain	*(Intateyn) v.*	Martiqaadid, Sooryeyn; Khushuuc gelin.
Entire	*(Intaaya) Adj.*	Dhammaan, Gebi ahaan.
Entomology	*(Entamolaji) n.*	Barashada cayayaanka.
Entrance	*(Entaranis) n.*	Irrid ka furid.
Entreat	*(Int-riit) v.*	Baryid.
Entrust	*(Int-rast) v.*	Ku aaminid.
Entry	*(Ent-ri) n.*	Gelid.
Envelop	*(Infelop) v.*	Galayn, Huwin, Hagoogid.
Envelope	*(Enfilowp) n.*	Gal ama Buqshad (Galka Warqadaha oo kale).
Envoy	*(Enfooy) n.*	Qunsul; (Danjire Ku xigeen); Qaafiyadda Maanso.
Envy	*(Enfi) v.*	Xaasidnimo; Xaasidid.
Epidermis	*(Ebidheemis) n.*	Maqaarka sare ee Jirka.
Equal	*(Ikwal) Adj.*	Is le'eg.
Equalize	*(Iikwalaays) v.*	Is le'ekaysiin.
Equation	*(Ikweyshan) n.*	Is-le'ekaansho (Xisaab) $3 + 9 = 12$.
Equator	*(Ikweyta) n.*	Badhaha dhulka (Xariiq).
Equip	*(Ikwip) v.*	Qalabeyn.

Equipment	*(Ikwipmant) n.*	Qalab.
Equivalant	*(Ikwifalant) Adj.*	U dhigma; la qiimo ah.
Era	*(Iyera) n.*	Muddo taariikheed.
Eradicate	*(Iraadhikeyt) v.*	Cidhib tirid; Xidid u saarid, Baabi'in.
Erect	*(Irekt) v.*	Taagid, Sare joojin; Dhisid; Qoto-min.
Erode	*(Irowdh) v.*	Naabaadguurin.
Err	*(ee) v.*	Khalad samayn, Khaldamid.
Error	*(Era) n.*	Khalad; Sax maaha.
Escape	*(Iskeyp) v.*	Baxsad, ka nabadgelid.
Especial	*(Ispeshal) Adj.*	Gaar ah; Khaas.
Especially	*(Espeshali) Adv.*	Laba daraadle; Kusuusan.
Espionage	*(Espiyaanaash) n.*	Basaanimo.
Essay	*(Esey) v.*	Curis (Qoraal gaaban).
Essential	*(Esenshal) Adj.*	Loo baahan yahay; lagama maar-maan ah.
Establish	*(Istaabilish) v.*	Qotomid; Dejin; Aasaasid.
Establishment	*(Istaabilishmant) n.*	Qotonsanaan, Dejitaan.
Esteem	*(Istiim) v.*	Aad u Ixtiraamid, Xushmayn ama tixgelin.
Estimate	*(Estimeyt) v.*	Qiyaasid; Qiimayn (Male ah).
Estimation	*(Estimeyshan) n.*	Qiyaas ama qiimayn; u malayn qiyaaseed.
Eternity	*(Etteniti) n.*	Wakhti ama milay aan dhammaad lahayn.
Ethnic	*(Ethnik) Adj.*	Jinsi; Jinsiyadaha bani-aadamka.
Eunuch	*(Yuunak) n.*	Ninka Dhufaanka ah.
Evacuate	*(Ifaakyuyt) v.*	Faaruqin; Madhin ama bannayn (Meel).
Eve	*(iif) n.*	Xaawa, hooyadii loogu hor abuuray.

Even	*(Iifan) n.*	Xitaa; Siman; tiro dhaban ah.
Evening	*(Iif-ning) n.*	Niska Dambe (Maalintii); Galab.
Event	*(Efent) n.*	Dhacdo; Wax muhiim ah (Arrin) oo dhacay.
Ever	*(Efa) Adv.*	Waligeedba; Waligoodba; Wakhti aan Muddo loo qaban; Waligaa; kasta: (Meel kasta, Midkasta, inkasta, Si kasta iwm.).
Evergreen	*(Efagiriin) n. Adj.*	Wakhti walba waa Cagaar Sannadka oo dhan; Dhulka dhirta ama doogga leh.
Evermore	*(Efamoo) Adj.*	Weligeedba; ilaa iyo weligeedba.
Every	*(Ifri) Adj.*	Gebi ahaan; mid walba; Walba ama Kastaba Sida: *(Everybody* = Qofkasta, iwm).
Evident	*(Efidant) Adj.*	Qeexan ama u cad (Indhaha & Caqligaba u Qeexan).
Evil	*(Iifil) Adj.*	Xun; Waxyeelo ah; Kharriban.
Exact	*(Egsaakt) adj. v.*	Si sax ah; Saxid ama hagaajin.
Exaggerate	*(Egsaajareyt) v.*	Buunbuunin, La buunbuuniyo; (Runta laga sii baahiyo ama wax lagu sii kordhiyo).
Exaggeration	*(Eksaajereyshan) n.*	Buunbuunin.
Exam	*(Igsaam) n.*	Imtixaanid; Imtixaan.
Examination	*(Igsaamineyshan) n.*	Imtixaan.
Examine	*(Egsaamin) v.*	Dhawris; Hubsiimo ah; Imtixaamid.
Example	*(Egsampal) n.*	Tusaale; Wax lagu dayo.
Excavate	*(Ekeskafeyt) v.*	Qodid ama daloolid Dusha ama dabool ka qaad.
Exceed	*(Eksiidh) v.*	Ka badin; Siyaadin; Kordhin.

Excellent	*(Eksalant) Adj.*	Aad u wanaagsan; aad u fiican.
Except	*(Iksept) Prep. v.*	Mooyee; Maahee; Sida: *(All the students are present except Ali* =dhammaan ardaydii way wada joogaan Cali mooyee).
Exception	*(Eksepshan) n.*	Ka reebid; Aan ku jirin ama ka tirsanayn.
Excess	*(Ikses) n.*	Xad dhaaf; Ka badan.
Exchange	*(Ikesjeynj) n.v.*	Iswaydaarin; Iswaydaarsi; Isku beddelid.
Excite	*(Iksaayt) v.*	Arbushid, Niyad kicin; Dareen kicin.
Excitement	*(Iksaaytmant) n.*	Arbushan; Dareen kacsan; Niyad kac.
Exclaim	*(Ikskaleym) v.*	Qaylo kedis ah oo yaab leh (Nabar, xanuun).
Exclude	*(Ikeskuluudh) v.*	Ka reebid.
Excrement	*(Ekiskrimant) n.*	Saxaro.
Excuse	*(Ikiskuyuus) n.v.*	Raalli gelin; Cudurdaarasho.
Exercise	*(Eksasaays) n.v.*	Layli; Jidh kala bixin (JIMICSI).
Exert	*(Igseet) v.*	Awood Saarid; Dul saarid (Awood iwm).
Exhale	*(Ekes-heyl) v.*	Neef Saarid, soo neefsasho.
Exhaust	*(Eg-soost) v.*	Daalid, idlayn.
Exhibit	*(Igsibit) v.*	Soo Bandhigid.
Exile	*(Eksaayl) n.*	Masaafurid; Dibed u caydhin.
Exist	*(Igsist) v.*	Jira; Mawjuud ah.
Existence	*(Igsistanis) n.*	Jiritaan; Mawjuud.
Expand	*(Ikispaandh) v.*	Fidid, kala bixid.
Expansion	*(Ikspaanshan) n.*	Fidis, Fiditaan; kala bixis.
Expect	*(Ikispekt) v.*	La filo, Filid, Rajayn.

Expectation	*(Ekespekteyshan) n.*	Filitaan; Rajayn.
Expenditure	*Ekispendhja) n.*	Kharash isticmaalid.
Expensive	*(Ekispensif) Adj.*	Qaali ah; Qiime sare ah.
Experience	*(Ikespiyriyenis) n.*	Waayo Aragnimo; Khibrad.
Experiment	*(Iksperimant) n.*	Tijaabo.
Expert	*(Ekespeet) n.*	Qof khibrad iyo waayo aragnimo leh, khabiir.
Expire	*(Ikspaaya) v.*	Khaayis, Wakhtigiisii Dhammaaday.
Explain	*(Ikispileyn) v.*	Sharxid, Sifayn.
Explanation	*(Ekespalaneyshan) n.*	Sharax.
Explode	*(Ikespalowdh) v.*	Qarxid.
Exploit	*(Ekespalooyt) v.*	Dhiigmiirasho, Ku dul noolaasho, dhiigmiirad.
Explore	*(Ikespaloo) v.*	Dalmarid (Cilmi Baaris ah).
Explosion	*(Ikespolowshan) n.*	Qarax (Sanqar weyn leh).
Export	*(Ekesport) v.n.*	Dibad u dhoofin (ALAABO).
Expose	*(Ikespows) v.*	Dabool ka qaadid.
Express	*(Ikespres) Adj.n.v.*	Sharxid, Sheegid; Dhakhso u dirid (BOOSTA).
Extend	*(Ekestendh) v.*	Fidin; Kala jiidid; Dheerayn.
Extension	*(Ikestenshan) n.*	Fidis; Kala bixis; Siyaadin.
Exterior	*(Ekstiriya) Adj.*	Dibad; Dul; Guudka; Oogo.
Extinguish	*(Ikistingwish) v.*	Dab bakhtiin; Demin.
Extol	*(Ikestol) v.*	Aad u ammaanid.
Extra	*(Ekestra) Adj.*	Dheeraad.
Extraordinary	*(Ekesta-ordhinari) Adj.*	Qayracaadi, Si aad u Xad-dhaaf ah.
Extreme	*(Ikistriim) Adj.*	Heerka ugu sarreeya, Dacalada ugu shisheeya.
Eye	*(aay) n.*	Il (Isha wax lagu arko).
Eye-Glass	*(Aay-Galaas) n.*	Muraayadda aragga ee indhaha.

F

Face	*(Feys) n.v.*	Weji, Wejihaad.
Facing	*(Feysing) n.*	Qaabilis.
Fact	*(Faakt) n.*	Dhab, Xaqiiq, Run.
Factory	*(Faaktari) n.*	Warshad.
Faculty	*(Faakalti) n.*	Kulliyad.
Fail	*(Feyl) v.*	Dhicid; Saaqidid.
Failure	*(Feylya)n.*	Saaqid.
Faint	*(Feynt) Adj.*	Suuxid; Diidid.
Fair	*(Fee) n.*	Carwo, Bandhig; Xaq ku taagan.
Faith	*(Feyth) Adj.*	Daacadnimo, Mukhliska ah.
Faithful	*(Feythful) Adj.*	Dhabta ah. Mukhliska ah.
Fall	*(Fool) Adj.*	Soo dhicid, dhicid.
False	*(Fools) Adj.*	Been, Run maaha.
Falsify	*(Foolsifaay) v.*	Beenayn, Beenin.
Familiar	*(Familya) Adj.*	Ku caan ah, Cilmi fiican ka haysta.
Family	*(Faamili) n.*	Xaas; Qoys.
Famous	*(Feymas) Adj.*	Caan ah; La wada yaqaan.
Fan	*(Faan) n.*	Marawaxad; Marawaxada laydha ee (Dabaysha) samaysa ee laysku qaboojiyo.
Fantastic	*(Faantaastik) Adj.*	Cajiib ah ama caqli gali karin.
Far	*(Faa) Adv.*	Fog; Aan dhawayn.
Farewell	*(Feerwel) Int.*	Nabadgelyo.
Farm	*(Faam) n.*	Beer (Lagu beero Xabuubka, Heedda iwm) ama daaq ka baxo oo Xoolaha la daajiyo).
Fashion	*(Faashan) n.*	Alaabo; Qalab.
Fast	*(Faast) Adj.*	Aad loo xiday; Aan debecsanayn; Soon (RAMADAAN); Dhakhso, degdeg ah.

Fasten	*(Faasen) v.*	Giijin (Xidhid).
Fat	*(Faat) Adj. n.*	Buuran, Shilis; Baruur.
Father	*(Faatha) n.*	Aabbe.
Fatigue	*(Fatiig) n.*	Tabcaan, aad u daallan.
Fault	*(Foolt) n.*	Qalad.
Fatten	*(Faatan) v.*	Naaxin; Naaxis.
Favour	*(Feyfa) n.*	Tixgelin Saaxiibtinimo, Taageerid Naxariis leh.
Fear	*(Fiye) n.*	Baqdin; Cabsi; ka bajin; Cabsiin.
Feasible	*(Fiisabal) Adj.*	La yeeli karo; La qaban karo; la suubin karo.
Feast	*(Fiist) n.*	Diyaafad, Casuumad weyn (Diinta ku sugan).
Feather	*(Fetha) n.*	Baalka (Shimbiraha) (Timaha).
Feature	*(Fiija) n.*	Qaybaha wejiga midkood; Wejiga oo idil; Qaabka iyo Suuradda.
February	*(Feb-ruwari) n.*	Bisha labaad ee Sannadka Miilaadiga .
Fed	*(Fedh) v.*	Cunsiin; Khatyaan;: *(I am fed up with him* = Khatiyaan baan ka joogaa).
Federal	*(Fedaral) Adj.*	Isku dar ah; Isku dhafan; ku salaysan dhexdhexaadka dhexe.
Fee	*(Fii) n.*	Lacagtaa Juurada ah; Ujuuro; Rusuum.
Feed	*(Fiidh) v.*	Cunto siin; Quudin; Raashimin.
Feel	*(Fiil) v.*	Dareemid; Dareensiin.
Feeling	*(Fiiling) n.*	Dareen; Xis; Shucuur.
Feet	*(Fiit) n.*	Cago; Cagaha hoose ee lagu socdo.
Fellow	*(Felow) n.*	Rafiiq; Wehel.
Felt	*(Felt) v.*	Dareemay; la dareemay.
Female	*(Fiimeyl) Adj.*	Dheddig.

Feminine	*(Feminin) Adj.*	Dheddigood ah.
Fence	*(Fens) n.v.*	Dayr; Seeftan (Dagaalka seefta).
Fertile	*(Feertaayl) Adj.*	Nafaqo leh ama ah (ciidda, Dhulka; Dhirta).
Fertilize	*(Feertilaays) v.*	Nafaqayn ama digo ku shubid (Ciid-dda).
Festival	*(Festafal) n.*	Iid (Sida Iidda Carafo oo kale).
Fetch	*(Fej) v.*	La keeno la doono.
Fever	*(Fiifa) n.*	Xummad (Markuu Jidku xanuun la Kululaado).
Few	*(Fiyuu) Adj.*	Xoogay; in-yar.
Fiancee	*(Fi'aansey) n.*	Qof doonan (Gabadh).
Fiction	*(Fikshan) n.*	Khayaali ah ee run loo ekaysiiyey (Sheeko).
Field	*(Fiildh) n.*	Beer weyn (Daaq ama miro beerid); Garoon;
Fifteen	*(Fiftiin) n.Adj.*	Tirada shan iyo toban: 15
Fifth	*(Fifath) n. Adj.*	Ka shanaad; 5aad.
Fifty	*(Fifti) n.*	Tirada konton: "50".
Fight	*(Faayt) v.n.*	Dagaalan; Dirir; Hardamaad; Dagaal.
Figure	*(Figa) n.*	Joogga qofka; Summadda Tirada Sida 0 — 9. Sawirka Jaantuska ah iwm.
File	*(Faayl) n.*	Soofe; Faylka ama qafiska waraaqa-ha iwm. lagu rito ama lagu qaato; KUYUU (Saf uu qofku qof is daba taago).
Fill	*(Fil) v.*	Buuxid; Buuxin.
Film	*(Filim) n.*	Filim.
Filter	*(Filta) n.*	Shaandho; Shaandhayn; Qáshin ka reebid.
Final	*(Faaynal) Adj.*	Ugu dambayn.

Finance	*(Faaynaans) n.*	Cilmiga Maaraynta Lacagta.
Financier	*(Faynaansiye) n.*	Qofka xirfadda u leh habaynta Lacagta.
Find	*(Faaynd) v.*	Helid; Soo saarid.
Fine	*(Faayn) Adj. n.*	Fiican; takhsiir ama ganaax; Saafi (Hawada).
Finger	*(Finga) n.*	Far.
Finish	*(Finish) v.*	Dhammayn, idlayn.
Fire	*(Faaya) n.*	Dab (ka wax lagu karsado ama wax guba).
Fire-Engine	*(Faaya-injiin) n.*	Baabuurka Dabdemiska.
Fire-Iron	*(Faaya-aayan) n.*	Birqaab; Dab xaadh (Walaxda dabka lagu qaado).
Firm	*(Feem) Adj.*	Shirikad; Adag; Qalafsan.
First	*(Feest) adj.*	Koowaad; ugu horreysa; ugu horrayn.
Fish	*(Fish) n.v.*	Kalluun; Mallaay; Kalluun qabsasho.
Fishing	*(Fishing) n.*	Kalluumeysi.
Fist	*(Fist) n.*	Dumadh (Gacan Duubasho).
Fit	*(Fit) Adj.*	Ku habboon; Sax ah; Le'eg.
Five	*(Faayf) n. Adj.*	Tiro Shan ah 5 = (V).
Fix	*(Fikis) v.*	Xidhid, Samayn.
Flag	*(Falaag) n.*	Calan (Bandiirad).
Flame	*(Fleym) n.*	Olol; Ololin.
Flank	*(Flaank) n.*	Ganac.
Flash	*(Flaash) n.*	Cawaraad iftiin.
Flask	*(Flaask) n.*	Dhalo luqun dhuuban oo shaybaarrada lagu isticmaalo; Darmuus ama Falaas (ta Shaaha lagu shubto oo kale).

Flat	*(Falaat) Adj.*	Bagacsan; Siman.
Flea	*(Filii) n.*	Takfi, boodo.
Flesh	*(Flesh) n.*	Cad; Jiidh (Baruur maaha).
Flexible	*(Fleksabal) Adj.*	Qalloocsami kara (Aan jabayn) la qalloocin karo.
Flight	*(Falaayt) n.*	Duulimaad.
Float	*(Falowt) n.*	Sabbayn (Biyaha guudkooda).
Flock	*(Flok) n.*	Xayn.
Flood	*(Fladh) n.v.*	Biyo badan oo dhulka socda (Roobka Dabadi), daad.
Floor	*(Faloo) n.*	Sibidh (Dhulka Sibidhaysan); Sagxadda Guriga.
Flour	*(Falawa) n.*	Daqiiq; Bur.
Flow	*(Falow) v.*	Qulqulid.
Flower		Ubax.
Fly	*(Falaay) n.v.*	Dukhsi; Duulid.
Foal	*(Fowl) n.*	Faraska yar.
Fog	*(Fog) n.*	Ceeryaan.
Fold	*(Fowld) v.*	Duubid ama laablaabid.
Follow	*(Folow) v.*	Raacid, daba socod.
Foment	*(Fawmant) v.*	Kubbayn ama kawayn.
Food	*(Fuudh) n.*	Cunno, Raashin.
Fool	*(Fuul) adj. n.*	Nacas.
Foot	*(Fut) n.*	Cag.
Forbid	*(Fabidh) v.*	Ka celin, is hortaagid, ka reebid.
Force	*(Foos) n.v.*	Quwad, xoog.

Forefoot	*(Foofut) n.*	Jeeniga maaha Lugta (Cagtiisa Xayawaanka afarta addin leh).
Forehead	*(Foridh) n.*	Wejiga intiisa sare ee soo taagan (Indhaha dushooda).
Foriegn	*(Forin) adj.*	Dibadda (Dalka gudihiisa maaha). qalad.
Foreleg	*(Fooleg) n.*	Jeeni.
Foreman	*(Fooman) n.*	Horjooge.
Foreskin	*(Foo-iskin) n.*	Balagta buuryada.
Forest	*(Forist) n.*	kayn.
Foretell	*(Footel) v.*	Saadaalin.
Forewoman	*(Foowuman) n.*	Horjoogad.
Forword	*(fooweedh) n.*	Hordhac (Buugga).
Forge	*(Fooj) v.*	Tumaalid, Bir tumid.
Forget	*(Foget) v.*	Illaawid.
Forgive	*(Fagif) v.*	Saamixid.
Fork	*(Fook) n.*	Farageyto.
Form	*(Foom) n.*	Samayn ama qaabayn.
Fort	*(Foot) n.*	Qalcad.
Former	*(Fooma) adj.*	Kii hore, hore.
Formula	*(Foomyula) n.*	Qaacido.
fortnight	*(Foornaayt) n.*	Muddo laba toddobaad ah.
Fortune	*(Foojan) n.*	Fursad, Nasiib.
Forty	*(Footi) adj.n.*	Tirada afartan 40, XL.
Forward	*(Foowadh) adj.v.*	Xagga hore, horudhigid.
Fought	*(Foot) v.*	Dagaallamay.
Found	*(Fawnd) v.*	Helay, soo saaray.
Foundation	*(Fawndeyshan) n.*	Aasaas, sees.
Four	*(Foo. fo'a) n.adj.*	Tiro afar 4 (IV).

Fox	*(Foks) n.*	Dacawo ama dawaco.
Fraction	*(Fraakshan) n.*	jajab (Xisaab), sida $\dfrac{1}{3}, \dfrac{2}{5}$ IWM.. **Fraction**
Frame	*(Freym) n.*	Qolof ama qafiska sare.
Frank	*(Fraank) adj.*	Weji furan.
Free	*(Firii) adj.v.*	Xor, fasax, xorayn; fasax siin.
Freedom	*(Firiidham) n.*	Xoriyad.
Freeze	*(Firiis) v.*	Fadhiisin ama baraf ka dhigid.
Fresh	*(Fresh) adj.*	Daray ah.
Fret	*(Fret) v.*	Werwer; naqshadayn (loox ama qori).
Friction	*(Firikshan) n.*	Islis.
Friday	*(Fraaydhi) n.*	Maalinta Jimce.
Friend	*(Frend) n.*	Saaxiib.
Friendship	*(Frendshib) n.*	Saaxiibtinimo.
Fright	*(Faraayt) n.*	Naxdin ama baqdin kedis ah.
Frighten	*(Faraaytan) v.*	Ka nixin, ka bajin.
Frog	*(Frog) n.*	Rah.
From	*(From) prep.*	Ka.
Front	*(Frant) n.*	Hor, Xagga hore.
Frontier	*(Frantya) n.*	Xagga xadka, Xuduudka dhinacyadiisa.
Frown	*(Frown) v.*	Weji ururin, weji macbuus.
Fruit	*(Fruut) n.*	Khudrad, khudaar, miro.
Fruitful	*(Fruutful) Adj.*	• Miro leh, Miro dhalinaaya, wax soo saar leh.
Fruitless	*(Fruutlis) adj.*	Aan miro lahayn, faa'iido la'aan.
Fry	*(Fraay) n.v.*	Shiilid ama dubid (cuntada).

Frying-pan	*(Fraaying-paan) n.*	Maqalli ama daawe (Weelka wax la gu shiilo ama lagu dubo).
Fuel	*(Fiyu'al) n.*	Shidal, xaabo.
Full	*(Ful) adj.*	Buuxa.
Fun	*(Fan) n.*	Maad, madadaalo.
Function	*(Fankshan) n.*	Ujeeddo ama dhaqdhaqaaq gaar ah oo qof ama wax leeyahay.
Fund	*(Fand) n.*	Lacag urursan oo u taal ujeeddo;
Fundamental	*(Fandhamental) adj.*	Aasaaska, gunta.
Funeral	*(Fayuunaral) n.*	Xus aas (Geeri) maamuusid aas ama duugis Qof dhintay la aasayo ama la duugayo.
Funnel	*(Fanal) n.*	Masaf; shooladda markabka (Qiiqu ka baxo).
Funny	*(Fani) adj.*	Maad leh, qosol leh, cajiib leh.
Fur	*(Fa') n.*	Dhogorta xayawaan gaar ah sida; (Bisadaha Bakaylaha iwm).
Furnace	*(Feenis) n.*	Shoolad, shooladda wax lagu kuleyliyo, (Sida biraha qaruuradaha iwm); ardaaga dabka ee dhismaha lagu kuleyliyo.
Furnish	*(Feenish) v.*	Goglid, Sharraxid (Alaab dhigid).
Furniture	*(Feenije) n.*	Saabaanka guriga, qalabka & alaabta guriga sida; kuraasta, Miisaska, sariiraha iwm.
Further	*(Feetha) adv.adj.*	KA sii badan (Ku sii talaxtagid).
Fus	*(Fiyuus) v.n.*	Dhalaalid, (Fuyuuska korontada).
Fustien	*(Fastian) n.*	Maro sida bustaha qaro weyn oo qallafsan; dhawaaq dheer: sida: AA.
Future	*(Fiyuuja) n.*	Mustaqbal, wakhtiga soo socda.

——— G ———

Gab	*(Gaab) n.*	Hadal.
Gabble	*(Gaabal) v.*	Hadal dudubin, la boobsiiyo hadalka.
Gain	*(Gayn) v.*	Macaash, la helo.
Gallon	*(Gaalan) n.*	Galaan (qiyaas) galaanka wax lagu miisto.
Gamble	*(Gaambal) v.*	Khamaar.
Game	*(Geym) n.adj.*	Nooc ciyaar ah (kubbad, feedh, shax, iwm.); Geesi.
Gammon	*(Gaman) n.*	Hadal nacasnimo ah, hambag.
Gang	*(Gaang) n.*	Dad wada shaqaynaya, koox dad ah oo isku raacay inay wax arbushaan, dhacaan, dilaan.
Gap	*(Gaab) n.*	Meel yar oo bannaan.
Gape	*(Geyb) v.*	Af kale waaxid (sida hamaasiga oo kale).
Garage	*(Garaash-gaarish) n.*	Hoosada baabuurta, geerash.
Garden	*(Gaadhan) n.*	Beerta ubaxa lagu beero, jerdiin.
Garlic	*(Gaalik) n.*	Toon (midda basasha u eg).
Garment	*(Gaamant) n.*	Hu', wax la xidho, maro iwm.
Garrison	*(Gaarisan) n.*	Ciidan Milateri ah oo la dejiyo Magaalo ama qalcad.
Garrulous	*(Gaarulas) adj.*	Hadal badan, aad u hadal badan, u hadlaya.
Gas	*(Gaas) n.*	Neef, naqas.
Gasolene	*(Gaasaliin) n.*	Baansiin.
Gastritis	*(Gaastaraytis) n.*	Calool olol (Cudur calool olol ah).
Gate	*(Geyt) n.*	Irridda weyn ee xero leedahay.
Gather	*(Gaada) v.*	Isku ururin.

Guage, gage	*(Geyj) n.*	Qiyaas laysla meel dhigay; dhumucda xasawda iwm. masaafadda u dhexeysa laba wax oo isku dheggan
Gauze	*(Goos) n.*	Shabagga daaqadaha.
Gave "Give"	*(Geyf) v.*	La siiyay.
Gay	*(Gey) adj.*	Qofka yar oo iska farxaanka ah qalbi furan. Khaniis.
Gaze	*(Geys) n.*	Dhugasho, ku dheegagid ku dheygagid (eegmo).
Gear	*(Giye) n.*	Geer, biraha ilkaha is gala leh, sida kuwa gaariga wada.
General	*(Jeneral) adj.*	Guud, wax guud ahaaneed.
Generate	*(Jenareyt) v.*	Ku dhaliso, ku sababto inay wax dhacaan ama jiraan; soo saarid.
Generation	*(Jenereyshan) n.*	Fac, jiil, inta u dhexeysa ilaa 30 sano ee qof korayo.
Generator	*(Jenareyta) n.*	Mashiin soo saara ama dhaliya dab (kotonto) qaac iwm.
Generous	*(Jenaras) adj.*	Naxariis badan, deeqsi ah, deeqsi.
Genesis	*(Jenisis) n.*	Bilow, Bilaabid, barta laga bilaabo.
Genetics	*(Jinetikis) n.*	Sayniska (laanta bayoolojiga) la xidhiidha hiddaha.
Genial	*(Jiinyal) adj.*	Naxariis leh.
Gentleman	*(Jentalman) n.*	Nin mudan, nin sharaf leh.
Genuine	*(Jenyu-in) Aaj.*	Run, runtii wax la yidhi ama la sheegay inay noqdaan ama ahaadaan.
Genus	*(Jiinas) n.*	(Saynis) qayb ah xayawaan ama dhir oo isku qoys ah; nooc; dabaqad.
Geo-	*(Jii-ow) n.*	Eray ka yimid Giriigga oo ah dhul, (DHUL),

Geography	*(Jiyografi) n.*	Cilmiga (Sayniska) dhuika dusiiisa:- Qaabka, qaybaha, cimilada, tirada dadka wax soo saarka iwm.
Geology	*(Jiyoloji) n.*	Cilmiga Baarista (Macdamaha) dhulka iyo taariikhdiisa.
Geometry	*(Ji-matri) n.*	Cilmiga Xisaabta qiyaasta, Joomatari xaglaha, xarriiqaha iwm.
Germ	*(Jeem) n.*	Jeermi (Saynis).
Germinate	*(Jeemineyt) v.*	Biqilid, biqilka iniinta (Miraha), markay korriinka bilaabmo.
Get	*(Get) v.*	Keen, la helo.
Ghost	*(Gowst) n.*	Cirfiid, Shaydaan.
Giant	*(Jaayant) n.*	Cimllaaq, si aad ah u weyn.
Gift	*(Gift) n.*	Hibo, hadyad.
Giggle	*(Gigal) v.*	Qosol wijiiri ah.
Giraffe	*(Jiraaf) n.*	Geri (xayawaan sur ama luqun dheer leh).
Girl	*(Geel) n.*	Gabadh, Inanta.
Girls	*(Geelis) n.*	Hablo; Gabdho.
Give	*(Gif) v.*	Sii, la siiyo, bixin.
Glacier	*(Galaasiya) n.*	Baraf weyn oo buuraha (Dhulka qabow) ku dul samaysma.
Glad	*(Glaadh) adj.*	Faraxsan.
Glance	*(Glaans) v.*	Jalleecid, daymo.
Gland	*(Glaand) n.*	Qanjidh.
Glass	*(Glaas) n.*	Quraarad, qaruurad.
Glaucoma	*(Glookowma) n.*	Cudur indhaha ku dhaca oo indhabeelreeba ama arag darro.
Glazier	*(Gleys-ya) n.*	Ninka muraayadaha geliya daaqadaha.
Glen	*(Glen) n.*	Jar dhuuban.

Glimpse	(Glimpis) n.	Libiqsi (indha libiqsi).
Globe	(Glowb) n.	Wax sida kubbadda ah, sida dhulka ah.
Gloomy	(Gluumi) adj.	Murugeysan, madluum ah.
Glory	(Gloori) n.	Caan ah, sharaf u yeelid, qaddarin mudan; waynayn.
Glow	(Glow) v.	Ileysin, iftiimin.
Glucose	(Gluukows) n.	Sonkor khafiif ah: guluukoos.
Glut	(Glat) v.	Dhergin, dhereg-dhaafid.
Glutton	(Glatan) n.	Qofka cirka weyn,Qofka cuntada fara badan cuna.
Go	(Gow) v.	Tag, tagid.
Goal	(Gowl) n.	Muraad, qasdi; goolka ciyaarta kubbadda.
	(Gowt) n.	Ri'.
↵od	(Godh) n.	Rabbi, Alle.
Goggle	(Gogal) v.	Indho caddayn, indho warwareejin.
Goggles	(Gogalis) n.	Muraayad indheed weyn oo ballaaran oo laga xidho boodhka, dabaysha iwm.
Gold	(gowldh) n.	Dahab (Macdanta ugu qaalisan).
Golden	(Gowldhan) adj.	Dahabi, dahab ah.
Gonorrhea	(Gonariye) n.	Jabti, cudur ku dhaca ibaha laga kaadjo iyo qaybaha dhalmada ee jidhka.
Good	(Guudh) adj.	Wanaagsan, fiican.
Good-bye	(Gudh-baay) n.	Nabadgelyo, nabadeey!
Goon	(Guun) n.	Qofka masuukha ah.
Goose	(Guus) n.	Shimbir la rabbaysto (Shimbir-badeed u eg).
Gorilla	(Garila) n.	Daayeer weyn oo dadka le'eg.

Gossamer	*(Gosama) n.*	Xuubcaaro, xuub jilicsan.
Govern	*(Gafan) v.*	Xukumid, dawlad xukumid.
Government	*(Gafanmant) n.*	Dowlad, xukuumad.
Governor	*(Gafant) n.*	Badhisaab, Ninka dowlad-goboleed xukuma.
Grace	*(Greyes) n.*	Bilicsan.
Gracious	*(Greyshas) adj.*	Bogaadin; raxmad badan leh.
Grade	*(Greydh) n.*	Heer; fasal (Tirada dugsiga); darajo.
Graduation	*(Gradhyuweyshan) n.*	Qalin jibin, marka waxbarashada la dhammeeyo ee shahaado la qaato.
Graduate	*(Graadyuweyt) v.n.*	Qalin jabin, jaamici.
Graft	*(Graaft) n.*	Tallaalka dhirta.
Grain	*(Greyn) n.*	Xubuub: sida badarka, sarreenka, galleyda.
Grammar	*(Graama) n.*	Naxwe, barashada naxwaha luqadeed.
Gramme	*(Graam) n.*	Halbeegga Miisaanka = Garaam (1/1000 kilogram).
Grandeur	*(Graanja) n.*	Weyni, weynaan.
Grandfather	*(Graadhfaatha) n.*	Awow.
Grandmother	*(Graandh-maada) n.*	Ayeeyo.
Grant	*(Graant) v.*	Siin.
Grape	*(Greyp) n.*	Cinab, miro laga sameeyo khamriga lana cuno, canab.
Graph	*(Graaf) n.*	Garaaf (Xisaab xariiqo ka kooban).
Grapnel	*(Graapnal) n.*	Xadhig sooraan; barroosinka markabka ee sudhatooyinka badan leh.
Grasp	*(Graasp) v.*	Si xoog ah u qabatid; qalbiga ku qabsatid.
Grass	*(Graas) n.*	Doog, doogga ay xooluhu daaqaan.
Grasshopper	*(Grashopa) n.*	Jirriqaa, koronkoro.

Grateful	*(Greytful) adj.*	Mahadnaq leh, mahadcelin leh.
Gratitude	*(Graatityuudh) n.*	Mahadnaq, mahadcelin.
Grave	*(Greyf) n. adj.*	Qabri, xabaal; khatar, halis.
Gravel	*(Graafal) n.*	Quruurux, dhagaxa yar yar ee jeyga ah.
Gravity	*(Graafiti) n.*	Jiidis hoose, (Dhulka).
Graze	*(Greys) v.*	Daajinta, doog siinta xoolaha; la daaqsiiyo (Xoolaha).
Grease	*(Griis) n.*	Xaydh (Xaydha baabuurta).
Great	*(Greyt) adj.*	Weyn.
Greedy	*(Griidhi) adj.*	Hunguri weynaan, waa hunguri weyn yahay.
Green	*(Griin) adj.*	Cagaar (midab) doogo.
Greet	*(Griit) v.*	Salaamid.
Grenade	*(Grineydh) n.*	Garneyl, bam, (ka qarxa).
Grow	*(Gruu) v.*	La beeray; la koriyey.
Grey	*(Grey) adj.*	Midba boodhe ah, midab dameer oo kale.
Griddle	*(Gridhal) n.*	Daawe, daawaha wax lagu dubo.
Grief	*(Griif) n.*	Murugo.
Grin	*(Grin) v.*	Qosol ilka caddayn.
Grind	*(Graayndh) v.*	Ridaq, ridiqid, shiidid.
Grindstone	*(Graaynd-istowan) n.*	Dhagaxa wax lagu fiiqo, lisin.
Gristle	*(Gristal) n.*	Taharta xoolaha (hilbka ku taalo).
Groan	*(Grown) v.*	Taah, jibaad.
Grocer	*(Growsa) n.*	Dukaan-gade, booshari-gade, qof-ka daaska Iibiya.
Groove	*(Gruuf) n.*	Dilaac ama jeexdin.
Gross	*(Grows) n.adj.*	Laba & Toban dersin 144.
Ground	*(Growndh) n.v.*	Bogcad dhul ah; la ridqay, la shii-day.

Group	*(Gruup) n.*	Koox.
Grower	*(Growa) n.*	Qofka wax beera.
Grow	*(Grow) v.*	Korin, la koriyo; beerid.
Growth	*(Growth) n.*	Korriin, bixis.
Grubby	*(Grabi) adj.*	Wasakh leh, aan la mayrin.
Gruff	*(Graf) adj.*	Cod-xun, qallafsan.
Grumble	*(Grambal) v.*	Gunuus, gungunuuc.
Guarantee	*(Gurantii) n.*	Ballan qaad ah in wax muddo la hubiyo.
Guard	*(Gaadh) n.v.*	Ilaalin.
Guardian	*(Gaadhyan) n.*	Ilaaliye (Ciidanka) mansuul.
Guerrilla	*(Garila) n.*	Dagaalyahan (Ciidanka caadiga ah ka mid maaha).
Guess	*(Ges) v.*	Malayn, u malayn (aan la hubin).
Guest	*(Gest) n.*	Marti.
Guidance	*(Gaaydhanis) n.*	Hoggaamin, hanuunin.
Guide	*(Gaaydh) n.v.*	Qofka wax tilmaama; tilmaamid.
Guilt	*(Gilt) n.*	Dembi, eed.
Guiltless	*(Giltlis) adj.*	Daacad ah, eed ma leh.
Guilty	*(Gilti) adj.*	Eedeysane.
Guitar	*(Gitaa) n.*	Kaman lix xadhig leh.
Gulf		
	(Galaf) n.	Gacan (Badda, khaliij: meesha baddu dhulka ka gasho.
Gullet	*(Galit) n.*	Hunguriga ama dhuunta caloosha cuntada u marto afka ilaa caloosha inta ka dhexeysa.
Gulp	*(Galp) v.*	Qudhqudhin = qudhqudhis, si deg deg ah wax u liqliqid.

Gum	*(Gam) n.*	Xanjo; cirrid, xabag;
Gun	*(Gan) n.*	Buṅduq, qoriga xabbadda laga rido.
Gurgle	*(Geegal) n.*	Sanqadh qulucquluc ah: sida sandha baxda marka dhalada biyaha laga shubayo.
Gush	*(Gash) v.*	Butaacid.
Gustation	*(Gasteyshan) n.*	Dhandhamo, dhadhamo.
Guzzle	*(Gasal) v.*	Cunto boobid, si hunguri weyni ah wax u cunid.
Gymnastic	*(Jimnaastik) adj.*	Jimicsi.
Gypsum	*(Jipsam) n.*	Macdan nuuradda u eg (ta dadka jaba lagu kabo).
Gyrate	*(Jaayareyt) v.*	Ku wareegeysi, ku meerid.

___ H ___

Habit	*(habit) n.*	Caado.
Habitual	*Habiju'al) n.*	Iska caadi ah, la caadaystay.
Hack-saw	*(Haksoo) n.*	Miishaarta lagu jaro biraha.
Had	*(Haadh) v.*	Lahaa (Wakhti tegay baa lagu istic-maalaa).
Hair	*(Hee) n.*	Timo.
Half	*(Haaf) n.adj.adv.*	Badh, nus.
Hall	*(Hool) n.*	Gole, qol lagu kulmo oo weyn, qolka shirka.
Halt	*(Hoolt) n.v.*	Haad bixin (Socodka) maamaagid, hadal ka maagid:
Halve	*(Haaf) v.*	Kala badhid, laba u kala qaybin (is le'eg).
Hammer	*(Hama) n.*	Dubbe (ka wax lagu garaaco).
Hand	*(Haand) n.*	Gacanta hore (shan farood & calaa-cal) gacan.
Handcufis	*(Haankafis) n.*	Katiinad, birta dadka la xidhayo ga-canta lagaga xidho.
Handkerchief	*(Haankafjif) n.*	Masarka afka, (Fasaleeti).
Handle	*(Handhal) n.*	La qabto, qaadis, la qaado; sidde.
Handsome	*(Haunsam) adj.*	Qurxuun, muuqaal fiican (ragga).
Hang	*(Hang) v.*	Deldelid, laadlaadin, deldelaad ama soo laalaadin.
Hangar	*(Haanga) n.*	Dhismaha Dayaaradaha lagu ha-gaajiyo.
Hanging	*(Hanging) n.*	Dil deldelaad ah.
Hapless	*(Haplis) adj.*	Nasiib-darro, nasiib-xumo.
Happen	*(Hapin) v.*	Dhaca, dhicid *(what will happin?* = maxaa dhici doona), *(how did the* accident happin? = sidee buu shilka u dhacay?).

Happy	*(Hapi) adj.*	Faraxsan.
Harbour	*(Haapa) n.*	Hooyga maraakiibta (dekad) hooy siin.
Hard	*(Haadh) adj.*	Adag, aan sahlanayn ama hawl yarayn.
Harden	*(Haadhan) v.*	Adkayn, la adkeeyo.
Hardship	*(Haadhship) n.*	Dhibaato, duruuf adag.
Hare	*(Hee) n.*	Bakayle.
Harm	*(Haam) n.*	Dhibaato, waxyeelo.
Harmful	*(Haamful) adj.*	Dhibaato badan, dhibaato miidhan.
Harmless	*(Haamlis) adj.*	Dhibaato yar ama dhibaato ma leh, dhib yar.
Harvest	*(Haafist) n.*	Midho gurasho, midho goyn.
Haste	*(Heyst.) v.*	Dhakhso, (socod). (Degdegsiin, dhakhso u socodsiin.
Hat	*(Haat) n.*	Koofiyad (ta fardooleyda oo kale ah).
Hate	*(Heyt) v.*	Karhid, nacbeysi, dhibsi.
Hateful	*(Hetful) adj.*	Karaahiyo, aan la jeclayn, la necebyahay.
Have	*(Haaf) v.*	Leeyahay ama leenahay ama leedahay, leh.
Hawk	*(Hook) n.*	Dhuuryo; shimbir indho fiican oo dheereeya ama fudud.
Hay	*(Hey) n.*	Caws, (doog la jarjaray oo la qalajiyay).
Hazard	*(Hasadh) n.*	Khatar.
He	*(Hii) pron.*	Isaga (Qofka).
Head	*(Hedh) n.*	Madax, kurta.
Heal	*(Hiil) v.*	Bogsiin (meel bogtay), daaweyn.
Health	*(Helth) n.*	Caafimaad, saxo.

Healthy	*(Hel-thi) adj.*	Caafimaadqab, saxo wanaag.
Heap	*(Hiip) n.*	Raso ama wax la is dul saarsaaray.
Hearing	*(Hiyering) n.*	Wax maqal, dhageysi.
Hearing	*(Hiyering) n.*	Wax maqal, dhageysi.
Hearse	*(Hees) n.*	Naxash (ka maydka lagu qaado).
Heart	*(Haat) n.*	Wadne, wadnaha nafleyda.
Heat	*(Hiit) n.v.*	Kulayl, kul.
Heaven	*(Hefan) n.*	Janno, Jannada aakhiro.
Heavy	*(Hefi) adj.*	Culus, culays badan.
Hedgehog	*(Hedhijhog) n.*	Caanoqub (Xayawaan).
Hectare	*(Haktaa) n.*	Cabbir ama qiyaas dhulka lagu sameeyo.
Heel	*(Hiil) n.*	Cidhib, cagta xaggeeda dambe.
Hegira	*(Hejira) n.*	Taariikhda Islaamka.
Height	*(Haayt) n.*	Dherer.
Helicopter	*(Helikobta) n.*	Dayuurad qummaatiga u kacda una fadhiisata.
Hell	*(Hel) n.*	Cadaab (Naarta aakhiro).
Helmet	*(Helmit) n.*	Koofiyadda birta ah ee askarta, macdan qodayaasha & kooxaha dabdemiska iwm.
Help	*(Help) n.*	Caawin, mucaawino.
Helpful	*(Helpful) adj.*	Caawis badan, ku caawinaya, wax taraya.
Helpless	*(Helplis) Adj.*	Aan caawinmo lahayn, aan Caawin karin.
Hemorrhoids	*(Hemarooydhis) n.*	Bawaasiir; Cudur ku dhaca Malawadka hoostiisa ama futada.
Hen	*(Hen) n.*	Digaagad; Dooro.
Hence	*(Henis) adj.*	Sidaa darteed.

Her	(Hee) Pron.	Waxeeda *(Her Sister* = Walaasheed; She will give me her Watch = Iyadu waxay i siin doontaa saacaddeeda).
Herd	(Heedh) n.	Goosan; Xayn (Xoolo).
Here	(Hiye) adv.	Halkan; Kobtan, Meeshan.
Heredity	(Hiredhiti) n.	Hiddo.
Hero	(Hiyerow) n.	Halyey; Geesi.
Herself	(Hee-Selaf) Pron.	Nafteeda; Qudheeda; Iskeeda.
Hesitate	(Hesiteyt) v.	Hagha-go (Hadalka); Maagmaagid; ka maagid.
Hew	(Hiyuu) v.	Goyn; Jarid.
Hide	(Haaydh) v.	Qarin; Xasayn; Haragga Xoolaha (Saan).
Hideous	(Hidhiyas) Adj.	Aad u foolxun.
High	(Haay) Adj. Adv.	Sarreeya; meel sare; Kor.
Highness	(Haaynis) n.	Sarrayn.
Hill	(Hil) n.	Buur yar.
Hit	(Hit) n.	Daabka Toorayda.
Him	(Him) Pron.	Isaga (Labka) .
Himself	(Himselaf) Pron.	Naftiisa; Qudhiisa; Iskii.
Hint	(Hint) n.	Faallo gaaban.
Hip	(Hip) n.	Misig.
Hippopotamus	(Hibabatamas) n.	Jeer (Xaywaan Webiga ku nol).
Hire	(Haaya) v.	Kirayn; Kirayn ama kiro; Ijaarasho.
His	(His) Adj.	Wixiisa; Kiisa *(His Shirt* = Shaadh-kiisa).
Historic	(Historik) Adj.	Taariikh leh; ku caan ah Taariikh
History	(Histori) n.	Taariikh.

Hit	(Hit) v.	Hirdi; Ku dhufasho.
Hive	(Haayf) n.	Godka ama qafiska shinnida (Hooyga Shinida).
Hoar	(Hoo, Ho'a) adj.	Cirro (Timaha caddaada); Ciro leh.
Hobble	(Hobal) Adv.	Tukubid (Socod).
Hobby	(Hobi) v.	Balwad;. Waxa qofku qabto ee uu Xiiseeyo marka uu firaaqada yahay (Marka aanu shaqo hayn).
Hockey	(Hoki) n.	Xeego (Ciyaar).
Hoe	(How) n.	Yaambo (Qalab beerta lagu baaqbaaqo).
Hold	(Howld) v.	Gacan ku qabad; Qabasho.
Hole	(Howl) n.	Dalool, daloolin.
Holiday	(Holadhi)(Holadhey)n.	Fasax, Maalin Fasax ah.
Holster	(Howlista) n.	Galka Baastoolada; Kiiska Baastootalada.
Home	(Howm) n.	Hooy; Guri.
Homicide	(Homisaaydh) n.	Dad layn; Dad dilis.
Honest	(Onist) adj.	Daacadnimo.
Honesty	(Onisti) n.	Daacad.
Honey	(Hani) n.	Malab (Waxa Macaan ee shinnidu samayso).
Honeymoon	(Hanimuun) n.	Maalmaha Arooska ugu horreysa ee ay labada is guursatay nasashada ku jiraan.
Honour sid.	(Ona) n.	Sharaf; Maamuus; Sharfid; Maamuu-
Honourable	(Onarabal) Adj.	

Hoof	*(Huuf) n.*	Qoobka Fardaha, Damee-raha iwm.)
Hook	*(Huuk) n.*	Sudhato; Bir qoolaaban oo wax la soo suro.
Hope	*(Howp) n.v.*	Rajo; Rajayn.
Hopeful	*(Hawpful) Adj.*	Rajo leh; Rajo-badan.
Hopeless	*(Howplis) Adj.*	Rajo la'aan; rajo ma leh; Bilaa rajo.
Horn	*(Hoon) n.*	Gees (Geesaha lo'da, Riyaha, Ba-ciidka iwm).
Horrible	*(Horibal) Adj.*	Necbaansho ama cabsi xun; Naxdin leh.
Horrify	*(Horifaay) v.*	Naxdin-gelin; ka nixin; ka bajin.
Hospital	*(Hospital) n.*	Isbitaal.
Horse	*(Hoos) n.*	Faras.
Host	*(Howst) n.*	Qof loo marti yahay; Qofka wax marti qaada.
Hostage	*(Hostij) n.*	La haye; Qof Madax furasho loo haysto.
Hostel	*(Hostal) n.*	Dhismaha (Leh Jiif & Cuntaba) la-gana kireeyo Dad wuxuun wadaaga; Sida Shaqaalaha; Ardayda iwm.)
Hostess	*(Howstis) v.*	Naagta ama gabadha loo martida yahay.
Hostile	*(Hostaayl) Adj.*	Cadaawad; Cadowtinimo.
Hostility	*(Hostiliti) n.*	Cadawnimo.
Hot	*(Hot) Adj.*	Kulul; Kulayl ah.
Hotel	*(Howtel) n.*	Huteel; Albeergo; Dhismo qolal la kireeyo oo Hurdo iyo Cunto leh.
Hour	*(Awa) n.*	Saacad (Wakhti).
Hourly	*(Awali) adv.*	Saacad Walba; Saacad kasta. Saa-caddiiba mar.
House	*(Haws) n.*	Aqal; Guri; Dhismo Dad ku dhex nool yahay.

Hover	*(Hofa) v.*	(Shimbiraha iyo wixii Duulaba) ku dul Heehaaw; Hawo ku dhex wareeg; Weedadow).
How	*(Haw) Adv.*	Sidee; Sida.
Huge	*(Hiyuuj) Adj.*	Aad u weyn; Cimlaaq ah.
Human	*(Huyuuman) Adj.*	Aadami; Dad ah.
Humanity	*(Hiyuumaaniti) n.*	Dadnimo; Bani'aadanimo; Aadaminimo.
Humankind	*(Huyuumankaynd) n.*	Bani'aadam.
Humble	*(Hambal) Adj.*	Dulli ah; Iska yara hooseeya (Qof).
Humerus	*(Huyuumaras) n.*	Lafta Cududda.
Humid	*(Huyiimidh) Adj.*	Hawada oo qoyan ku dhexe jira (Cimilo), Suyuc.
Hump	*(Hamb) n.*	Kurus (Kuruska Geela); Ama tuur.
Hundred	*(Handharadh) n.adj.*	Boqol tiro ah 100.
Hunger	*(Hanga) n.*	Gaajo, Baahi Raashin cunis.
Hungry	*(Hangri) Adj.*	Gaajoonaya.
Hunt	*(Hant) n.*	Ugaadhsi.
Hunter	*(Hanta) n.*	Qofka Ugaadhsada, Ugaadhsade.
Hurry	*(Hari) n.*	Degdeg.
Hurt	*(Heet) v.*	Dhaawicid; Wax yeelid.
Husband	*(Hasband) n.*	Ninka xaaska leh ninka naagta qaba.
Hush	*(Hash) v.*	Aamusiin.
Hustle	*(Hasal) v.*	Tukhaatukhayn; Tukhaatukho (Riixid ama Riixid Xoog leh).
Hut	*(Hat) n.*	Dargad Cariish.
Hybrid	*(Haaybridh) n.Adj.*	Iska dhal; Muwalad.
Hydro-Electric	*(Haydarow-elektirik)Adj.*	Koronto laga dhaliyo Quwadda Biyaha.

Hydrogen	*(Haaydrajin) n.*	Curiye Hawo ah.
Hyena	*(Haayiina) n.*	Dhurwaa; Waraabe.
Hygiene	*(Haayjiin) n.*	Feyo Dhawr; Cilmiga fayo ama caafimaad ilaalinta.
Hayphen	*(Haayfan) n.*	Jiitin; Xariiq jiitin ah (Naxwaha).
Hypocrísy	*(Hipokrisi) n.*	Munaafaqnimo.
Hypodermic	*(Haaypow-demik) Adj.*	Durid ah; Mudiseed ama dureed.
Hypotenuse	*(Haaypotiinyuus) n.*	Shakaal (Saddex Geeslaha dhinaciisa dheer).

___ I ___

I	*(Aay) Pron.*	Aniga (Markuu qofka kowaad hadlayo ee uu isa sheegayo).
Ice	*(Aays) n.*	Baraf; Biyo Fariistay; Qaboojin oo fadhiisin ama baraf ka dhigid.
Idea	*(Aaydhiya) n.*	Fikarad; Ra'yi.
Identical	*(Aaydhentikal) Adj.*	Isku mid ah; Isku eeg.
Identify	*(Aaydhentifaay) v.*	Aqoonsiin.
Identity	*(Aaydhentiti) n.*	Aqoonsi.
Ideology	*(Aaydhi'olaji) n.*	Aaydiyoolijiyad.
Idiom	*(Idhiyam) n.*	Af ama luqad dal gooni u leeyahay isla yaqaan; Weero ama erayo Macne Sarbeebeed oo gaar ahaan layskula garanayo leh.
Idiot	*(Idhiyet) n.*	Qofka qalba daciifka ah. Nacas.
Idle	*(Aaydhal) Adj.*	Shaqo la'aan. Dhaqdhaqaaq darro; Qofka aan shaqo rabin ee caajiska ah.
If	*(If) Conj.*	Haddii (Kolba).
Ignite	*(Ignaayt) v.*	Shidid; Daarid.
Ignoarance	*(Ignaranis) n.*	Jaahilnimo; Aqoondarro.
Ignorant	*(Ignarant) Adj.*	Aqoonla; Jaahil.
Ignore	*(Ignoo) v.*	Iska dhegmarid; Iska Jaahil-yeelid; Ogaal diidid.
Ill	*(Il) Adj n.*	Buka; Xanuunsanaya; Jirran.
Illness	*(Ilnis) n.*	Jirro. Xanuun.
Illiterate	*(Illitarit) Adj.*	Aqoondarro; Cilmidarro; aan Akhrikarin qorina karin (WAXBA).
Illegible	*(Ilejibal) Adj.*	Aay adag tahay ama aan suuragal ahayn in la akhriyo, aan la akhriyi karin.

Illicit	(Ilisit) Adj.	Sharci maaha; Waa mamnuuc; Lama oggola.
Illuminate	(Iluumineyt) v.	Iftiimin; Ilaysin.
Illustarte	(Ilastireyt) v.	Sharxid ama sifayn leh tusaalooyin & Sawiro.
Image	(Imij) n.	Muuqaal Sawir ah.
Imagination	(Imaajineyshan) n.	Male iyo khayaal Abuurid (Maskaxda).
Imagine	(Imaajin) v.	Malayn; U malayn (Maskax ka dhisid).
Imitate	(Imiteyt) v.	Ku dayasho samayn; Tusaale laga qaadan karo.
Imitative	(Imiteytif) Adj.	Lagu Dayan karo; Tusaale laga qaadan karo.
Immature	(Immatyu'a) Adj.	Aan weli baaluqin; aan qaan gaarin.
Immediate	(Imiidh-yat) adj.	Isla markiiba (Dhakhso).
Immense	(Imens) Adj.	Aad u weyn; Baaxad weyn.
Immerse	(Imees) v.	Biyo dhex galin, Muquursiin; Biyo Muquurid.
Immigrate	(Imigreyt) v.	Haajirid, Qaxid.
Immortal	(Imootal) Adj.	Waaraya; aan weligii dhimanayn ee
Immune	(Imyuun) Adj.	Bogsiin; Ladnaan (Cudur ka bogsad).
Immure	(Imyu'a) v.	Xabsiyid; Xidhid.
Impassible	(Impaasabal) Adj.	Aan la dhaafi karin; Aan la mari karin; ama laga gudbi karin lagu safri karin.
Impatient	(Impeyshant) Adj.	Samir la'aan; Aan samir lahayn.
Imperfect	(Impeefikt) Adj.	Aan hagaagsanayn; Ama aan dhammayn.
Imperialism	(Impeeri'eeliism) n.	Siyaasadda gumeysiga; Imberyaalad.

Imperil	*(Imperil) v.*	Khatar gelin; la khatar gesho.
Impermanent	*(Impeemanant) Adj.*	Aan joogto ahayn.
Implore	*(Imploo) v.*	Weydiisad codsi ah (Maxkamadha).
Imply	*(Impalaay) v.*	Dhihid (Dhawaaq ah); Maskax ka odhan.
Impolite	*(Impalaayt) adj.*	Edeb daran, aan edeb lahayn.
Import	*(Impoot) v.*	Soo dejin; Dibadda ka soo dhoofin ama ka soo dejin (Alaab).
Important	*(Impootant) Adj.*	Muhiim ah; Lagama maarmaan.
Importune	*(Impootyuun) v.*	Baryid ama codsi (Degdeg ah).
Impose	*(Impows) v.*	Dulsaarid (cashuurta; Waajibka Shaqada iwm.)
Impossible	*(Imposibal) Adj.*	Aan suuragal ahayn; Aan suurtoo-bayn.
Impost	*(Impowst) n.*	Canshuur.
Impostor	*(Imposta) n.*	Qofka iska dhiga ama iska yeela wa-xaanu ahayn.
Impregnate	*(Impregeyt) v.*	Rimin ama uurayn.
Impress	*(Impres) v.*	Isku cadaadin (Laba Wax).
Imprison	*(Imprisan) v.*	Xabsiyid; Xidhid.
Improbable	*(Improbabal) Adj.*	Aan la filan inuu Rumoobo ama dha-co.
Improve	*(Impruuf) v.*	Hagaajin, Horumarin.
Impudent	*(Impyudhant) Adj.*	Xishood daran; Dabeecad qallafsan.
Impulse	*(Impalas) n.*	Gujayn ama gujo.
Impure	*(Imbyu'a) Adj.*	Aan saafi ahayn.
In	*(In) Prop.*	Gudaha (Isticmaalid faro badan oo kale bay leedahay.)
Inaccurate	*(Inaakyurit) Adj.*	Aan sax ahayn.

Inaction	(Inaakshan) n.	Aan waxba qaban; Dhaqdhaqaaq la'aan.
Inadequate	(In-adhikwit) Adj.	Aan ku filnayn; Aan kaafiyi karin.
Inadmissible	(In-adhmisabal) Adj.	Aan loo qiri karin; Aan lagu yeeli karin.
Inanimate	(Inaanimit) Adj.	Naf la'aan; aan naf lahayn ama noolayn.
Inapplicable	(In-aplikabal) Adj.	Aan ku habboonayn.
Inappropriate	(Inaprowpriyat) Adj.	Aan habboonayn ama suuragal maaha.
Inattentive	(Inatentif) Adj.	Aan feejignayn; Aan digtoonayn.
inaudible	(Inoodhabal) Adj.	Aan la maqli karin.
Incapable	(Inkeypabal) Adj.	Aan la yeeli karin.
Incense	(Insens) n.	Ka caydhaysiin.
Inch	(Inj) n.	Hiish (Qiyaas 2.54 Sentimitir la mid ah).
Incisor	(Insaaysa) n.	Fool ama dhool (Ilkaha hore ee dadka).
Inclination	(Inkileynshan) n.	Janjeedh.
Incline	(Inklaayn) n.	Janjeedhis; Dhinac u janjeedhin.
Include	(Inkluudh) v.	Ku darid; Ku jirid; ay ku jiraan ama ka mida.
Incombustible	(Inkambastabal) Adj.	Aan dab lagu isticmaali karin; aan guban.
Income	(Inkam)n.	Dakhli; Wax ku soo gala (Xisaab).
Incomparable	(Inkamparabal) Adj.	Aan lays barbardhigi karin.
Incomplete	(Imkampaliit) Adj	Aan buuxin; Aan dhammayn.
Inconstant	(Inkenistant) Adj.	Isbedbedalaya; Aan xidhiidh u socon.
Inconvenient	(Inkanfiinyant) adj.	Dhalinaya ama keenaya Arbush & Carqalad.
Increase	(Inkriis) v.n.	Kordhid; Ku biirid; korodh.

Incredible	*(Inkridhabal) Adj.*	Aan la rumaysan karin; Aan caqli gal ahayn.
Increment	*(Inkrimant) n.*	Dulsaar; ku dul korodh.
Indeed	*(Indhiidh) adv.*	Runtii; Xaqiiqdii; Sidaad tidhi; Sidaad malaynayso.
Indefinite	*(Indhefinit) Adj.*	Aan la qeexi karin; Aan la caddayn karin.
Independence	*(Indhipendhans) Adj.*	Isku fillaansho; Xorriyad.
Independent	*(Indhipendhant) Adj.*	Aan cid ama waxba ku tiirsanayn; Xor ah.
Indestructible	*(Indhistraktabal) Adj.*	Aan la burburin karin ama la dumin karin.
Indicate	*(Indhikeyt) v.*	Tilmaamid, Tusid.
Indigestible	*(Indhijestabal) Adj.*	Aan dheefshiidmayn; sharaf darro; Dabeecad xun.
Indirect	*(Indhirekt) Adj.*	Aan toos ahayn; Si dadban.
Individual	*(Indhifidhyuwal) Adj.*	Shakhsi gaar ahaaneed; Gaar ahaan; Keli-keli.
Induction	*(Indhakshan) n.*	Saaqid; la saaqo.
Industrial	*(Indhastariyal) Adj.*	Warshadaysan; ee Warshadeed.
Industry	*(Indhastari) n.*	Warshad; Wax soo saarid Farsameed; aad u shaqeysa.
Inedible	*(Inedhbal) Adj.*	Aan la Cuni karin; Aan cuntamayn.
Inefficient	*(Inifishant) Adj.*	Aan si buuxda wax u tarayn.
Inequality	*(Inikwoliti) n.*	Sinnan la'aan.
Inert	*(Ineet) Adj.*	Aan lahayn quwad uu wax ku dhaqaajiyo ama kula falgalo.
Inestimable	*(Inestimabal) Adj.*	Aan la qiyaasi karin; Aan aad u weyneyn; Qaali ah.
Inexact	*(Inigasaakt) Adj.*	Aan sidii la rabay lahayn; Sax maaha.
Inexpensive	*(Inikaspensif) Adj.*	Aan qaali ahayn; Qaali maaha; Rakhiis.

119

Inexperience	*(Inikispiyariyanis) n.*	Waayo aragnimo la'aan.
Infant	*(Infant) n.*	Ilmaha Carruurta ah Dhowrka sano hore (Muddo).
Infantry	*(Infantari) n.*	Ciidanka lugta; Askarta lugta ah.
Inferior	*(Infiyariya) Adj.*	Hooseeya; (Darajo iwm); ee Hooseeya.
Infinite	*(Infinit) Adj.*	Aan dhammaad lahayn; Dhammad ma leh.
Inflammable	*(Infalaamabal) Adj.*	Si hawl yar dabka u qabsan og.
Inflexible	*(Infaleksabl) Adj.*	Aan qalloocsami karin; Aan la qalloocin karin.
Influence	*(Infulu'wans) n.*	Duufsasho.
Inform	*(Infoom) v.*	Wargelin; La wargeliyo; Sheegid.
Information	*(Informeyshan) n.*	War; Akhbaar.
Ingenious	*(Injiinyas) Adj.*	Qofka Xariifka ah; Xirfadda & Maskaxda badan.
Inglorious	*(Inglooriyas) Adj.*	Ceeb badan; Dahsoon; Handadan; ma qeexna.
Ingrowing	*(In'garowing) Adj.*	Hoos u baxa; Hoos u kora.
Inhabit	*(Inhaabit) v.*	Ku dhex nool; Deggan oo ku nool.
Inhale	*(Inhayl) v.*	Neef qaadasho.
Inherit	*(Inherit) v.*	Dhaxlid; ka dhaxlid.
Inhuman	*(Inhuyiman) Adj.*	Axmaqnimo; Aan dadnimo ahayn; bani'aadaminimo maaha.
Initial	*(Inishal) Adj.*	Bilowga; ka bilowda.
Initiate	*(Inishiyeyt) v.*	Bilaabid; u yeelid; qofka loo yeelo.
Inject	*(Injekt) v.*	Durid; Mudid.
Injection	*(Injekshan) n.*	Duris ama Mudis; (Sida Irbada oo kale).
Injure	*(Inja) v.*	dhaawicid; Qoomis iwm.
Injury	*(Injari) n.*	Dhaawac; Qoon: Waxyeelo.

Injustice	(Injastis) n.	Caddaalad la'aan; Caddaalad darro.
Ink	(Ink) n.	Khad.
Inland	(in-Land) Adj.	Deggan Dalka Gudihiisa (Ka fog xadka iyo badaha).
Inn	(In) n.	Aqal dadweynaha ka dhexeeya oo Hurdo, Cuno & Cabidda leh.
Inner	(Ina) Adj.	Gudaha; Gudihiisa.
Innumerable	(Inyuumarabal) Adj.	Aan la tirin karin; aad u badan in la tiriyo.
Input	(Input) n.	La geliyo; waxa la geliyo walax (Sida quwadda Mishiinka).
Inquire	(Inkwaaya) v.	Weydiisi; la weydiiyo.
Inquiry	(Inkwaayari) n.	Weydiin; Su'aal.
Insane	(Inseyn) Adj.	Waalan; Xis la'aan; aan miyir qabin.
Insatiable	(Inseysh-yabal) Adj.	Aan la raalligelin karin; Aad u cirweyn.
Insect	(Insekt) n.	Cayayaan.
Insecure	(Insikyu'a) Adj.	Aan nabad qabin; Aan bedqabin.
Insensitive	(Insensitif) Adj.	Dareen la'a; Aan waxba dareemayn.
Insert	(Inseet) v.	Dhigid; meel dhigid ama siin; Ku hagaajin.
Inshore	(Inshoo) Adj. adv.	Xeebta ku qabsan (Dhaw).
Inside	(Insaaydh) n.adv.adj.	Gudaha.
Insignificant	(Insignifikant) Adj.	Leh qiime yar; Macne yar ama Muhimad yar.
Insist	(Insist) v.	Ku adkaysi (Dood).
Insoluble	(Insolyubal) Adj.	Aan milmayn; Aan la xalili karin (Mushkilad).
Insolvent	(Insolfant) Adj. n.	Aan awoodi karin inuu dayn baxsho.
Inspect	(Inspekt) v.	Kormeerid.

Inspector	(Inispekta) n.	Kormeere (Qofka wax kormeera).
Instalment	(Inistoolmant) n.	Hafto ku bixin; (Muddo-muddo ku bixin).
Instance	(Inistans)n.	Tusaale; Dhab ama xaqiiqo run ah, (Tusaalayn.)
Instant	(Instant) Adj.	Isla mar qura dhaca; Wakhtiga go'an ee ay wax dhacaan.
Instead	(Inistedh) Adv.	Halkay sidaas noqon lahayd (Ku beddelasho): (Better to stay Home instead of going to town = Waxaa fii-suuqa laga tegi lahaa.
Institute	(Inistityuut) n.v.	Bulsho ama Urur ujeeddo gaar ah (Tacliin ama wax kale) Isugu dha-ama kobcin.
Instruct	(Inistarakt) v.	Wax barid (Leh Amarsiin & Tilmaa-mo).
Instruction	(Instarakshan) n.	Tilmaan bixin iyo waxbarasho xirfa-deed.
Instructor	(Inistarakta) n.	Qofka wax dhiga (Bare Xirfadle); Tababare.
Instrument	(Inistrumant) n.	Aald.
Insulate	(Insyuleyt) v.	Dahaadhid; Ka xijaabid; kaga soo-cid waxaan dabgudbiye ahayn.
Insulation	(Insyuleyshan) n.	Duhaadhid; Xijaabis.
Insulator	(Insyuleyata) n.	Xijaabe; Qolofta ama Walaxda kala qaawan ee Koronta;
Insult	(In-salt) v.	Caytan; Afka ka caayid.
Insure	(In-shuwa) v.	Xaqiijin.
Insurance	(In-Shu'warnis) n.	Caymis (Insurance Company = Shirkadda Caymiska).

Integer	*(Intija) n.*	Tiro dhan oo aan Jajab ahayn: 1,5,9.
Integrate	*(Intigreyt) v.*	Isku wada geyn (Qaybo) dhan; dhammaystirid isku wadarayn guud.
Intellectual	*(Intellektyuwal) Adj.*	Maskax fiican leh; Maskax Fiican.
Intelligible	*(Intelijabal) Adj.*	Si hawl yar oo fudud loo fahmi karo.
Intend	*(Intend) v.*	Qalbi ku hayn ama qorshayn; ugu tala galid.
Intensity	*(Intensiti) n.*	Itaal.
Intentional	*(Intenshanal) n.*	Ulakac; Khiyaar; Badheedh.
Inter	*(Intee) v.*	Xabaal dhigid; Aasid (Meyd aasid; Aasid ama duugid).
Interact	*(Intaraakt) v.*	Isku darsamid; Isla fal gelid; Isku dhafid.
Interchange	*(Intajeynj) v.*	Isku beddelid (Iswaydaarsi).
Intercourse	*(Intakoos) n.*	Galmo (Ninka & Naagta markay isku galmoodaan); Wax isweydaarsi.
Interest	*(Int-rist) n.*	Ahmiyad; Xiiso leh; Dulsaar ama ribo.
Interfere	*(Intafiya) v.*	faragelin (Arrin).
Interfuse	*(Intafiyuus) v.*	Isku dhexe laaqid; Isku dhexe darid 2 Wax.
Interior	*(Intiyariya) Adj.*	Gudaha deggan; Gudaha.
Interlock	*(Intalok) v.*	Isku xidhid.
Intermediate	*(intamiidhyat) Adj.*	Dhexe *(Intermediate School* = Dugsiga Dhexe).
intermingle	*(Intamingal) v.*	Isdhexgelid.
Intermix	*(Intamiks) v.*	Isku khaldid; Isku qasid: Isku-walaaqid.
Internal	*(Intaanal) Adj.*	Gudaha ah; ee Gudaha jira.
International	*(Intanashal) Adj.*	Caalami; Caalimi ah.
Interpret	*(Inteepirit) Adj.*	Tarjumid; Ka tarjumis.

Interrogative	*(Intarogatif) Adj.*	Leh qaab su'aaleed; Weydiin ku tusi.
Interrupt	*(Intarpt) v.*	Qashqashaad; Fadqalalayn; kala gooyn.
Interval	*(Intafal) n.*	Wakhti u dhexeeya laba dhacdo qaybood.
Interview	*(Inta-fiyuu) n.*	Is arag waraysi ah.
Intestine	*(Intestin) n.*	Xiidmo; Mindhicir.
Intolerable	*(Intolarabal) Adj.*	Aan loo dul qaadan karin.
Introduction	*(Intarodhakshan) n.*	Hordhac; Araar.
Invade	*(Infeydh) v.*	Gelid dal si loo weeraro ama loo qabsado.
Invalid	*(Infalidh) adj*	Aan qiime lahayn; Aan la isticmaali karin; Ma soconayo (Shaqaynayo).
Invent	*(Infent) v.*	Ikhtiraacid; Soo saarid wax cusub.
Inverse	*(Inffees) adj.*	Kala rogan; Dhanka kale loo wareejiyey.
Invert	*(Infeet) v.*	Qalibaad; Kala rogid.
Invest	*(Infest) v.*	Maal gelin; La maalgeliyo; Lagu kharshiyeeyo.
Investigate	*(Infeystigeyt) v.*	Baadhid (Dembi iwm).
Investment	*(Infeestmant) n.*	Maalgelin.
Invisible	*(Infisabal) Adj.*	Aan la arki karin.
Invite	*(Infaavt) v.*	Casuumid; Marti qaadid.
Involve	*(Infoolf) v.*	Ku Tacalluqid; arbush ku abuurid; fadqalayn.
Inward	*(Inwaadh) Adj.*	Gudaha jira; Xagga gudaha.
Iris	*(Ayris) n.*	Qaybta Madow ee isha.
Iron	*(Aayan) n.*	Xadiid; Birta Xadiidka ah; Kaawiyad.
Irregular	*(Ireguula) Adj.*	Aan caadi ahayn; lid ku ah sharciga.
Irrespective	*(Irispektif) Adj.*	Aan tixgelin lahayn; Aan la tirsan.

124

Irresponsible	*(Irisponsabal) Adj.*	Aan Mansuul ahayn; Mas'uul maaha.
Irrigate	*(Irigeyt) v.*	Waraabin (Beeraha); Biyo Waraabin Beereed.
Island	*(Aayland) n.*	Gasiirad; Dhul biyo ku soo wareegsan yihiin.
Isolate	*(Aaysowleyt) v.*	Iska takoorid; Gooni ama keli u soocid.
It	*(It) Pron.*	Magac u yaal ah waxaa aan Gaqliga lahayn.
Itch	*(Ij) n.*	Cuncun jirka ah; Cuncunis (Jirka oo la xoqo).
Item	*(Aaytam) n.*	Shay; Walax.
Ivory	*(Aayfari) n.*	Fool Maroodi.

J

Jack	(Jaak) n.	Jeeg; Jeegga Baabuurta lagu Dalaco; Jeeg ku Dallacid.
Jackal	(Jaakol) n.	Yey; Yey (Xayawaan u eg eyga).
Jacket	(Jaakit) n.	Jaakeet; Koodh yar oo Shaadhka oo kale ah.
Jam	(Jaam) v.n.	Riqdid; Shiidid, Malmalaado ama Jaamka Rootiga la mariyo.
Janitor	(Jaanita) n.	Waardiye; Ilaaliye; Qofka ilaaliya Guryaha iwm.
January	(Jaanyuwari) n.	Bisha ugu horraysa Sannadka Miilaadiga.
Jar	(Jaa) n.	Qullad; Sanqadh saliilyo ama jidhidhico leh.
Javelin	(Jaaflin) n.	Murjin; Murjis (Ka Isboortiga lagu tuuro).
Jazz	(Jaas) n.	Qoobka Ciyaar; Jaas.
Jealous	(Jelas) adj.	Xaasid.
Jealousy	(Jelasi) n.	Xaasidnimo.
Jeep	(Jiip) n.	Baabuur yar oo Fudud oo dheereeya (Dhulka aan sinayn) oo had iyo jeer lagu haraa).
Jeer	(Jiye) v.	Si qaylo xun ah u Qososhid.
Jeopardize	(Jepadhaays) v.	Khatar gelin; Sigid.
Jerboa	(Jeebowa) n.	Tig; Xayawaan jiirka u eg oo lugo iyo (Dabe) dheer leh.
Jest	(Jest) n.	Jaajaalayn; Maad ama kaftan qosol leh.
Jew	(Juu) n.	Yuhuud; Qofka Yuhuudiga ah.
Jewel	(Juu-al) n.	Dhagax qaali ah (Sida dheemanta iwm) Qiime sare leh.
Job	(Job) n.	Shaqo.

Jockey	*(Joki) n.*	Fardafuulis.
Jog	*(Jog) v.*	Hantaaqin; Riixid ama jugjugayn.
Join	*(Jooyn) v.*	Ku biirid; ku darsamid; Xadhig (iwm) Xidhid, Guntid.
Joint	*(Jooynt) n.Adj.*	Xubin (Jirdhka ah); Laabatooyinka Jirka midkood, Guntin; meel wax is- ka galaan.
Joke	*(Jowk) n.*	Kaftan; Xanaakad.
Joker	*(Jowka) n.*	Qofka Kaftanka badan leh; Qofka maada badan.
Journal	*(Jeenal) n.*	Wargeys maalmeed; Wargeys maa- lin walba soo baxa.
Joy	*(Jooy) n.*	Farxad; Farax weyn.
Judge	*(Jaj) n.v.*	Garsoore; Garsoorid (Maxkamada- ha).
Jug	*(Jag) n.*	Joog; weel wax lagu shubto oo dheg leh.
Juice	*(Juus) n.*	Dheecaan; Dheecaanka miraha la shiday.
Juicy	*(Juusi) adj.*	Dheecaan badan; Dheecaan leh.
July	*(Juulaay) n.*	Bisha Toddobaad ee Sannadka Mii- laadiga; Luuliyo.
Jump	*(Jamp) v.n.*	Boodid; Booto.
June	*(Juun) n.*	Bisha Lixaad ee Sannadka Miilaadi- ga, Juunyo.
Jungle	*(Jangal) n.*	Kayn ama dhul seere ah.
Junior	*(Juunya) Adj. n.*	Hoose; Heerka hoose (Darajada).
Jupiter	*(Juupita) n.*	Meeraha ugu weyn ee Bahda Cad- ceedda.
Just	*(Jast) Adv. n.*	Isla: Sida *(Just now* = Isla iminka); Caadil.
Justice	*(Jastis) n.*	Caddaalad.

Justify	*(Jastifaay) v.*	Caddayn; Sabab sheegid; Sabab fiican u yeelid.
Jute	*(Juut) n.*	Maydhax laga sameeyo Xadhko waaweyn & Shiraacyo iwm.
Juvenile	*(Juufinaayl) n.adj.*	Qof dhalinyaro ah: Dhalinyar.
Juxtapose	*(Jaakistabows) v.*	Dhigid dhinac dhinac ah; Meeldhigid dhinac dhinac ah (Hareeraha).

—— K ——

Kale, Keil	*(Kayl) n.*	Nooc kaabashka ka mid ah.
Kangaroo	*(Kaangaru) n.*	Xayawaan ku nool dalka Ostaraaliya oo ku booda labada lugood oo dambe (oo ka dhaadheer kuwa hore), dheddiguna hoosta buu kiish ku leeyahay ilmaheeda ku qaadato.
Kaput	*(Kapuut) adj.*	Loo qabtay; la burburiyay, la baabi'yay, la burburiyay.
Keen	*(Kiin) Adj.*	Fiiqan, af leh uu wax ku jaro; dareen wacan leh, u soo jeedo ama jecel.
Keep	*(Kiip) v.*	Hay, xajin oo xafid.
Keeper	*(Kiipa) n.*	Ilaaliye, qofka xil gaar ah haya.
Keeping	*(Kiiping) n.*	Hayn, dhowrid; heshiis.
Kennel	*(Kenal) n.*	Cariish eyga hooy looga dhigo, hooyga eyga.
Kerchief	*(Keejif) n.*	Cimaamad; malkhabad, qambo dumar (ta madaxa).
Kettle	*(Ketal) n.*	Kildhi, Jalmad.
Key	*(Kii) n.*	Fure, Maftaax.
Khaki	*(Kaaki) n.*	Kaaki, dharka harqad adag ka sameysan, direyska askarta oo kale ah.
Kick	*(Kik) v.n.*	Lugta ku hirdiyid, laad.
Kid	*(Kidh) n.*	Waxar, ilmaha ri'da, cunug.
Kidney	*(Kidhin) n.*	Kelli.

Kidnap	*(Kidhnaap) v.*	Afduubid, qafaalid.
Kill	*(Kil) v.*	Qudh ka jarid, dil.
Killer	*(Kila) n.*	Dilaa, (qaatil), laayaan.
Kin	*(Kin) n.*	Ehel, Xigeel, qaraabo.
Kind	*(Kaaynd) n.adj.*	Nooc, jaad; naxariis.
Kindergarten	*(Kindagaatan) n.*	Dugsiga carruurta aad u yar yar lagu barbaarsho.
Kinetic	*(Kinetic) Adj.*	Socda, xil ama ka waajibay socod.
King	*(King) n.*	Boqor.
Kingdom	*(Kingdham) n.*	Boqortooyo.
Kinship	*(Kinship) n.*	Ehelnimo, xigaalnimo, qaraabanimo.
Kiss	*(Kis) v.*	Dhunkasho, la dhunkado, dhunko.
Kitchen	*(Kijin) n.*	Madbakh, jiko, qolka wax lagu kariyo.
Kitten	*(Kitan) n.*	Bisadda yar, Mukulaasha yar.
Knave	*(Neyf) n.*	Ninka aan daacadda ahayn; nin sharaf daran.
Knead	*(Niidh) v.*	Cajiimid, xashid, (Bur & biyo la isku cajimo).
Knee	*(Nii) n.*	Lawga, Jilibka lugta, law, jilib.
Kneel	*(Niil) v.*	Jilba joogsi.
Knelt	*(Nelt) v.*	Jilba joogsada, joogsatay.
Knife	*(Naayf) n.*	Mindi, mandiil.
Knit	*(Nit) v.*	Tidcid, soohid.
Knives	*(Naayfis) n.*	Mindiyo.

Knock	*(Nok) v.*	Garaac, ridid, leged.
Knot	*(Not) n.*	Guntin.
Know	*(Noa) v.*	Garasho, garatid.
Knowledge	*(Noliij) n.*	Fahmo, aqoon, cilmi.
Knuckle	*(Nakal) n.*	Lafta isku xidha xubnaha farah
Koran	*(Kuraan) n.*	Quraan.

── L ──

Lab	*(Laab) n.*	(Soo gaabin) sheybaar.
Label	*(Leybal) n.*	Qidcad yar oo warqad ama bir ama maro iwm. oo korka lagaga dhajiyo wax soo sheegaysa wuxu wax ay yihiin, hal- ka ay ku socdaan.
Laboratory	*(Labaratari) n.*	Shaybaadh, qolka ama dhismaha la- gu sameeyo tijaabooyinka sayniska (Kimistariga).
Labour	*(Leyba) n.v.*	Shaqaale, shaqaalanimo, shaqayn; aad isugu dayid.
Lack	*(Laak) v.*	La'aan, aan haysan, aan ku filnayn.
Lactic	*(Laaktik) adj.*	Ee Caanaha, caano ah (caana la xi- dhiidha).
Lad	*(Laadh) n.*	Wiil, ninka yar, kuray.
Ladder	*(Laadha) n.*	Sallaanka, sallan; sallaanka wax lagu fuulo (meelaha dheer).
Lady	*(Laydhi) n.*	Gabadh (La sharfo) naag mudan.
Lag	*(Laag) v.*	Ka dambeyn, dib uga dhac.
Lagoon	*(Laguun) n.*	Haro biyo dhanaan oo badda ba- caad ka soocay.
Lake	*(Leyk) n.*	Haro ama war biyo ku jiraan.
Lamb	*(Laamb) n.*	Neylka ama naysha, ilmo yar ee adhiga (Idaha).
Lame	*(Leym) adj.*	Laangadhe, qofka dhutinaya, dhuti- ya.
Lament	*(Lament) v.*	Calaacal; baroordiiq.
Lamp	*(Laamp) n.*	Faynuus.
Lancet	*(Laansit) n.*	Mindi ama mandiil laba aflay ah.
Land	*(Laand) n.*	Dhul.

Landlady	*(Laandleydhi) n.*	Naagta leh guriga kirada loogu jiro.
Landing	*(Laandhing) n.*	Soo degis, dhulka ku soo degis (sida marka ay dayuuraduhu fadhiisanayaan).
Language	*(Laangwij) n.*	Af dad ku hadlo, luqad.
Languid	*(Laangwidh) adj.*	Heedadaw, tamar darrayn.
Lantern	*(Laantan) n.*	Tiriigga qaruuradiisa; shigni.
Lap	*(Laap) n.v.*	Dhabta qofka; laalaabid (dharka).
Lapse	*(Laaps) n.*	Hilmaamid, hilmaan ama halmaan.
Larceny	*(Laasani) n.*	Xadis, tuugeysi.
Large	*(Laaj) adj.*	Baaxad leh, weyn.
Lariat	*(Laariyet) n.*	Xadhigga faraska lagu xidho markuu daaqayo ama la nasinayo.
Larva	*(Laafa) n.*	Dhasha cayayaanka.
Larynx	*(Laarinkis) n.*	Qulaaqulshe.
Lash	*(Laash) n.v.*	Shaabuugeyn, karbaashid, jeedalid; tigtigid, xirxirid.
Lass	*(Laas) n.*	Gabadh, inanta.
Last	*(Laast) adj. adv.n.*	Ugu dambeyn, ugu dambeeya; ku dhammeyn.
Latch	*(Laaj) n.*	Handaraab, halka irridda ama daaqaadda laga xiro.
Late	*(Leyt) adj.*	Goor dambe, wakhti dambe.
Lathe	*(Leyth) n.*	Toorne, mishiin birta lagu qoro.
Latin	*(Laatiin) n.*	Laatiini; luqaddii Roominiskii hore.
Latitude	*(Laatityuudh) n.*	Lool, xarriiqaha barbar la ah badhaha Dhulka.
Latrine	*(Latriin) n.*	Musqul, baytalmey; qolka xaarka & kaadida.

Latter	*(Laata) adj.*	Ka dib, ka dambe (laba wax ka dambe)
Laugh	*(laaf) v.*	Qosol, qoslid.
Laughable	*(Laafabal) adj.*	Lagu qoslo, ka qoslin kara.
Launder	*(Loondha) v.*	Dhar-dhaqid, maryo maydhid.
Laundress	*(Laondhris) n.*	Gabdha ku lacag qaadata dhar dhaqidda.
		iyo kaawiyaddayntooda ama feerrayntooda.
Laundry	*(Loondhari) n.*	Meesha dharka lagu dhaqo, doobi.
Lavatory	*(Laafatari) n.*	Qolka (meesha) lagu weji dhaqdo faraxasho.
Law	*(Loo) n.*	Sharci.
Lawful	*(Looful) adj.*	Sharciyaysan.
Lawless	*(Loolis) adj.*	Bilaa sharci, sharci daro.
Lawyer	*(Looya) n.*	Qareen, qofka barta sharciga.
Lax	*(Laakis) adj.*	Debacsan;
Lay	*(Ley) v.*	Jiifin.
Layer	*(Leya) n.*	Raso; Liid.
Lazaret	*(Laasaret) n.*	Isbitaalka Dadka Juudaanka qaba.
Lazaras	*(Laasaras) n.*	Dawersade; Ninka aad Saboolka ah.
Lazy	*(Leysi) adj.*	Caajis; Qofka Caajiska ah.
Lead	*(Liidh) v.n.*	Hoggaamin; Horkacid; Curiye Macdan ah.
Leader	*(Liidha) n.*	Hoggaamiye; Horkaca.
Leaf	*(Liif) n.*	Caleen.
Leaflet	*(Liiflit) n.*	Xaashida yar ee Daabacan ẹe wax sifinaysa.

League	*(Liig)n.*	Heshiis adag ama dawlado dhex mara si ay danahooda u ilaashadaan.
Leak	*(Liik) n.*	Dilaac; Liig.
Lean	*(Liin) Adj.*	Weyd; Naxiif; Markad Suxulka meel ku taageersatid; Jiqilsatid adoo se taagan.
Leap	*(Liip)v.*	Boodis; Boodid, ka dul boodid.
Learn	*(Leen) v.*	Wax la barto; la dhigto (Tacliin).
Least	*(Liist) adj. adv.*	Ugu yar.
Leave	*(Liif) v.n.*	Ka tegid; Fasax yar oo gaaban.
Leaves	*(Liifis) n.*	*"Leaf"* = Caleemo (Wadar).
Lecture	*(Lekja) n.*	Cashar; Khudbad.
Led	*(Ledh) v.*	Waa Hoggaamiyey; Horkacay (Wakhti tegey).
Lee	*(Lii)n.*	Dadab dabaysha laga dugsado, Dugsi.
Left	*(Left) v.adj.n.*	Bidix; Wuu tegey; tegay "Leave" (Wakhti tegey).
Leg	*(Leg) n.*	Lug.
Legal	*(Liigal) adj.*	Wax sharci ah; Wax la oggolyahay (Sharciga).
Leggy	*(Legi) adj.*	Luga dhaadheer (Siiba Carruurta yaryar; fardaha yaryar).
Legible	*(Lejabal) adj.*	Wax si fudud loo akhriyi karo.
Legislate	*(Lejisleyt) v.*	Sharci dejin; Qaynuun Samayn.
Legitimate	*(Lijitimit) adj.*	Si qaynuun ah; Caadi ah; Suuragal ah.
Leisure	*(Lesha) n.*	Wakhtiga qofku firaaqada yahay; Wakhtiga aanad shaqada haynin.
Lemon	*(Lemon) n.*	Dhirta liinta.
Lend	*(Lendh) v.*	Amaahin.

Length	*(Lengath) v.*	Qiyaasta dacal ilaa dacal kale .
Lens	*(Lenis) n.*	Bikaaco.
Leopard	*(lepadh) n.*	Haramcad (Bahal).
Leper	*(Lepa) n.*	Qofka qaba cudurka Juudaanka (Cudur halis ah).
Leprosy	*(Leprasi) n.*	Juudaan (Cudur).
Less	*(Les) Adj.n. Adv.*	Yar; (Tiro ahaan).
Lesson	*(Lesan) n.*	Cashar (Dersi).
Let	*(Let) n.v.*	U oggow; u yeel: *(Let us go =* Ina keen aan tagnee) *(Let me call him =* I sii daa aan isaga u yeedhee).
Letter	*(Leta) n.*	Xaraf; Warqadda laysu diro.
Level	*(Lefal) n.*	Heer.
Lever	*(Liifa) n.*	Kabal.
Liable	*(Laayabal) Adj.*	Dhici kara.
Liable	*(Laaya) n.*	Xoreyn; Xorayn.
Liar	*(Laaya)n.*	Beenlow; Beenaale.
Liberate	*(Libareyt) v.*	Xoreyn; Xorayn.
Library	*(Laaybrari) n.*	Maktabad; Meesha Kutubta iwm. lagu Akhriyo.
Licence	*(Laaysan) n.*	Liisaan; Warqad sharci ah oo kuu fa-
Lick	*(Lik) v.*	Leefid; Carrabka ku masaxid.
Lid	*(Lidh) n.*	Dabool.
Lido	*(Liidhow) n.*	Xeebta halka lagu mayrto ama dabbaasho.
Lie	*(Laay) v.n.*	Jiifsad; La jiifsado; Been (Run maaha).

Lieutenant	(Leftenant) n.	Laba xiddigle (Ciidan).
Life	(Laayf) n.	Nolol.
Lift	(Lift) v.	Kor u qaadid; Hinjin; Kor loo qaado; la hinjiyo.
Ligament	(Ligamaant) n.	Seed; Seedaha lafaha iyo Xubnaha jirka isu haya.
Light	(Laayt) Adj.	Ilays; Iftiin; Fudud aan cuslayn.
Lighten	(Laaytan) v.	La shido; la ifiyey; la fududeeyay.
Lighter	(Laayta) n.	Qarxiso; Aaladda ololka Bixisa ee Sigaarka lagu shito.
Lightning	(Laaytning) n.	Hillaac.
Like	(Laayk) n.v.adj. adv.	oo kale, u eg.
Likewise	(Laaykwaays) adj.	Sidoo kale.
Likeness	(Laayknis) n.	Isku ekaan.
Limb	(Limb) n.	Addin (Lug; Gacan; Baal, Midkood).
Lime	(Laaym) n.	Nuurad (Walaxda Cad).
Limit	(Limit) n.	Xad; (Heer ku xadaysan).
Limitation	(Limiteyshan) n.	Xaddayn; Qarradhidh.
Limp	(Limp) v.adj.	Dhutin; Dhutis; Socodka Laangadhaha oo kale.
Line	(Laayn) n.	Xarriiq; Xarriijin; La xarriiqo.
Linear	(Liniya) Adj.	La xarriiqay; ee Xarriiqda.
Lineman	(Laaynmaan) n.	Ninka dejiya ee Hagaajiya laymanka tilifoonka & Taararka.
Linguistic	(Lingwistic) Adj.	Qofka yaqaan ama barta afafka Qalaad.
Link	(Link) n.	Isku xidhid.
Lion	(Laayan) n.	Libaax.
Lip	(Lip) n.	Debin; Bushin.

Liquify	*(Likwifaay) v.*	Dareer laga dhigo; Dareera ka dhigid.
Liquid	*(Likwidh) n.*	Dareere.
Liquor	*(Lika) n.*	Nooc khamri ah.
Lira	*(Liyara) n.*	Lacagta Talyaaniga laga isticmaalo.
List	*(List) n.*	Liis; Liisgarayn; Liis ku qorid.
Listen	*(Lisan) v.*	Dhegaysi; Dhegeysad; la dhegeysto.
Liter	*(Litta) n.*	Litir (Qiyaas) Halbeegga Mugga.
Literacy	*(Litarasi) n.*	Wax la qori karo lana akhriyi karo.
Literature	*(Litarija) n.*	Suugaan.
Litigate	*(Litigeyt) v.*	Sharci u tegid; u dacwoodid Maxkamadda sharciga.
Litre	*(Liita)n.*	Litir (Qiyaasta Mugga ama halbeeggiisa).
Livable	*(Lifabal) Adj.*	Lagu noolaan karo.
Live	*(Lif) Adj. v.*	Nool, Naf leh; (Nafleyda iyo Dhirta).
Livelihood	*(Laayflihuudh) n.*	Habka Nolosha; Macnaha nolosha.
Liven	*(Laayfan) v.*	La nooleeyo, Naf la geliyo.
Liver	*(Lifa) n.*	Beerka (Nafleydu leedahay).
Liverstock	*(Laayf-istock) n.*	Xoolaha la dhaqdo (Geela; Adhiga; Lo'da iwm).
Living	*(Lifing) n.adj.*	Nool, ku nool.
Lizard	*(Lisadh) n.*	Nooc Xammaaratada ka mid ah oo maso-lugaleyda u eg.
Load	*(Lowdh) n.*	Culays; Lawdh.
Loaf	*(Lowf) n.*	Rootiga waaweyn, saanjad; Wakhti lumay.
Loan	*(Lown) n.*	Dayn; Lacagta Cid la amaahiyo.
Loathe	*(Lowd) n.*	Necbaysatid; Aad u nacdid; Karhid.

Lobster	*(Lobista) n.*	Aargoosto (Xaywaan badda ku nool).
Local	*(Lowkal) Adj.*	Wax u gaar ah; Ku kooban meel ama degmo.
Locate	*(Lowkeyt) v.*	Tusid; Shaac ka qaadid (Meel); Dejin; Meeldejin; Meel-dejin; Yagleelid.
Lock	*(Lok) n.v.*	Quful; Xidh; Quflid;
Locket	*(Lokit) n.*	Carrabka Silsisda Luqunta lagu xidho.
Locomation	*(Lowkamowshan) n.*	Socoto; Awoodda lagu socdo.
Locust	*(Lowkast) n.*	Ayax.
Lodging	*(Lojing) n.*	Qolka ama qolalaka Caadig ah e loo kiraysto in lagu noolaado.
Log	*(Log) n.*	Qoriga Xaabada ah ee la shito; Qalab lagu qiyaaso Xawaaraha Markabka ee biyaha: Soo gaabinta "Logarithm".
Logarithm	*(Logaritham) n.*	Nooc Xisaaba.
Logic	*(Lojik) n.*	Cilmiga iyo Habka wax sabab loogu yeelo: Waa caqligal.
Logical	*(Lojikal) Adj.*	Caqliga gali kara; Suura gal ah; Sabab si sax ah loogu yeeli karo.
Loin	*(looyin) n.*	Qaybta Hoose ee dhabarka inta u dhexeysa feedhaha iyo Miskaha.
Loll	*(Lol) v.*	Kor isku taagid si caajisnimo ah; Si caajisnimo ah u fadhiisatid ama u nasatid; Carrab laalaadin sida eyga.
Lone	*(Lown) Adj.*	Keliya; oo qudha; Keli ahaan.
Lonely	*(Loownli) Adj.*	Keli ahaan, Cidloonaya; Cidla; Kali.
Long	*(Long) Adj.*	Dheer.
Longer	*(Loonga) Adj.*	Ka dheer.
Longevity	*(Lonjefiti) n.*	Cimri dheer, Nolol dheer.
Longitude	*(Lonjituudh) n.*	Dhig (Xarriiqaha Dhulalka ee u Jeexan). Koonfur-Waqooyi.

Look	*(Luk) v.*	Eeg; Fiiri.
Loom	*(Luum) v.*	Mashiin Dharka lagu sameeyo ama lagu tidco.
Loop	*(Luup) n.*	Qoolaad, Suryo.
Loose	*(luus) v.*	Debecsan; Aan giigsanayn ama Tigtignayn aan adkayn; aan aad u xidhnayn.
Loot	*(Luut) n.*	Hoob; Dhac.
Loquacious	*(Lowk-weyshas) Adj.*	Hadal badan; Qof hadal badan.
Lord	*(Loodh)*	Taliyc haybad sare leh
Lore	*(Loo) n.*	Barashada Cilmiga laga hayo Wakhtigii tegay ama dabaqadii lahayd.
Lorry	*(Lori) n.*	Gaadhi; Baabuur weyn.
Lose	*(Luus) v.*	Lumisid; Lumid; Khasaarid.
Lose	*(Los) n.*	Khasaare.
Lost	*(Lost) v.*	Lumay; Khasaaray.
Lot	*(Lot) n.*	Badan.
Loud	*(Lawdh) Adi.*	Cod dheer; Dhawaaq dheer.
Loudspeaker	*(Lawdh-ispiika) n.*	Sameecad.
Lounge	*(Lawnj) n.*	Qolka Fadhiga.
Louse "Lice"	*(Laws) n.*	Injir.
Lousy	*(Lawsi) Adj.*	Injir leh.
Lovable	*(Lafabal) Adj.*	La jeclaan karo; Wax la jeclaan karo.
Love	*(Laf) n. v.*	Jacayl; Jecel.
Lover	*(Lofa) n.*	Qofka wax jecel; Ninka iyo Naagta is jecel.
Low	*(Low)Adj.*	Hoosaysa; Hoose; Aan meel dheer gaari karin; Cida lo'da.

Lower	*(Lowa) v.*	Hoos u dhigid; ka hoose.
Loyal	*(Looyal) Adj.*	Daacad ah.
Lubricate	*(Luubrikeyt) v.*	Xaydheynta iyo Saliidaynta qaybaha Mishiinka si uu hawlyari ugu shaqeeyo.
Lucid	*(Liyuusidh) Adj.*	Qeex; si hawl yar loo fahmi karo; Madaxa ka fayoow.
Lucky	*(Laki) Adj.*	Nasiib badan leh.
Lucrative	*(Luukreytif) Adj.*	Faa'iido leh; Lacag keenid.
Ludo	*(Laudhow) n.*	Laadhuu; Ciyaar sida shaxda Miiska lagu dul ciyaaro.
Luggage	*(Lagij) n.*	Alaabta (shandadaha; Seexaaradaha; Sanduuqyada iwm).
Lumbar	*(Lamaba) Adj.*	Dhabarka intiisa hoose; Xanjaadhka.
Lunacy	*(Lyuunasi) n.*	Waalli an miyirqab lahayn.
Lunar	*(Lyuuna) Adj.*	Dayaxa; ee dayaxa.
Lunatic	*(Lyuunatik) n.*	Nin waalan.
Lunatic-Assylum	*(Lyuunatik-asaylam) n.*	Isbitaalk Dadka Waalan.
Lunch	*(Lanj) n.*	Hadhimo; Qado; Qadada ama cuntada duhurkii la Cuno.
Lung	*(Lang) n.*	Sambab.
Lurk	*(Leek) v.*	Ugu gabbasho; ugu dhuumasho.
Lusty	*(Lasti) Adj.*	Xooggan oo Caafimaad qaba.
Luxurious	*(Lagsariyas) Adj.*	Raaxo leh; lagu raaxaysan karo.
Luxury	*(Lukshari) n.*	Raaxo, Nolol fudud oo raaxo leh.

—— M ——

Macadam	*(Makaadam) n.*	Waddo laami ah (Nooc loo dhiso).
Macaroni	*(Maakarowni) n.*	Baasto (Raashin).
Machine	*(Mashiin) n.*	Mashiin, Matoor.
Machinery	*(Mashiinari) n.*	Qaybaha socda ee Mashiinka; Mashiinnada.

Machinist	*(Maashiiniist) n.*	Qofka Makaanigga ah; Qofka Mashiinka ku shaqeeya.
Mackintosh	*(Maakintosh) n.*	Koodh roobka laga xidho.
Mad	*(Maadh) Adj.*	Waalan; Maskaxda ka jirran; Caqliga wax uga dhiman yihiin.
Madness	*(Maadhnis) n.*	Waalli.
Madam	*(Maadam) n.*	Marwo (Dumarka eray lagu sharfo).
Made	*(Meydh) v.*	La sameeyey; Samaysan.
Madrigal	*(Maadhrigal) n.*	Gabay gaaban oo jaceyl ah.
Magazine	*(Maagasiin) n.*	Wargeys gaar ahaan Xilli ku soo baxa (Toddobaadle; Bishii mar ama dhawrkkii Biloodba); Makhaasiinnada waaweyn ee Hubka lagu kaydiyo.
Magic	*(Maajik) n.*	Sixir; Indhasarcaad.
Magistrate	*(Maajistirit) n.*	Garsoore Shicib ah oo Maxkamadda hoose ka garsoora ama gar naqa.
Magnet	*(Maagnit) n.*	Bir-Lab.
Magnetism	*(Magnitiisma) n.*	Cilmiga Birlabta; Habka iyo qaabka Birlabeed.
Magnetize	*(Maagnitaays) v.*	Birlabayn, Birlab ka yeelid.
Magnify	*(Magnifaay) v.*	Weyneeyn.
Magnitude	*(Maanituudh) n.*	Laxaad.
Maid	*(Meydh) n.*	gabadh Gashaanti ah; Gabadh, aan la guursan.
Mail	*(Meyl) n.*	Habka dawladdu Boosta u socodsiiso.
Maim	*(Meym) v.*	Naafayn.
Main	*(Meyn) Adj.*	Muhiim ah, Ugu muhiimsan.
Maintain	*(Meynteyn) v.*	Sii wadid; Sii socodsiin; Amaba qaadid.
Maintenance	*(Meyntinanis) n.*	Amba qaadis; Sii taageerid.

Maize	(Meys) n.	Galley; Arabikhi.
Major	(Meyja) n. adj.	Gaashaanle (Darajo Ciidameed); Qaybta Muhiimka.
Majority	(Majoriti) n.	Inta badan; Xagga loo badan yahay; Aqlabiyad.
Make	(Meyk) v.	Samayn; Suubin; la sameeyo.
Malady	(Maaladhi) n.	Cudur; Jirro; Bukaan.
Malaria	(Maleeriya) n.	Duumo; Cudurka Kaneecadu keento.
Male	(Meyl) Adj.	Lab; Labood ah.
Malediction	(Maalidhikshan) n.	Habaar.
Malefactor	(Maalifaakta) n.	Dambiile.
Mallet	(Maalit) n.	Dubbe madaxiisu qori yahay.
Malnutrition	(Maalniyuutirishan) n.	Nafaqo la'aan, Nafaqo darro.
Malodorous	(Maalowdharas) adj.	Ur qadhmuun; Ur karaahiyo ah.
Mama	(Mamaa) n.	Eray Carruurtu ugu yeerto Hooyadooda, Hooyo.
Mammal	(Maamal) n.	Naaslay; Xayawaanka inta naaslayda ah.
Man	(Maan) n.	Nin.
Manage	(Maanij) v.	Maaraynid; Dubarid.
Manager	(Maanjija) n.	Maareeye.
Management	(Maanijmant) n.	Maarayn.
Mane	(Meyn) n.	Sayn; Timaha saynta ah ee ka baxa Luqunta fardaha; Libaaxa iwm.
Mango	(Maangow) n.	Cambe; Maange.
Manhood	(Maanhudh) n.	Ninimo; Ninnimo.
Manifest	(Maanifest) v.	Qeexan oo shaki aan ku jirin.
Mankind	(Maankaaynd) n.	Bani-aadam.
Manly	(Maanli) Adj.	Raganimo.

Manner	(Maana) n.	Jidka ama sida ay wax u qabsoomaan ama u dhacaan; Sida uu qofku ula dhaqmo dadka kale; Caadooyin.
Manoeuvre	(Maanyuufa) n.	Dhaqdhaqaaqa ama guubaabada Ciidammada.
Mantis	(Maantis) n.	Cayayaan la yidhaa macooyo.
Manual	(Maanyuwal) Adj.	Gacmha lagu sameeyo; Wax gacanta lagu qabto.
Manufacture	(Maanyufakja) v.	Wax soo saar; Samayn qalabaysan.
Manure	(Manvuu) n.	Digo; Saalada Xoolaha.
Many	(Mani) adj. n.	badan.
Map	(Maap) n.	Maab; Khariidad.
Marble	(Maabal) n.	Marmar.
March	(Maaj) n.	Bisha saddexaad ee sannadka (Maajo).
Mare	(Mee) n.	Geenyo ama dameer (Dheddig).
Marine	(Maariin) Adj.	Ee badda (Badda la Xidhiidha ama ah).
Mark	(Maak) n.	Calaamad; Calaamadin; Summadin; Lacagta Jarmal.
Market	(Maakit) n.	Saylad; Suuq ama sariibad.
Marriage	(Maarij) n.	Guur.
Married	Maaridh) Adj.	La guursaday; Is guursaday.
Marrow	(Maarow) n.	Dhuuxid; Dhuuxa lafta ku dhex jira.
Marry	(Maari) v.	Guursi; la guursado.
Marshal	(Mashal) n.	Marshaal (Darajo Ciidameed ta ugu sarreysa).
Marvel	(Maafal) n.	Wax yaab leh; Wax lala yaabo (Farxad ahaan).
Marvellous	(Maafilas) Adj.	La yaab leh (Xagga fiican).
Masculine	(Maaskyulin) Adj.	Labood; Lab ah.
Mason	(Meysan) n.	Wastaad; Fuundi; Qofka dhismaha dhagaxa dhisa.

Mass	*(Maas) n.*	Cut.
Mast	*(Maast) n.*	Dakhal; Baalo.
Master	*(Maasta) n.*	Ninka loo shaqeeyo; Qofka (Lab) Ma daxa ah.
Mat	*(Maat) n.*	Darin; Darmo; salli.
Match	*(Maaj) n. v.*	Tarraq; Kabriid; Ciyaar; Tartansiin.
Mate	*(Meyt) n.*	saaxiib ama Jaalle wax gooni ah ama shaqo gaar ah lagu saaxiibo.
Material	*(Matiyarial) n.*	Walax; Shay.
Mathematics	*(Maathimaatikis) n.*	Cilmiga Xisaabta.
Maths	*(Maathis) n.*	Xisaab.
Matron	*(Maytran) n.*	Naagta u Madaxda ah Kalkaaliyayaa sha Caafimaad.
Matter	*(Maata) n.*	Maatar.
Mattock	*(Matak) n.*	Mandaraq (Qalab wax lagu qodo).
Mature	*(Majyuwa) Adj.*	Baaliq; Qaan-gaadh.
Maximum	*(Maaksimam) n.*	Heerka ugu sarreeya; Ugu weyn ama sarreeya.
May	*(Mey) v.n.*	Laga yaabaa; (Male): Wax dhici kara laga isticmaalaa.
May	*(Mey) n.*	Bisha Shanaad ee Sannadka Miilaadi ga, Maajo.
Major	*(Meeja) n.*	Guddoomiyaha Dawladda Hoose; Ma daxa Munashiibiyada ee ay Magaalo leedahay.
Me	*(Mii) Pron.*	Aniga (Object form).
Meadow	*(Medhow) n.*	Dhul seere ah; Seere: Dhul daaq loo see ray.
Meal	*(Miil) n.*	Cunto; Wakhti cunto.
Mean	*(Miin) Adj. v.*	Macne; Micnaha eray ama weeri leeda hay; Bakhayl; Quduuc: Liita; Xun; iwm; Dhex ah.

Meanwhile	*(Meenwaayl) Adj.*	Ilaa inta la gaadhayo.
Measure	*(Meesha) n. v.*	Qiyaas; Cabbir; Qiyaasid; Cabbirid; La cabbiro.
Meat	*(Miit) n.*	Hilib; Cadka la cuno ee Xoolaha.
Mechanic	*(Mekaanik) n.*	Makaanik; Qofka Xirfadda u leh ku shaqaynta Mishiinnada ama Mishiinnada wax ka yaqaan.
Medal	*(Medhal) n.*	Billad.
Mediate	*(Miidhiyeyt) n.*	Dhexdhexaadin.
Medical	*(Medhikal) Adj.*	Ee Daawada; Dawo leh.
Medicine	*(Medhisin) n.*	Daawo; Dawo wax daweysa.
Medium	*(Miidhyam) n.*	heer dhexe; meel dhexaad.
Meet	*(Miit)*	Kulmid; Lakulan.
Meeting	*(Miiting) n.*	Kulan.
Melt	*(Melt) v.*	Dhalaalay (Dhalaalid).
Member	*(Memba) n.*	Xubin ka tirsan Koox ama guddi iwm.
Membrane	*(Membareyn) n.*	Xuub.
Memorable	*(Memarabal) Adj.*	La Xasuusan karo.
Memorial	*(Memooriyal) n.*	Xasuus Mudan; Xasuus-gal.
Memory	*(Memori) n.*	Xasuus.
men	*(Men) n.*	Rag; Niman (Wadarta "Man").
Mend	*(Mend) v.*	Kabid.
Menses	*(Mensiis) n.*	Ciso; Caado; Dhiigga Naagaha ka yimaada.
Menstruation	*(Mensyuwareyshan) n.*	Dhiigaynta ama Cisada (Dumarka).
Mental	*(Mental) Adj.*	Ee qalbiga; Maskaxda ama caqliga ah (ku saabsan).
Mention	*(Menshan) v.*	Magac sheegid; Sheegid; Magmagcaabid).

Merchandise	*(Merjandhaays) n.*	Alaabta laga ganacsado.
Merchant	*(Meejant) n.*	Ganacsade; Qofka Ganacsada alaabta (Baayac-Mushtar).
Merciful	*(Meesiful) Adj.*	Naxariis ama raxmad leh; naxariis badan.
Merciless	*(Meesilis) Adj.*	naxariis yar; naxariis ama raxmad daran.
Mercury	*(Meerkyuri) n.*	Curiye: Macdan bir ah oo misna (Had iyo jeer) dareera ah; Kulbeegga baa ku shaqeeya iwm.
Mercy	*(Meesi) n.*	Raxmad; naxariis.
Mere	*(Miya) Adj.*	Jidhaan; Dhijaan (Biyo ku jiraan).
Merry	*(Meri) Adj.*	Faraxsan; Riyaaqsan.
Mess	*(Mes) n.*	Miiska ama cunto lu shuraakowga ragga soolanaha ahi samaystaan ee meel wax loogu wada kariyo (Cuntada).
Message	*(Masij) n.*	Farriin.
Massenger	*(Misinja) adv.*	Biyantooni; Adeega; Qofka Farriimaha qaada.
Metal	*(Metal) n.*	Bir.
Meter	*(Miita) n.*	Qalab wax lagu qiyaaso; Qalabka Qiyaasta sheega.
Method	*(Methadh) n.*	Hab ama si (Jid) - wax loo qabto ama loo sameeyo.
Metre	*(Miita) n.*	Mitir (Qiyaas Masaafo ama dherer).
Mew	*(Miyuu) n.*	Ci'da Bisadda; Ci'da (Codka) ay Bisadu ku ci'do.
Micro	*(Maaykarow) Prep.*	(Yar-(Horgale).
Microphone	*(Maaykarafown) n.*	Mikirifoon; Qalab hadalka loo adeegsado.
Microscope	*(Maaykaraskowp) n.*	Qalab ama aalad lagu eego Waxyaabaha aad u yar yar ee aanay ishu arki karin.

Mid	*(Midh) Adj.*	Ugu dhexeeya; Dhexda.
Midday	*(Midhey) n.*	Duhurka; Duhurka Maalintii; Maalinbadh.
Middle	*(Midhal) n.*	Dhexe; Badhtan.
Midland	*(Midhlaand) n.*	Dalka Badhtankiisa; Badhtamaha dal.
Midnight	*(Midhnaayt) n.*	Saqbadh; Habeenbadh.
Midsummer	*(Midhsumar) n.*	Muddada ah ilaa iyo 21 Juunyo gu' badh.
Midwife	*(Midhwaayf) n.*	Naagta umilisada ah; Umuliso.
Might	*Maayt) v. n.*	Waxaa laga yaabi lahaa: ("May"); Awood weyn.
Mighty	*(Maayti) Adj.*	Quwad weyn leh; Awood badan.
Migrate	*(Maaygreyt) v.*	Qaxid; Qixitaan; La qaxo ama meel kale la tago.
Mile	*(Maayl) n.*	Mayl; Qiyaas lagu cabbiro Masaafada iyo Fogaanta.
Militant	*(Militant) Adj.*	Dagaal u heegan ah; Dagaal u diyaar ah.
Military	*(Militari) Adj.*	Militari; Ciidanka Gaashaandhigga.
Milk	*(Milk) n.v.*	Caano; Lisid; Caano-maalid.
Milky	*(Milki) Adj.*	Caano leh; caano u eg; Caano ah.
Mill	*(Mil) n.*	Wershadda galleyda iwm. Shiidda oo bur ka dhigta. Shiidid; Ridqid.
Millepede	*(Milipiidh) n.*	Hangaraarac.
Milliard	*(Milyaadh) n.*	Kun malyan = (1.000.000.000).
Million	*(Milyan) n.*	Kun kun; Malyan = (1.000.000).
Mind	*(Maaynd) n. v.*	Caqli; Xasuuso; Maskax; Qalbiga ku hay.
Mindful	*(Maaydnful) Adj.*	U feejig ah; Feejigan; u qalbi furan.
Mine	*(Maayn) Poss. Pron.n.v.*	Waxayga; Kayga (Lahaanshaha qofka kowaad). Godka Macdanta; Macdan qodid; Miine aasid / Qarxin.

Miner	*(Maayna) n.*	Ninka Macdanta Dhulka ka soo qoda; Qofka Miinada Dhulka ku aasa = Miiniiste.
Mineral	*(Minaral) n.*	Macdan.
Mingle	*(Mingal) v.*	Isku darid.
Minimize	*(Minimaays) v.*	Yarayn; soo koobid ilaa inta ugu yar.
Minimum	*(Minimam) n.*	Ugu heer yar; Inta suuragalka ah ee ugu yar.
Mining	*(Maayning) n.*	Shaqada Macdan qodista ah; Macdanqodis.
Minister	*(Minista) n.v.*	Wasiir; Gacan siin; u Gargaarid.
Ministerial	*(Ministiyariyal) Adj.*	Wasiireed; Xil-Wasiireed ama Wasiirnimo; Jago Wasiirnimo.
Ministry	*(Ministari) n.*	Wasaarad.
Minor	*(Maayna) Adj.*	Ka yar; Ahmiyad yar; Midka yar (Laba wax).
Minority	*(Maaynoriti) n.*	Inta yar (Laba Tiro) ka yar.
Minus	*(Maaynas) n.*	Calaamadda kala Jarka - (Xisaabta); ka jar.
Minute	*(Minit) n. adj.*	Daqiiqad; Miridh; (Wakhti ama Muddo) 1/60 Saac. Aad u yar.
Mirror	*(Mira) n.*	Muraayad (ta la isku Arko ama la isku eego).
Misapply	*(Mis-Apalaay) v.*	U isticmaalid si khalad ah.
Misbegotten	*(Misbigotan) Adj.*	Garac; Farakh; Wicil; Aan sharcigu bannayn.
Misbehave	*(Misbihayf) v.*	Si xun ula Macaamilid.
Miscall	*(Miskool) v.*	Ugu yeeridhid magac khalad ah.
Miscegenation	*(Misiineyshan) n.*	Iska dhal (Dadka); Muwallad.
Misdeed	*(Misdhiidh) n.*	Ficil-xun; Samayn Dambi.
Miser	*(Maaysa) n.*	Bakhayl; Qofka gacanta adag een waxba bixin.

Miserable	*(Misarabal) Adj.*	Murugaysan; Murugad leh; Murugo Keenaya.
Misery	*(Misari) n.*	Murugo; Qofka had iyo jeer Niyada xun.
Misfit	*(Misfit) n.*	Aan le'ekayn (Dharka iwm ee la gashado) Qofka aan Jagadiisa u qalmin.
Misfortune	*(Misfoojan) n.*	Nasiib darro; Nasiib xumo.
Misgovern	*(Misgafan) v.*	Si xun u Xukumid (Dawladda).
Mislead	*(Misliidh) v.*	Hoggaan Xumayn; Si xun ama Wax xun u horseedid.
Misplace	*(Mispileys) v.*	Meel khalad ah la dhigo.
Miss	*(Mis) v.*	Seegid; la seegid; la waayid; Hordhac inanta aan la guursan magaceeda loo raaciyo (Miss-Faadumo).
Missile	*(Misaayl) n.*	Gantaal (HUB).
Mission	*(Mishan) n.*	Ergo; Tiro dad ah oo shaqo gaar ah loo aaminay meel lagu diro (Dal kale); Barayaasha Diinta Fidiya; meesha diinta lagu fidiyo.
Missionary	*(Mishanari) n.*	Qofka loo diro si uu diinta dad u soo baro.
Mist	*(Mist) n.*	Ceeryaan.
Mistake	*(Misteyk) n.*	Khalkad; Sax maaha.
Mistress	*(Mistaris) n.*	Haweeneyda ama naagta Guriga Madaxa ka ah ama meel kale: Macallimad.
Misunderstanding	*(Misanda'Istaandhig) n.*	Si khalad ah u fahmid.
Misuse	*(Misyuus) v.*	Si xun u Isticmaalid.
Mix	*(Miks) n.*	Isku dar; Isku dhex jir.
Moan	*(Mown) n.*	Taah; Tiiraabid (Xanuun Awgeed).
Mobile	*(Mowbaayl) Adj.*	Si Fudud ama hawl yar u dhaqaaqi kara; la dhaqaajin karo.
Model	*(Modhal) n.*	Modeel ama Moodo (Nooc).

Moderate	(Modharit) v.	Iska ladan; La xadiday; Meel dhexaad ah.
Modern	(Modhan) Adj.	casri ah; Wakhtiga cusub la socda.
Modernize	(Modhanaays) v.	Casriyayn.
Modify	(Modhifaay) v.	Wax ka beddelid; Sii hagaajin (Qalabeed).
Moist	(Mooyst) Adj.	Dharab leh; yara qoyan.
Moisture	(Mooysja) n.	Dharab; Qoyaan.
Molar	(Mowla) n. adj.	Gaws; Ilkaha dambe ee Cuntada riqda Midkood.
Molecule	(Molikyuul) n.	Molekuyuul (Saysis).
Molten	(Mowltan) Adj.	Dhalaalay (Biraha).
Moment	(Mowment) n.	Wakhti yar.
Monday	(Mondhy) Mandhey) n.	Maalinta Isniin.
Monetary	(Manitari) Adj.	Ee Lacageed; (Ku saabsan) Lacagta.
Money	(Mani) n.	Lacag.
Monitor	(Monita) n.	Horjooge; (Horjoogaha Fasalka).
Monkey	(Monki) n.	Daayeer (Xayawaan).
Monopolize	(Monapalaays) v.	Koontayn; la Koonteeya.
Monopoly	(Manapoli) n.	Koonto.
Monson	(Monsuun) n.	Foore.
Monster	(Manista) n.	Cirfiid
Month	(Manth) n.	Bil.
Mood	(Muudh) n.	Sida uu kolba qofka niyaddiisu tahay = Inuu Murugaysan yahay, inuu farxsan yahay, inuu qiiraysan yahay iwm.
Moody	(Muudhi) Adj.	Murugaysan; Qiiraysan; Niyad beddelan.
Moon	(Muun) n.	Dayax.

Moral	*(Moral) Adj.*	Saxa iyo Khaladka ahmiyadooda.
More	*(Moo/Mo'a) Adj. Adv.*	badan; ka badan.
Morning	*(Mooning) n.*	Aroor; Subax; gelinka hore (ee maalintii).
Morrow	*(Marow) n.*	Berri; Maanta maalinta ku Xigta.
Mortal	*(Mootal) Adj.*	Dhimanaya; Aan noolaanayn.
Morter	*(Moota) n.*	Qaldad; Nuurad, Ciid iyo Biyo laysku walaaqo, oo lagu dhiso Labanka dhismaha iyo Talbiista.
Mosque	*(Mosk) n.*	Misaajid.
Mosquito	*(Maskiitow) n.*	Kaneeco (Cayayaanka Keena Cudurka Duumada).
Most	*(Mowst) Adj.*	Ugu badan; ugu tiro badan.
Mother	*(Madar) n.*	Hooyo.
Motion	*(Mowshan) n.*	Socod; Dhaqaaq.
Motive	*(Mowtif) Adj.*	Wax socodsiinaya; Wax dhaqaajinaya; Keenaya dhaqaaq.
Motor	*(Mowta) n.*	Mishiin Bixiya Quwad dhaqaaq; Matoor.
Motto	*(Motow) n.*	Halhays = Odhaah.
Mount	*(Mawnt) v. n.*	Kor u korid; La fanto (Kor) Sida (Buurta, Sallaanka iwm).
Mountain	*(Mawtin) n.*	Buur (Buur-weyn).
Mourn	*(Moon) v.*	Baroorasho, u Baroordiiqid.
Mouse	*(Maws) n.*	Wallo.
Moustache	*(Mastaash) n.*	Shaarubo; Timaha Ragga Afka Dushiisa ku yaal.
Mouth	*(Mawth) n.*	Af.
Movable	*(Muufabal) Adj.*	La dhaqaajin karo; la qaadi karo.
Move	*(Muuf) v.*	Dhaqaajid; socodsiin.

Movement	*(Muufmant) n.*	Dhaqaaq; Socod.
Movies	*(Muufis) n.*	Sinime; Shinemo; Filim.
Much	*(Maj) Adj. n. Adv.*	Badan; Xaddi badan.
Mud	*(Madh) n.*	Dhoobo; Dhiiqo.
Muezzin	*(Muuwasin) n.*	Mu'adin; Ninka Misaajidka ka addima; Eedaama.
Mug	*(Mag) n.*	Bekeeri dheg leh; U dadaalid imtixaan.
Mule	*(Miyuul) n.*	Baqal (Ka ay faraska iyo Dameerku is-ka dhalaan.
Mullah	*(Mula) n.*	Wadaad.
Multi-	*(Malti) Prop.*	Hordhig = Wax badan ka leh.
Multiple	*(Maltipal) Adj.*	Ka leh qaybo badan; Ka haysta qaybo badan.
Multiplication	*(Maltiplikeyshan) n.*	Isku dhufasho (Xisaabta).
Multiply	*(Maltipalaay) v.*	Ku dhufo; Tiro ku dhufo; Isku dhufad.
Multitude	*(Maltityuudh) n.*	Tiro aad u weyn; Weynida Tirada.
Municipal	*(Miyunisbal) Adj.*	Magaalo ama suuq leh Dawladda Hoose.
Munition	*(Miyuunishan) n.*	Hubka Milatariga; Qoryaha; Madfac-yada; Qumbuladaha iwm).
Murder	*(Meedha) n. v.*	Gudh goyn; Qof dilis (Si sharci darro ah).
Murderer	*(Meedhara) n.*	Qofka cid dila; Gacan-ku-dhiigle.
Murmer	*(Meema) n. v.*	Gungunuus, Hoosta ka gunuusid; Ha-dal hoos u dhigid.
Muscle	*(Masal) n.*	Muruq.
Muscular	*(Maskyula) Adj.*	Muruq leh, ee Muruqyada; Muruqyo badan leh.
Museum	*(Miyuusyam) n.*	Dhismaha ama guriga Hiddaha iyo Dhaqanka la dhigo.

Mushroom	*(Mashrum) n.*	Boqoshaar.
Music	*(Miyuusik) n.*	Muusik.
Musician	*(Miyuusishan) n.*	Qofka Muusikada yaqaan ee tuma ama qoraba.
Must	*(Mast) v.*	Waa in; waxa lagu isticmaalaa Wakhtiga soo socda.
Mutation	*(Miyuuteyshan) n.*	Beddel; Talantaali.
Mute	*(Miyuut) Adj.*	Aamusan; Aan sanqadhayn; Qofka qalbiga la' een hadli karin.
Mutter	*(Mata) v.*	Hadalka hoos u dhigid si aan loo maqlin.
Mutton	*(Matan) n.*	Hilibka idaha; Hilibka adhiga.
Mutual	*(Muyuujyuwal) Adj.*	(Jacayl; Jaallenimo; Xishmad iwm), Wadaagis ama wada qaybsi: Midba Midka kale.
Muzzle	*(Masal) n.*	Gafuurka Xayawaanka (Sida Eyda ama Dawacada).
My	*(Maay) Poss. Adj.*	Kayga; Markaad waxaaga sheegayso.
Myself	*(Maayselaf) Pron.*	Naftayda; Qudhayda.
Mystery	*(Mistari) n.*	Xaalad ama sir qarsoon oon la fahmi karin.

Nab	(Naab) v.	Lagu qabto wax-xun-falid.
Nadir	(Neydhiya) n.	Ugu hooseeya, ugu liita.
Nag	(Naag) v.	Yuusid.
Nail	(Neyl) n.	Musmaar; ciddida farta ku taal.
Naked	(Neykidh) adj.	Qaawan, aan dhar xidhnayn; la qaawiyey.
Name	(Neym) n. v.	Magac, magac bixin.
Nameless	(Neymlis) adj.	Magac ma leh, magac aan haysan; aad u xun in la magacaabo.
Namely	(Neymli - nemli) adv.	La yidhaahdo, kala ah: oo lagu magacaabo.
Nap	(Naap) n.	Hurdo gaaban (siiba Maalintii) indha casaysi.
Nape	(Neyp) n.	Tunka, luqunta gadaasheeda.
Napkin	(Naapkin) n.	Harqad yar oo marka wax la cunayo la la isticmaalo oo kolba bushimaha lagu masaxo, maro yar.
Narcotic	(Naakootik) n.	Waa walax hurdo ama dareen-la'aan dhalisa.....(DAROOGO).
Narrate	(Naareyt) v.	Ka sheekeysid, sheeko sheegid, sheekayn.
Narrative	(Naaratif) n.	Sheeko ama qiso.
Narrow	(Naarow) adj.	Cidhiidhi ah, diiq, ciriiri, aan ballaarnayn.
Nasal	(Nasal-neysal) adj.	Dulka Sanka, dalolka Sanka.
Nasty	(Naasti) adj.	Wasakh xun, xun oo khatar ama halis ah.
Nation	(Neyshan) n.	Qaran, Waddan.
National	Naashanal) adj.	Qaranimo, Waddan ah, ee Waddanka.

Nationalism	*(Naashanlism) n.*	Waddaninimo.
Nationalist	*(Naashanaliist) n.*	Waddani, (Qofka).
Nationality	*(Naashanaaliti) n.*	Dhalasho, jinsiyad.
Nationalize	*(Naashanalaays) v.*	Qarameyn, la qarameeyey.
Native	*(Neytif) adj. n.*	U dhashay Dalka, Dhaladnimo.
Natty	*(Naati) adj.*	Sallaxan, giigsan, si fiican u nadaamsan.
Natural	*(Naajaral) adj.*	Dabiici ah.
Naturalist	*(Nayjralist) n.*	= Qofka si gaar ah u barta ee darsa xayawaanka iyo dhirta.
Naturally	*(Naajrali) adv.*	Dabcan, sida dabiiciga ah; sida laga filayay.
Nature	*(Neyja) n.*	Dabaceedda, caalamka oo dhan & wax kasta oo la abuuray.
Naught	*(Noot) n.*	Waxba.
Nausea	*(Noosya) n.*	Yalaaluggo, wiswis, yiqyiqsi.
Nauseous	*(Noosiyas) adj.*	Wiswis leh, lagu yalaalugoodo.
Nautical	*(Nootikal) adj.*	La xidhiidha Maraakiibta, badmaaxyada ama badmareenimada.
Naval	*(Neyfal) adj.*	Ee Ciidanka Badda, Ciidanka Badda ah.
Navigate	*(Naafigeyt) v.*	Kaxayso, dayuurad iwm) badmarid.
Navigation	*(Naafigeyshan) n.*	Badmareennimo, badmaaxid, cilmiga badmareennimada; socdaallada lagu kala bixiyo biyaha dushooda ama hawada (Dayuurad).
Navigator	*(Naafigeyta) n.*	Badmareen, qofka badmaaxa ah ee waayo-aragnimada u leh socdaalka badaha.
Navy	*(Neyfi) n.*	Maraakiibta dagaalka ee dal leeyahay.
Nay	*(Ney) adv.*	Sidaas oo kale ma aha; maxaa yeelay.

Nazi	(Naasi) n.adj.	Xisbigii Hitler-kii Jarmalka ee dagaal-kii 2aad ee dunida ama adduunka qaybta weyn ka qaatay.
Near	(Niye) adv. Prep.	U dhow.
Nearly	(Niyeli) adj.	Waxay ku dhawdahay, qiyaastii waa ugu dhawaan.
Neat	(Niit) adj.	Nidaamsan, si wanaagsan loo sameeyey ama hagaajiyey.
Necessary	(Nesisari) adj.	Lagama-maarmaan.
Necessitate	(Nesesiteyt) v.	Waxay lagama maarmaan ka dhigaysaa in, ku kallifaysaa.
Necessity	(Nisesiti) n.	Lagama-maarmaanimo, kallifaad; lagama-maarmaanimo.
Neck	(Nek) n.	Luqun, raqabad, qoor.
Need	(Niidh) n.	U baahan, loo baahan yahay, loo baahdo.
Needful	(Niidhful) adj.	Baahi, aad loogu baahan yahay.
Needle	(Niidhal) n.	Irbad.
Needless	(Niidhlis) adj.	Aan loo baahnayn, laga maarmi karo.
Negate	(Nigeyt) v.	La diido, buriso, diiddo.
Negative	(Negatif) adj.	Erayada, warcelinta diidmad ah; calaamadda kala jarka (—); burinta & beeneynta wax la yiri.
Neglect	(Niglekt)	Dayac, la dayaca, aan la daryeelin.
Neg-ligible	(Negligible-beglijabal) Adj.	La dayici karo, laga tagi karo.
Negotiate	(Nigowshiyeyt) n.	U ergeyn, waanwaan & heshiis kala faalootid wada xaajood.
Negotiation	(Negowshiyeyshan) n.	Wada hadallo waanwaaneed.
Negress	(Niigris) n.	Gabadha nigarooga ah (madow) dumarka ah ee midabkeedu madowga yahay.

Negro	*(Nigrow) n.*	Dadka diirka madow.
Neigh	*(Ney) v.*	Danan, dananka Faraska, cida Faraska.
Neighbour	*(Neyba) n.*	Jaar, jiiraan, daris.
Neighbourhood	*(Neybahudh) n.*	Jiiraannimo, derisnimo.
Neither	*(Neyda) adj. Prep. adv.*	Midna maaha, midkoodna ma.....
Neo	*(Nii-ow) Prep.*	(Hordhig) = cusub, dambe, eray horgale ah ¿ cusub.
Neon	*(Nii-an) n.*	Neef aan midab lahayn oo hawada dhulkan aad ugu yar.
Nephew	*(Nefyuu) n.*	Ilmaha adeerka ama abtiga loo yahay; ilmaha uu mid Walaalkaa ama Walaashii dhashay.
Nepotism	*(Nepatism) n.*	Eexda; qaraaba-kiil.
Neptune	*(Neptyuun) n.*	Mid ka mid ah meerayaasha cadceedda ku wareega.
Nerveless	*(Neeflis) adj.*	Bilaadareen; tamar la'aan.
Nervous	*(Neefas) adj.*	Dareenle, dareeme ah; dareemi og, cabsi.
Nescience	*(Nesyanis) n.*	Ka maqan tahay aqoonta, aqoon la'aan.
Nest	*(Nest) n.*	Buul shimbireed; guriga shimbirta.
Net	*(Net) n.*	Shabaq, shebekad ah.
Netting	*(Neting) n.*	Samaynta ama isticmaalidda shebegga.
Neurology	*(Nyuwarolaji) n.*	Qayb cilmiga daawooyinka ka mid ah oo ku saabsan dareemayaasha.
Neutral	*(Nyuutral) adj.*	Dhanna raacsanayn; dhexdhexxad ah.
Neutron	*(Nyuutron) n.*	Qayb ka mid ah bu'da atamka oo aan wax danab ah qaadan.
Never	*(Nefa) adv.*	Abadan; waligaa.

Nevermore	*(Nefamoo) adv.*	Ha u celin; abadan mar-labaad.
Nevertheless	*(Nefadales) adv. adj.*	Xiriiriye; sidaa awgeed, si kastaba, ee weli.
New	*(Nyuu) adj.*	Cusub.
News	*(Niyuus) n.*	War, wararkii (warbixintii); ugu dambeeyey.
Next	*(Nekast) adj. n. adv. prep.*	Ku xiga.
Nib	*(Nib) n.*	Qalinka la khadeeyo caaraddiisa wax qorta.
Nice	*(Naays) adj.*	Fiican.
Nickel	*(nikal) n.*	Macdan bir ah oo adag.
Nickname	*(Nikneym) n.*	Magac dheerid; naanays.
Nicotine	*(Nikaṭiin) n.*	Walax sun ah oo tubaakada ama buuriga sigaarka ku jirta.
Niece	*(Niis) n.*	Gabadha (inanta) uu walaalkaa ama walaalahaa midkood dhalay.
Niff	*(Nif) n.*	Qadhmuun, ur-xun.
Niggard	*(Nigdh) n.*	Xaasid, shaxeexnimo, bakhayl.
Nigger	*(Niga) n.*	Eray edeb-darro ah oo nigarooga lagu yidhi dad ka tirsan jinsiga diirka madow.
Night	*(Naayt) n.*	habeen, cawo.
Night-club	Naayt-kilab	Meesha habeenkii lagu tunto.
Nightly	*(Naaytli) adv. adj.*	Habeen walba, habeenkii dhacaba (la qabto).
Nil	*(Nil) n.*	Maleh.
Nincompoop	*(Ninkampuup) n.*	Nacas; Qofka qalbi-daciifka ah.
Nine	*(Naayn) n. adj.*	Sagaal; tiro 9 (IX).
Nip	*(Nip) v.*	Qanjidho, aad ugu qabatid (sida far & suul cidiyada, ilkaha iwm).

Nipple	*(Nipal) n.*	Ibta naaska; mujuruca carruurta la jiqsiyo.
Nit	*(Nit) n.*	Qandhicil; ukunta injirta.
Nitrogan	*(Naatrijan) n.*	Neef (curiye) aan lahayn midab dhadhan ama ur midnaba oo ah 4/5 hawada dhulka.
Nix	*(Niks) n.*	Waxba.
No	*(Now) adj. adv.*	Eray diidmo ah.
Nob	*(Nob) n.*	Madax; qofka darajo sare leh.
Noble	*(Nabal) adj.*	Haybad, darajo sare.
Nobody	*(Nowbadhi) pron.*	Qofna; cidna.
Nod	*(Nodh) v.*	Madax ruxid; marka Haa u jeedid ee madax hoos loo dhigo.
Noise	*(Nooys) n.*	Buuq, qaylo.
Noisy	*(Nooysi) adj.*	Buuqaya, qaylinaya; buuq badan ama qaylo badan.
Nomad	*(Nomadh) n.*	Reer guuraa.
Nomination	*(Nomineyshan) n.*	Magacaabid.
Non	*(Non) prep.*	(Hordhig) ah maaha, ku lid ah.
Nonage	*(Nownij) n.*	Da' yar; Aan Baalaq ahayn; Da'da ka yar 21 jir.
None	*(Nan) Pron. Adv.*	Midnaba; Midna maaha.
Nonentity	*(Nonentiti) n.*	Qof aan Muhiim ahayn ama aan la qaddarin; Waxaan jirin ama iska khayaali ah oo la maleeyo.
Nonplus	*(Nonplas) v.*	Fajicid iyo Amakaakid; Waxaad ku hadasho ama qabatid markaad garan weydo yaab awgii.
Nonsense	*(Nonsanid) n.*	Aan Caqliga gelayn; Macno darro.
Noon	*(Nuun) n.*	Maalin badhka; Duhurka; 12-ka Duhurnimo.

Noose	*(Nuus) n.*	Suryo (Xadhkaha).
Nor	*(Noo) Conj.*	Midnaba.
Normal	*(Noormal) Adj.*	Caadi; Caadi ah.
Norse	*(Noos) n.*	Afka (Luuqada) Reer Noorway.
North	*(Nooth) n.*	Waqooyi (Jiho).
Northern	*(Nodan) Adj.*	Ee Waqooyi (Northern Regions = Gobollada Waqooyi).
Nose	*(Nows) n.*	Sanka; San.
Nostril	*(Nostril) n.*	Dul; Daloolka sanka.
Not	*(Not) Adj.*	Maaha; Aan ahayn.
Nota-Bene	*(N.B.) Nowtabiini) v.*	Si deggan ugu fiirso; Fiiro gaar ah.
Notation	*(Nowteyshan) n.*	Habka Calaamada & Tusmooyinka.
Note	*(Nowt) n. v.*	Naqilaad (Qorid); Qoris; Ogow; Qoraal Xasuuseed.
Nothing	*(Nathing) n. Adv.*	Waxba.
Notice	*(Nowtiis) n.*	Ogeysiis.
Notify	*(Nowtifaay) v.*	La ogeysiiyo; Ogeysiin.
Noun	*(Nawn) n.*	Magac (Naxwaha).
Nourish	*(Narish) v.*	Nafaqayn; Nuxurin; Nafaqo siin.
Novel	*(Nofal) Adj. n.*	Nooc aan hore loo aqoon; Cajiib; Buug Sheeko ah.
November	*(Nowfamba) n.*	Bisha 11-aad ee Sannadka Miilaadiga (30 Casho).
Now	*(Now) Adv. Conj.*	Iminka.
Nowadays	*(Nawadheys) Adv.*	Maalmahan.
Nowhere	*(Now-wee) Adv.*	Meelna.
Nubile	*(Niyuubaayl) Adj.*	(Hablaha) La guursan karo ama heer lagu guursado Jooga.
Nucleus	*(Nyuukliyas) n.*	Xundhurta; Bu'da.

Nude	(Nyuudh) Adj.	Qaawan.
Nuisance	(Nyuusanis) n.	Dhib yar laakiin taxan; Khaati baa laga Joogaa.
Number	(Namba) n.	Tiro; Lambar.
Numeral	(Nyuumaral) Adj. n.	(Erey, Xaraf ama summad) ka taagan tiro.
Numerator	(Nyuumareyta) n.	Tirada Sare ee Jajabka.
Numerous	(Nyuumaras) Adj.	Aad u tiro badan.
Numskull	(Namiskal) n.	Qof doqon ah ama Maskax xun.
Nun	(Nan) n.	Naagta Wadaadadda ah ee xer dumar ah la nool.
Nuptial	(Napshal) Adj.	Ee guurka ama arooska.
Nurse	(Nees) n. v.	Kalkaaliye Caafimaad; Kalkaaliye qof jirran ama dhaawac ah.
Nut	(Nat) n.	Lafta Midhaha; Khudradda ka kooban qolof adag; Nadhka Boolka ku xidhma.
Nutrient	(Nyuutriyant) Adj.	Nafaqo; Nuxur leh.
Nutrition	(Nyuutrishan) n.	Nafaqo; Nuxur.
Nylon	(Naaylaan) n.	Dun jilicsan oo guban og (dab-qabsi og).

——— O ———

Oak	*(Owk) n.*	Noocyo dhir waaweyn ah oo jirrid weyn leh Adduunkana ku badan.
Oar	*(Oo) n.*	Seebka (Ka huuriga lagu kaxeeyo).
Oasis	*(Oweysiis) n.*	Meel (Ciid nafaqo leh) Biyo iyo dhirna leh oo lama degaanka ku taalla.
Oat	*(Owt) n.*	Miro adag oo ka baxa dhulka Cimilada qabow oo Cunto ah.
Oath	*(Owth) n.*	Dhaar: Dhaarta la dhaarto.
Obdurate	*(Obdhyurit) Adj.*	Madax adag oo canaadi ah.
Obedience	*(Obiidhyanis) n.*	Mudeecnimo.
Obedient	*(Obiidhyant) Adj.*	Mudeec ah: Madax furan.
Obey	*(Abey) v.*	Fulin; Adeecid.
Object	*(Objikt) n.*	Walax; Shay.
Objection	*(Abjekshan) n.*	Diidmo.
Obligation	*(Abligeyshan) n.*	Xil: Waajib.
Obscure	*(Abiskyuwa) Adj.*	Dahsoon.
Obscurity	*(Abisyuwariti) n.*	Dahsoonaan.
Observant	*(Abseefant) Adj.*	Il dheeri.
Observe	*(Abseef) v.*	U fiirsasho: Loo fiirsado.
Obsolate	*(Absaliit) Adj.*	Aan dib loo sii isticmaali doonin: Wakhtigiisi dhacay ama dhammaaday.
Obstacle	*(Obistakal) n.*	Wax aan la dhaafi karayn: Wax iskaa Hortaaga.
Obstinate	*(Obstinit) Adj.*	Cannaad ah: Madax adag.
Obtain	*(Obteyn) v.*	La helo: Laga helo: la keeno.
Obtuse	*(Obtyuus) Adj.*	Daacsan: Xaglaha u dhexeeya 90° iyo 180°
Obvious	*(Obviyas) Adj.*	Iska cad oo la fahmayo; Qeexan: Shaki la'.

Occasion	*(Akeyshan) n.*	Millayga ay dhacdo ama wax gaar ahi dhacaan.
Occasional	*(Akeyshanal) Adj.*	Marmar la arko; Marmar dhacdo; Marmar yimaada ama wakhti u dhaca.
Occupant	*(Okyupant) n.*	Qofka dega ama Buuxiya guri; Qol ama boos.
Occupation	*(Akyupeyshan) n.*	Degganaasho; Ku noolid; Shaqo.
Occupy	*(Akyupaay) v.*	Ku nool; Lagu noolaado; La dego; la yeesho (Aqal, Beeri; Dhul iwm).
Occur	*(Akee) v.*	Dhicid, wax dhaca,When did the accident *occur* = Goorma ayuu shilku dhacay.
Ocean	*(Owshaan) n.*	Bad-weyn: (Indian *Ocean* =bad-*Weyn*-ta Indiya).
O'clock	*(Aklok) Particle.*	Saacad Sheegista baa lagu Isticmaalaa: it is (5) O'clok = waa 5 saac).
October	*(Oktowba) n.*	Bisha Tobnaad ee Sannadka Miilaadiga.
Oculist	*(Okyuliist) n.*	Takhtarka Indhaha.
Odd	*(Odh) adj.*	Tiro kis ah; Yaab leh.
Odious	*(owdhiyas) adj.*	Karaahiyo ama Karaahiyo leh.
Odour	*(owdha) n.*	Ur; Urta Sanka = Sanka laga uriyo.
Of	*(Of) Prep.*	Ec.
Offal	*(Ofal) n.*	(Uur ku jirta; Madaxa; Keliyaha, Wadnaha) Cadka ama Hilibaha Noocaas ah ec Hilibka Neefka intiisa kale ka yara Liita oo ka qiimo yar.
Offence	*(Ofans) n.*	Dembi.
Offer	*(ofa) v.*	Ugu deeqid; U hibayn; Siin.
Office	*(Ofis) n.*	Xafiis.
Officer	*(Ofisa) n.*	Sarkaal.
Often	*(Ofan) Adj.*	Inta badan; Badiyaaba; Wakhtiyo badan.

Ogle	*(Owgal) v.*	Ku dhaygagid (Eegid).
Ohm	*(Owm) n.*	Halbeegga Cabbirka caabiga Korontada.
Oil	*(Oyal) n.*	Saliid; Saliidayn ama saliid ku shubid.
Ointment	*(Ooyntmant) n.*	Dawada dhiiqda ama xaydha ah.
Old	*(Owldh) Adj.*	Gaboobay; Da' weyn.
Olfactory	*(Olfaaktari) Adj.*	Ee dareenka Urta.
Omit	*(Owmit) v.*	Ka saarid; ku dhicid (In wax la qabto) Ka tegid.
Omnivorous	*(Omnifaras) Adj.*	Cuna jaad walba oo Cunto ah; Akhriya nooc Walba oo Buug ah.
Once	*(Wanis) Adj.*	Mar
One	*(Wan) Adj. Pron.*	Kow; hal; Mid.
Onion	*(Anyan) n.*	Basal.
Only	*(Ownli) Adj. adv. conj.*	Oo qudha.
Onward	*(Onwadh) Adj.Adv.*	Xagga hore; Hore.
Oodles	*(Uudhlas) n.*	Xaddi badan.
Oof	*(Uuf) n.*	Lacag.
Ooze	*(Uus) n.*	Dhiiqo; Dhoobo.
Opaque	*(Owpeyk) Adj.*	If ma gudbiye.
Open	*(Owpan) Adj.*	Furan; Furid; La furo.
Opening	*(Owpaning) n.*	Dalool; Bilaabid.
Operate	*(Opereyt) v.*	Socodsiin; Hawl Socodsiin; Maarayn; Qalid; (wax qalidda Takhtarka).
Operation	*(Opareyshan) n.*	Shaqayn; sida ay wax u shaqaynayaan; in shaqo ah; Qalliin (Takhtarka ah).
Ophthalmia	*(of-Thaalmiya) n.*	Indha-xanuun.
Opiate	*(owpiit) n.*	Daawo Dadka Seexsa.
Opinion	*(Apinayn) n.*	Ra'yi; fikrad.

Opponent	*(Apownant) n.*	Qofka lala halgamayo ama lagu yahay Lidka.
Opportunity	*(Apatyuuniti) n.*	Fursad.
Oppose	*(apoews) v.*	Caaridid.
Opposite	*(Opasit) Adj.*	Lid; ka soo Horjeeda.
Oppress	*(Apres) v.*	Cadaadin (Caddaalad darro awgeed).
Oppression	*(Apreshan) n.*	Cadaadid, hoos u cadaadin (Caddaalad darro-awgeed).
Optic	*(Optik) Adj.*	Ee isha; ee aragga (Ku saabsan indhaha iyo aragga).
Opticion	*(Optishan) n.*	Qofka sameeya ama iibiya Qalabka indhaha &Aragga.
Optimist	*(Optimist) n.*	Qofka xagga fiican wax ka eega.
Or	*(Oo) Conj.*	Ama; Mise.
Oral	*(Oral) adj.*	Aan qoraal ahayn; Hadal ahaan lagu sheego.
Orange	*(Orinji) n.*	Liin.
Oratar	*(orata) n.*	Af-tahan; Qofka sameeya Qudbadaha (hadalka).
Orbit	*(Oobit) n.*	Meeris; Waddada uu meere maro ama ku Wareego.
Order	*(Oodha) Adj.*	Hab; Nidaam; Amar; Amar siin; Amrid.
Orderly	*Oodhali) Adj.*	Nidaamsan; Si fiican isugu hagaajisan.
Ordinary	*(Oodhnari) Adj.*	Caadi.
Organ	*(Oogan) n.*	Xubin Jidhka ka mid ah; Qayb jidh ka mid ah.
Organization	*(Ooganaayseyshan) n.*	Isu tag; Urur.
Organize	*(Ooganays) v.*	Habayn; Qabanqaabin; Isu Ururid.
Origin	*(Orijin) n.*	Halka laga Bilaabo; Asal; Meesha wax ka soo Bilaabmaan.

Original	(Orijinal) Adj.	Asali ah; Aan weli doorsoomin ee Asalkii hore ah.
Originate	(Orijineyt) v.	Bilaabid; Asal dhalin ama Samayn.
Ornament	(Oonamant) n.	Wax loogu talo galay inuu qurux ku kordhiyo wax kale; Qurxin; Qurux u samayn.
Ornithology	(Oo nithoolaji) n.	Cilmiga Barashada Shimbiraha.
Orphan	(Oofan) n.	Agoon ama rajo; Ilmaha uu aabihii ama Hooyadii ama Labadooduna ay geeriyoodeen.
Oryx	(Orikas) n.	Biciid (Xayawaan Ugaadh ah).
Oscillate	(Osleyt) v.	Leexaysad; La leexaysto.
Osculation	(Osk-yuleyshan) n.	Dhunkasho.
Ostler	(Osla) n.	Fardajire; Qofka fardaha ilaaliya.
Ostracize	(Ostarasaays) v.	Is go'doomin; Is karantiimayn.
Ostrich	(Ostrij) n.	Gorayo.
Other	(atha) Adj. pron. adv.	Kale; (Aan isku mid ahayn ama kii hore ahayn).
Otherwise	(Athaways) Adj.	Haddii kale; Si kale; Hab kale.
Ought	(Oot) Fin.	Ku waajibay.
Ounce	(Awns) n.	Wiqiyad; Halbeeg miisaanka ah.
Our	(Awa) Adj.	Kaayaga; Taayada (Marka Dad waxooda Sheegayan).
Ours	(Awas) Pron. Adj.	Waxayaga; (Aanu iska leenahay).
Ourselves	(Awaselfis) Pron.	Nafahayaga; Qudhayada.
Out	(Awt) Adv.	Dibedda.
Outbalance	(Awtbaalans) v.	Culaysin; Culays Saarid; Dheeliyid.
Outcast	(Awt-Kaast) n.adj.	Masaafurin.

Outclass	*(Awtklaas) v.*	Aad uga Wanaagsan; Ka fiican ama ka roon.
Outcry	*(Awtkaraay) n.*	Baroor.
Outdistance	*(Awt-dhistanis) v.*	Ka fogayn ama ka dheerayn.
Outdoors	*(Awthoos) Adv.*	Bannaanka Dibadda ah ee Hawada u fiican.
Outfighting	*(Awtfaating) n.*	Feedhtan.
Outer	*(Awta) Adj.*	Ka sare; Wax isku hoos jira ka sare ee dhexda ka fog.
Outgrow	*(Awt-grow) v.*	Aad uga weynaan ama uga dheeraan.
Outhouse	*(Awt-haws) n.*	Dhismo yar oo dhismaha weyn ku dheggan.
Outing	*(Awting) n.*	Fasax tegid.
Outlet	*(Awtlet) n.*	Meesha laga sii daayo Biyo ama qiiq iwm.
Outlive	*(Awtliif) v.*	Cimri dheer; Noolaada inta wax laga illoobayo.
Outlook	*(Awtluk) n.*	Jeedaalin; Meel wax laga daawan karo ama laga eegi karo.
outnumber	*(Awtnamba) v.*	Xad-dhaaf.
Outpatient	*(Awt-Beyshant) n.*	Qofka Bukaan socodka ah.
Outplay	*(Awtpley) v.*	Ka ciyaar badin ama ka Ciyaar roonaan.
Outpouring	*(Awt-pooring) n.*	Ka shubid; Ka soo shubid.
Output	*(Awtput) n.*	Wax soo saar; Inta ama tirada iwm ah ee wax ka soo Baxda.
Outrageous	*(Awt-rayjas) adj.*	Ka nixin; aad u axmaq ah; xishmad daran.
Outrank	*(Awt-raank) v.*	Kadarajo sarreeya.
Outrun	*(Awtran) v.*	Orod-dheerayn; Orodka-dheerayn ama ka badan.

Outside	(Awtsaaydh) n.Adj. Adv.	Dibadda; Xagga dibedda.
Outskirts	(Awt-Iskkeetis) n.	Hareeraha ama agagaarka Magaalada.
Outsmart	(Awt.ismaat) v.	Ka xarrago badan; Xarragoode.
Outstanding	(Awt-Istaandhig) Adj.	Ku soo jiidanaya.
Outstay	(Awt-istay v.	Ku raagid.
Out-Weigh	(Awt-wey) v.	Ka Cusleyn.
Ovary	(Ow fari) n.	Meelaha Manida dhadiggu ka Samaysanto.
Oven	(Afan) n.	Muufo; foorno.
Over	(Ofar) Prep.	Kor.
Over-Balance	(Over balansis) v.	Dheeliyid.
Overcoat	(Ow-Fakowt) n.	Koodh weyn.
Over-come	(Overkam) v.	Ka guuleysi.
Over-head	(Owfa-hedh) Adj.	Kasarreysa Madaxa dadka.
Over-look	(Owfa-luk) v.	Iska isdhatirid.
Over-night	(Owfa-naayt) Adv.	Habeen hore.
Over-Shadow	(Oafa-shado) v.	Hadhayn.
Over-sleep	(Oafa-Isliib) v.	Aad u seexasho. Hurdo ku dheeraansho.
Over-tax	(Owfa-teges)v.	Cashuur ku badan.
Over-throw	(Owfa-thurow) v.	Ridid; Inqilaabid; ka badin.
Over-time	(Owfa-taym(n. Adv.	Shaqooyin waqti dheeraad ah.
Over-turn	(Awfateen) v.	Qalibid.
Over-work	(Awfa-week) v.	Aad u shaqeyn.
Ovum	(ow-fam) n.	Shahwada dhadigga.
Owe	(Ow) v.	Qaamaysanaan.
Owl	(Awl) n.	Guumeys, Nooc Shimbiraha ka mid ah.
Own	(Own) v.Adj.	Lahaan.

Ox	*(Okos) n.*	Dibi.
Oxygen	*(Oksajiin) n.*	Curiye hawo ah.
Oyster	*(Ooysta) n.*	Nooc Kalluuka ka mid ah oo la Cuno Iyadoon la karin.

—— P ——

Pace	*(Pays) n.*	Qiyaasta Tallaabada Socodka gaaban Tallaabooyinka Caadiga ah.
Pacific	*(Pasifik) Adj.*	Nabadeed; Nabad jecel; Deggan.
Pacify	*(Paasifay) v.*	Dejin; Qaboojin.
Pack	*(Paak) n.*	Xidhmo alaab ah oo laysku xiray ama duubay si loo qaado.
Package	*(Paakij) n.*	Alaab la isku xixiray ama la isku cab-beeyey.
Packet	*(Paakit) n.*	Baakidh; Baako.
Pact	*(Paakı) n.*	Heshiis; Mucaahado.
Paddle	*(Paadhal) n.*	Usha Huuriga lagu wado; seeb yar.
Paddy	*(Paadhi) n.*	Bariiska weli baxaya; Bariiska Beerta ku yaal.
Padlock	*(Paadh-lok) n.*	Quful; Qufulka wax lagu xidho.
Pagon	*(Pugan) n.*	Cawaan; Qof bilaadiin ah; Aan diin qabin.
Page	*(Payj) n.*	Bog.
Paid	*(Paydh) v.*	Bixiyey; la bixiyey.
Pail	*(Peyl) n.*	Baaldi.
Pain	*(Peyn) n.*	Xanuun; Xanuunjin Nabar.
Paint	*(Peynt) v.n.*	Ranjieyn; Naqshadayn; Rinji.
Painter	*(Peynta) n.*	Rinjiyeeye; ka wax rinjiyeeya; Rinjiile.
Pair	*(Pee) n.*	Lamaan; Laba.
Pal	*(Paal); n.*	Saaxiib; Jaalle.
Palace	*(Paalis) n.*	Guriga Boqortooyada.
Palate	*(Paalit) n.*	Dhan-xanaffa afka.
Pale	*(Payl) Adj.*	Weji Madoobaaday (Is beddeley); Caro ama Murugo Wejiga qofka laga da-reemo.

170

Palm	*(Paam) n.*	Baabacada; Dhirta Jiridda Timirta oo kale ah.
Palpable	*(Baalbabal) Adj.*	La dareemi karo ama la taaban karo; Caqliga u Cad.
Pamphlet	*(Baamflit) n.*	Buug yar; Jariidad.
Pan	*(Pan) Prep.*	Maqale; Maqli; Hordhiga ah dhamaan Dhan; Giddi.
Panacea	*(Paanasye) n.*	Daweysa Cudurradoo dhan.
Pancreas	*(Paang-Kriyes) n.*	Beer yaro.
Panic	*(Paanik) n.*	Argagax.
Pant	*(Pant) v.*	Higada; Higgada; Markuu qofku higoonayo.
Papa	*(Paapaa) n.*	Eray Carruureed oo ah Aabbo.
Papaw	*(Paapoo) n.*	Babaay; Canbe filfil.
Paper	*(Peypa) n.*	Xaashi; Warqad.
Papyrus	*(Papayaras) n.*	Nooc Warqad ah (Xaashi) oo Masaaridii hore dhir ka samaysan jirtey.
Parachute	*(Paarajuut) n.*	Dallaayad ku Boodis; Baarashuut.
Parade	*(Pareydh) v.*	Rigo (Ciidanka).
Paradise	*(Paaradheysa) n.*	Janno.
Paraffin	*(Paarafin) n.*	Gaasta la shito.
Parallel	*(Paaralal) Adj.*	Is bar-bar yaac (Xariijimo); Barbaro ah.
Paralytic	*(Paaralitik) n. Adj.*	Dhan qalal (Cudur); Faalig).
Parasite	*(Paarasayt) n.*	Deris ku-Nool.
Parasol	*(Paarsol) n.*	Dallaayadda Qorraxda laga qaato.
Paratroops	*(Paaraturoobis) n.*	Ciidanka loo Tababaro Dallaayadaha (Boodista).
Parcei	*(Paasl) n.*	Baqshad alaab ah.
Pardon	*(Paadhan) n.*	Saamaxaad; Cafis.
Parent	*(Peerant) n.*	Labada Waalid; Midkood; Aabbo ama Hooyo.

Parity	*(Paariti) n.*	Is le'eg; siman.
Parliament	*(Paalamant) n.*	Golaha Shacbiga; Baarlamaan.
Park	*(Paak) n.*	Seere; Meesha Waddada ka mid ah ee Baabuurta la yara dhigan karo.
Parrot	*(Paarat) n.*	Shimbir Dadka Canjisha; Qofka Hadalka ku celceliya.
Part	*(Paat) n.*	Qaybo.
Partake	*(Paateyk) v.*	Saamiqaad; Ka qaybgal.
Partial	*(Paashal) Adj.*	Qayb ahaan.
Participate	*(Paatisibeyt) v.*	Kala qaybsi; Saami yeelatid.
Particle	*(Paatikal) n.*	in aad iyo aad u yar.
Party	*(Paati) n.*	Xisbi.
Pass	*(Paas) v. n.*	Gudub; Dhaaf; Dhaafid.
Passage	*(Paasij) n.*	Marin.
Passenger	*(Paasinja) n.*	Rakaab; Dadka fuushan Gaadiid laga Kireeyey.
Passive	*(Paasif) Adj.*	Caajis; Aan firfircoonayn.
Passport	*(Paasboot) n.*	Dhaafiye; Baasaboor.
Past	*(Paast) Prep. Adj.*	Wixii tegay Wakhi hore; Dhaafay; Gudbay.
Paste	*(Peyst) n.*	Qoosh; Wax laysku khalday.
Pastime	*(Paastaym) n.*	Wax la qabtay Wakhti tegay; Si farxad leh wax Wakhtiga laysku dhaafiyo.
Pasture	*(Paasja) n.*	Dhulka doogga leh ee Xoolaha la dejiyo; Daaqin.
Pat	*(Paat) v.n.*	Dhirbaaxo; Dhirbaaxid.
Path	*(Paath) n.*	Wadiiqo; Waddo-Luuqeed.
Pathology	*(Patholaji) n.*	Sayniska Cudurrada.
Patience	*(Peyshanis) n.*	Samir; Dulqaadasho.

Patient	*(P...shan) Adj.*	Samir leh; dulqaadasho leh; Buka; Bukaan jiif ama Socod ah.
Patriot	*(Paytreyt) n.*	Qofka Waddaniga ah.
Patrol	*(Patrol) v.*	Ku dul Wareegga meel; KOrmeerid; Temeshlayn; ilaalin.
Patter	*(Paat) n.*	Jaqaf-Jaqafta Cagta (Socodka), Hadalka ka dhakhsaha ah.
Pattern	*(Paatan) n.*	Tusaale Fiican.
Paucity	*(Poositi) n.*	Yaraanta tiro leedahay.
Pause	*(Poos) n.*	Hakadka yar ee Hadalka ama waxa la Qabanaayo.
Paw	*(Poo) n.*	Cagta Xayawaanka (Qoob Maaha) Cidiyaha ah.
Pay	*(Pay) v.*	Bixi; Siin Lacag; Siin; Bixin.
Payment	*(Paymant) n.*	Bixin; Lacag Bixin; Mushaar iwm.
Peace	*(Piis) n.*	Nabad; Nabad qab.
Peacock	*(Pikok) n.*	Daa'uus; Shimbir qurux badan.
Peak	*(Piik) n.*	Halka ugu sarreysa; Ugu fiiqan; Sida Buurta Figta.
Peanut	*(Piinat) n.*	Lawska; iwm.
Pear	*(Pee) n.*	Geed midho Macaan (Ubada u eg) oo Miirid leh.
Peasant	*(Pesant) n.*	Beer-Qodaal.
Pebble	*(Pebal) n.*	Dhagax Dixeed-Dooxooyinka Biyuhu maraan laga helo.
Pedal	*(Pedhal) Adj.*	Ee Cagta lagu Isticmaalo (Beetalka Baaskiilka).
Pedestrian	*(Pidhes-trian) n.*	Qofka Jidka suuqa dhinaciisa maraya.
Pedlar	*(Pedhla) n.*	Qofka Alaabta yaryar iibiya ee Guryayaha la dhex mara.

Peep	*(Piib) n.*	Khaawisaad; .... n aa Shimbiraha yaryar .... vaan (Niiq-Niiq).
Pelican	*(Pilikan) n.*	Shumbir Biyood weyn oo af dheer iyo Kiish ka Hooseeya (Kaydka Cuntada) leh.
Pellucid	*(Pelyuusidh) Adj.*	Aad u qeexan.
Pelvis	*(Pelfas) n.*	Laf-Miskeedka; Lafta Misigta.
Pen	*(Pen) n.*	Qalinka Khadka leh.
Pencil	*(Pensal) n.*	Qalin (Eksarsaays).
Penalty	*(Penalti) n.*	Ciqaab ah wax xun ood fashay ama qaynuun diidis.
Pending	*(Pendhing) Adj.*	Go'aan sugid ama dejid sugid.
Penetrate	*(Penitreyt) v.*	Galaya (Sida Boolka iyo Godka); Mu-did; Dhexgelin.
Penicillin	*(Pinishilin) n.*	Dawo (Anti-Baayotig).
Penis	*(Piinis) n.*	Buuryada; Qoodhaha labku leeyahay.
Penniless	*(Piniles) Adj.*	Lacag la'aan.
Penny	*(Peni) n.*	Lacag ganbo ah; Kuumi.
Penology	*(Pinolaji) n.*	Barashada Mushkiladaha Ciqaabta sharciga ah.
Pension	*(Pen-Shan) n.*	Lacag bixin Caadi ah oo qofka Shaqa-da ka fariista la siiyo.
Pensive	*(Pensif) Adj.*	Fikir qoto-dheer; Si daran u fikrad badan.
Pentagon	*(Pentagan) n.*	Shan-geesle.
Penury	*(Penyuuri(n.*	Sabool-Fakhri.
People	*(Piibal) n.*	Dad; Dad-weyne.
Pepper	*(Peba) n.*	Basbaas.
Per	*(Pee) Prep.*	Midkiiba.
Percentage	*(Persantij) n.*	Boqolkiiba (Inta tiro mid kale ka tahay Boqol kiiba).

Peregrination	*(Perigrineyshan) n.*	Socdaal; Safar.
Perennial	*(Perenyal) Adj.*	Wax sanadkoo dhan socda; Wakhti aad u dheer ku dhamaada; Dhirta 2 Sano in ka badan jirta.
Perfect	*(Peerfekt) Adj.*	Roon; Wacan; Aan iin lahayn.
Perform	*(Pefoom) v.*	Ka yeesho (Ka dhigta); La Hahaajiyo.
Perfume	*(Peefyuum) n.*	Cadar; dareere udgoon oo la marsado.
Perhaps	*(Pahabis) Adv.*	Laga yaabaa; Laga yaabee.
Peril	*(Peril) n.*	Khatar weyn; (Khatar Keenaysa).
Period	*(Piyeryedh) n.*	Xiisad; Wakhti (Laba Wakhti inta ka dhexeysa).
Peripatetic	*(Peribatetik) Adj.*	Kolba meel ka tegis oo meel kale tegid sida Xerta diinta ee KOlba reer taga.
Periscope	*(Periskowb) n.*	Qalab loo adeegsado daawashada iyo Aragtida.
Permanent	*(Peemanant) adj.*	Joogta ah.
Permission	*(Paamishan) n.*	Oggolaansho; Fasax.
Permit	*(Pamit) v.*	U oggolaansho; Sii dayn; Fasaxid; Awood bixin;Oggolaansho qoraal ah.
Pernicious	*(Penishas) Adj.*	Dhib badan oo Wax yeello ah.
Perpendicular	*(Peepandhikule) Adj.*	Xagal qumman ku ah (90°), ku qotoma.
Perpetrate	*(Peepitreyt) v.*	Dembi gashid; Khalad samaysid.
Perplex	*(Papeleks) v.*	Hal-Xilaarayn; Adkayn; Xagga Maskaxda.
Perquisite	*(Peekwisit) n.*	Gunno; Waxa ka siyaadada ah Mushaarka.
Person	*(Peesan) n.*	Qof ah Nin; Naag ama Carrur; Qof.
Personal	*(Peesanal) Adj-*	Shaqsi ahaan; Qof u gaar (Leeyahay).
Perspire	*(Paspaya) v.*	Dhididid; La dhidido.
Persuade	*(Pasweydh) v.*	Ku Dirqidid; Ka Dhaadhiciso wax.

Peruse	*(Paruus) v.*	U akhriyid; Si deggan u akhriyid.
Pesky	*(Peski) Adj.*	Arbush; Qas.
Pestle	*(Pastal) n.*	Tib; Tibta wax lagu tumo.
Petal	*(Petal) n.*	Ubaxa Qaybtiisa sare ee Midabka leh.
Petition	*(Pitishan) n.*	Arji wadajir loo qoro.
Petrol	*(Petrol) n.*	Baasiin; Baatrool.
Petroleum	*(Pitrowliyam) n.*	Saliidda qayriin ee Dhulka laga soo qodo.
Petty	*(Peti) Adj.*	In yar; Aan muhiim ahayn.
Pharmacy	*(Faamasi) n.*	Meesha lagu iibiyo Daawooyinka (Dukaan) lagu iibsho Daawooyinka iyo Qalabkooda.
Pharynx	*(Farinkis) n.*	Qulaanqulshaha Cunaha ku yaalla.
Phenomenon	*(Finominon) n.*	Wax u muuqda ama lagu arkayo (Garanayo), Dareenka.
Philately	*(Filaatali) n.*	Ururinta tigidhaha Boosta "Balwad"; (Hiwaayad).
Philology	*(Filolaji) n.*	Cilmiga (Sayniska) Dabeecadda iyo Horumarka Afka (Luqad) ama Af gaar ah.
Philosophy	*(Filosofi) n.*	Falsafad.
Phlegm	*(Falam) n.*	Xaakada; Xaako.
Phone	*(Fown) n.*	(Soo gaabinta Telefoon); Dhawaaq qura ee Hadalka ka mid ah.
Phonology	*(Fownolaji) n.*	Cilmiga dhawaaqyada Hadalka; Barashada Cod (Dhawaaq) is Beddelka shaqal ama shibane.
Phosphorus	*(Fosfaras) n.*	Curiye Hurdi ah oon Bir ahany; Waxaa ka mid ah dhhibcaha Saacadaha Habeenkii Mugdiga ifa.
Photograph	*(footo-garaaf) n.*	Sawir (Kaamarad Lagu qaaday).

Phrase	*(Freys) n.*	(La Xiriira Naxwaha(Erayo ka mid ah Weerta oon macna gaar ah samayn karin.
Physical	*(Fisikal) Adj.*	Wax Muuqda; la arki karo.
Physician	*(Fisishan) n.*	Takhtarka Daawooyinka iyo Qalliinka.
Physicist	*(Fisisit) n.*	Qofka Aqoonta u leh Cilmiga Fisigiska.
Physics	*(Fisiks) n.*	Cilmiga (Sayniska) la xiriira Maayada (Mattar); Tamarta (Energy); Sida Sanqadha; Kulaylka iwm).
Physique	*(Fisiik) n.*	Qaabka iyo Dhismaha Jirka.
Pick	*(Pik) v.*	Kor u qaad (Faraha) ku qaadid.
Pictorial	*(Piktooriyal) Adj.*	Ee sawireed; Leh ama ku saabsan Sawirro la sameeyey.
Picture	*(Pigja) n.*	Sawir Gacan ah.
Piece	*(Piis) n.*	Waslad; Qidcad; Qurub.
Piecemeal	*(Piismiil) Adj.*	Qurub-qurub u fashid; Marba in qabatid; Waqtiga u kala qaybisid.
Pierce	*(Piyes) v.*	Mudis; Daloolin (Walax fiiqan lagu Falo).
Pig	*(Pig) n.*	Doofaar.
Pile	*(Payl) n.*	Raso Weyn; Rasayn.
Pilgrim	*(Pil-Grim) n.*	Xaaji.
Pillar	*(Pila) n.*	Tiro; Tiir; dhidib.
Pillow	*(Pilow) n.*	Barkin; Barkimo.
Pilot	*(Paylot) n.*	Qofka Dayuuradda (Kiciya, fariisiya); Qofka Markabka Soo xidha ama kaxeeya.
Pimple	*(Pimpal) n.*	Burada Maqaarka ka baxda.
Pin	*(Pin) n.*	Biin, wax yar oo wax laysugu qabto.
Pincers	*(Pinsas) n.*	Kalbad (Nijaarka ayaa Isticmaala) Wax lagu kala jaro Musbaarka iwm.

Pineapple	*(Paynaabl) n.*	Cananaas (Miraha).
Prink	*(Pink)*	Midab yara casaan ah; Mindi (Soodh) Geliso (Ku dalooliso.
Pink	*Paynt) n.*	Baydh; Qiyaas ah 1/8 galaan.
Pioneer	*(Payniye) n.*	Qofka u horreeya ee meel soo Sahansha (Soo arkooda) Wax Cusub Sahansha; Horseeda.
Pipe	*(Payb) n.*	Dhuun; Qasabad; Tuubo.
Piss	*(Pis) v.n.*	(Si edeb darro ah) Kaadidid laysku kaadiyo; Kaadi qoyso; Kaadi.
Pistol	*(Pistol) n.*	Baastoolad; Tamuujad; Damuujad.
Pit	*(Pit) n.*	Ceel; God dheer; Furuq dhoon.
Pity	*(Piti) n.*	U naxdid; u Muraaqootid wax qof ku dhacay ama arrin xun oo ku timi.
Place	*(Pileys) n.*	Meel; Meel dhigid.
Plain	*(Pileyn) Adj.*	Si hawl yar loo arko; Maqal ama fahmo fudud; Caadiya; Dhulka siman ee Ballaaran.
Plait	*(Palayt) v.*	Tidic; Soohdinta (Xarigga; Timaha) iwm.
Plan	*(Palan) n.*	Qorshe.
Plane	*(Pileyn) n.*	Qalab lagu simo looxa dushiisa; meel siman.
Planet	*(Planit) n.*	Meere (Maaris; Fiinis; Dhulka iwm).
Plant	*(Palaant) n.*	Dhir; Beeridda; Dhirta; Qalabka Wershedeynta.
Plantation	*(Palanteyshan) n.*	Bed dhul ah oo dhirta dhulka Ballaaran ee Sonkorta; Shaaha; Buuriga; Cudbiga iwm ka baxaan.
Plash	*(Palash) n.*	Sanqadha Baxda marka Biyaha bash laga siiyo wax lagu dhifto; dhifto.
Plaster	*(Palaasta) n.*	Talbiista Darbiga iwm lagu shaqlo; Dahaaro.

Plastic	*(Palaastik) Adj.*	Caah ka samaysan.
Plate	*(Pileyt)*	Sixni; Bileydh; Dabaq.
Platform	*(Palaatfoom) n.*	Meel dhulka (Waddada; Jidka; Golaha ha) ka korreysa.
Platter	*(Pilaata) n.*	Xeedho; Saxan weyn oo gun gaaban (Hilibka) lagu rito iwm.
Play	*(Piley) n. v.*	Ciyaar; Ciyareed; Dheelid.
Player	*(Pileyar) n.*	Qofka Ciyaartoyga ah; Jilaa.
Pleasant	*(Piliisant) Adj.*	Farax gelin; Farxad leh; Lagu farxi karo.
Please	*(Piliis) v.*	Fadlan.
Pleasure	*(Piliishur) n.*	Farxad raalli gelin.
Pleat	*(Piliit) n.*	Shushub.
Plentiful	*(Palantiful) Adj.*	Xaddi badan; Aad u badan.
Plenty	*(Palanti) n.*	Fara badan.
Pliers	*(Palayas) n.*	Kalbad (ta Korontada oo kale).
Plot	*(Polot) n.*	Meel dhul ah oo la dhisto (ama Beerto); mu'aamarad.
Plough	*(Palow) v.*	Baaqbaaqa beerta; Ciid rogidda dhulka (Dibi-Cagaf iwm).
Pluck	*(Palak) v.*	Rifid; riftid baalasha digaagga; Gora- yada iwm.
Plug	*(Palag) v.*	Gufeys; Carrabka xarigga (Qalabka Korontada ku shaqeeya); Dabka loo geliyo.
Plumber	*(Palamba) n.*	Ninka ka shaqeeya ee isku xirxira Qa- sabadaha; Tuubooyinka; Dhuumaha iwm.
Plunder	*(Palandh) v.*	Dhinaca Dadka; siiba marka uu dagaal Socdo ama Xifaaltan ka dhex jiro Shac- biga.

Plural	(Pulural) n. Adj.	Wadar (Ereyga ah); ka badan mid.
Plus	(Palaas) Prep.	(U gee; ku dar; (2 + 8 = 10).
Pneumatic	(Nayuumaatik) Adj.	Ku shaqeeya ama ay waddo hawo laysku cadaadshay (Taayirka).
Pneumonia	(Nayuumowniya) n.	(Xanuun halis ah oo ku dhaca Sanbabada.
Pocket	(Pokit) n.	Jeebka (Halka Shaarka ama Surwaalka wax lagu rito).
Poem	(Powim) n.	Gabay; Masafo (Qoraal ah).
Poetees	(Powitis) n.	Naagta qorta Gabayada iwm.
Poignant	(Poonaant) Adj.	Wax udgoon oo dhadhan macaan-Sida suugada.
Poetry	(Powitiri) n.	Sida ama habka falka gabyaaga; Gabayga.
Point	(Pooynt) n.	Caaradda ama fiiqa walaxi leedahay; heer; dhibix; tilmaan.
Pointless	(Poontiles) Adj.	Maco daran; u jeedda la'aan; Macno daran; u jeedda la'aan; Aan lahayn wax dhibco ah (Ciyaaraha).
Poison	(Pooysin) n.	Sun; Dhimasho ama dhaawac xun u keenta Naflayda.
Polar	(Powla) n.	Labada dacal ee dhulka midkood (Waqooyi iyo Koonfur); Dacallada birlabta.
Pole	(Powl) n.	Labada dacal ee dhulka midkood (W.& Koonfur). Dacallada Birlabta.
Police	Poolis) n.	Boolis.
Policy	(Polosi) n.	Siyaasad; Hadal qoraal ah oo qandaraaska; (Heshiiska) Caymiska ah.
Polish	(Polish) v.	Kaga dhaalisid; Si fiican u hagaajisid.

Polite	*(Palayt) Adj.*	Edeb leh; Edebsan.
Political	*(Politikal) Adj.*	Ee Siyaasad.
Politician	*(Polotishan) n.*	Qofka Siyaasiga ah; Wax ka yaqaan Siyaasadda.
Politics	*(Polotiges) n.*	Cilmiga denbiga; Habka iyo Qaabka Dawladda; Aragtida Siyaasadeed; Arrimaha Su'aalaha Siyaasadda.
Poll	*(Pol) n.*	Cod bixin doorasho; Baar ka jarid.
Pollute	*(Paluut) v.*	Waskheyn (Siiba Haanta Biyaha).
Poltroon	*(Pol-taroon) n.*	Fulay.
Poly	*(Poli) Prefix.*	Hordhig-badan.
Polygamy	*(Paligami) n.*	Caado ah in Ninku naago badan qabo isla mar ama wakhti keliya.
Polygamist	*(Paligamist) n.*	Ninka dhawr ama naagaha badan qaba.
Polyglot	*(Pooligolot) Adj.*	Qofka afafka ama luqadaha badan yaqaanna.
Polygon	*(Poligan) n.*	Shaxan ama Sawir shan dhinac ama in ka badan leh (Dhinacyo toosan).
Polytechnic	*(Politeknik) adj.*	Dugsi leh qaybo badan oo Wax barasho farsameed.
Pomade	*(Pamaadh) n.*	Dufan timaha la marsado.
Pomelo	*(Pomilaw) n.*	Nooc midhaha Cinabka ka mid ah (oo Waaweyn).
Pommel	*(Pamal) n.*	Kooraha (Ka faraska) intiisa Ballaaran.
Ponce	*(Pons) n.*	Ninka Caadaysta inuu la dhaqmo naagaha Xunxun (Dhillooyinka) ee Kuna nool waxay shaqeysato.
Pond	*(Pondh) n.*	Jidhaan (Biyo Fariistaan); Dhijaan.
Ponder	*(Pondha) v.*	(Tixgelid; ka fakirid.
Ponderable	*(Pondharabal) Adj.*	La qiyaasi karo ama la Miisaami karo.

Poniard	*(Ponyadh) n.*	Tooray (Mindi gal leh).
Pony	*(Powni) n.*	Faras dhal yar oo Carruurtu fuusho.
Pool	*(Puul) n.*	Berkedda lagu dabbaasho; Ka dhexeeya Dadweyne.
Poor	*(Puwa) Adj.*	Faqiir; Sabool; Miskiin.
Poorly	*(Puwali) Adj.*	Si aan fiicnayn; Si xun.
Pope	*(Powp) n.*	Baadari; Ninka Diinta Kaatooliga u sarreeya (Roma).
Poppycock	*(Popikok) n.*	Aan caqliga geli karin.
Popular	*(Pop-yula) adj.*	Ay dadweynuhu leeyihiin; caan ah, dadku wada yaqaan.
Popularity	*(Pop-yulaariti) n.*	Caannimo; dadka ku dhex caan ah.
Populate	*(Popyuleyt) v.*	Dad dajin, dad ku nooleysiin.
Population	*(Popyuleyshan) n.*	Tirada dad meel ku nool, dadweyne.
Pore	*(Poo) n.*	Daldaloolo yar yar oo maqaarka jirka ku yaal oo dhididku ka soo baxo; barasho ama dersid feejigan.
Porous	*(Pooras) adj.*	Daldaloolada badan leh; sii daynaya dareeraha.
Porridge	*(Porij) n.*	Cunto Fudud oo jilicsan, Boorish.
Port	*(Poot) n. -*	Dekad; magaalo Dekad leh.
Portable	*(Pootabal) adj.*	La qaadqaadi karo, aan meel ku dheg sanaynse kolba meeshii la rabo loo qaadan karo.
Porter	*(Poota) n.*	Xammaal; qofka alaabta qaada (shaqa diisu taa tahay); waardiyaha irridda, ilaaliyaha irridda.
Portion	*(Pooshun) n.*	Qayb, qayb ka mid ah,Saami.
Portrait	*(Pootrit) n.*	Sawir la qurxiyey.
Portray	*(Pootrey) v.*	Sawir ka sameyn; si buuxda erayo ugu sharxid.

Position	(Pasishan) n.	Meel; boos.
Positive	(Positif) adj.	Togane; run ah ama xaqiiq ah.
Possess	(Pases) v.	Lahaan; la yeesho.
Possession	(Pasashan) n.	Lahaansho.
Possibility	(Posibiliti) n.	Suuragal, suurtogal.
Possible	(Pasibal) adj.	Suurta gal ah, suuroobi kara.
Post	(Powst) n.v.	Meesha uu Askariga ilaaliyo; meesha askari degto; waraaqo boosta dhigid, boosta waraaqaha laga diro.
Postage	(Powstij) n.	Lacagta laga bixiyo warqadaha boosta lagu rido.
Post	Powst) Prep.	(Hordhig) ka dib..... kaa ka dib.
Post-date	(Powst-dheyt) v.	Taariikh dib ugu dhigid (taariikhda la qoro).
Posterior	(Powstiyeriya) adj.	Xagga dambe, kaa dambe.
Posterity	(Posteriti) n.	Qof tafiirtii ama ciddii ka faracantay.
Postgraduate	(Bowst-graaujwit) adj.	Waxbarashada iwm ee la qabto qalin-jibinta ka dib.
Posthumous	(Post-yumas) adj.	Uur ku hadh; qofka dhasha (ilmaha markuu Aabbihii dhinto ka dib; dhaca ama geeri ka dib dabadeed yimaada.
Postmaster	(Powst-masta) n.	Qofka meel u madax ah.
Postmeridiem	(Powst-maridhiyan) adj.	(P.M.) gelinka dambe ama niska dambe.
Post-mortem	(Powst-moolam) adj. n.	Baadhis caafimaad qofka lagu sameeyo ka dib markuu dhinto.
Postpone	(Powst-bown) v.	Dib u dhigid, u kaadin.
Postprandial	(Powst-braandhiyal) Adj.	Qadada dabadeed, hadhimada ka dib.
Posture	(Posja) n.	Meesha jidhka; xaalka jidhka ama qalbiga.

Pot	(Pot) n.	Dheri; digsi; weelka wax lagu kariyo) Dusuud.
Potassium	(Pataasyam) n.	Curiya, jilicsan oo dhalaala oo bir cad ah.
Potato	(Poteytow) n.	Baradho; bataato.
Potentate	(Powtenteyt) n.	Qof xoog badan; qof meel xukuma.
Potential	(Powten-shal) adj.	Jiri kara ama iman kara; ficil keeni kara.
Pother	(Potha) n.	Buuq, arbush, qaylo.
Potter	(Pota) v. n.	Marka shaqo yar la qabto ama shaqo tamar yar lagu qabto; (dherya samayn).
Pouch	(Pawj) n.	Shandad ama boorso yar oo jeebka lagu qaato.
Poultry	(POwlt-ri) n.	Shimbiraha hilibka leh (la cuno) Digaagga, xamaamka, Digiirinka iwm.
Pound	(Pawndh) n.	Rodol; (miisaanka Ingiriiska); gini (Lacag) ridiqid jajebin.
Pour	(Poo) v.	Shubid; la shubo ama ku shubid.
Poverty	(Pofati) n.	Saboolnimo, caydhnimo, faqri.
Powder	(Pawdha) n.	Budo riqdan; boodhar, boolbaro.
Power	(Pawa) n.	Quwad, xoog, awood.
Powerful	(Pawaful) adj.	Awood badan, xoog weyn, quwad leh.
Powerless	(Pawalis)	Awood darro, awood yari, aan xoog lahayn.
Practicable	(Praaktikabal) adj.	Wax gacanta laga qaban karo.
Practical	(Praktikal) adj.	Ku saabsan gacan ku qabasho, si waaqici ah; hawlgacmeed ah, ku saabsan hawlgacmeed.
Practice	(Praaktis) n.	Gacan ka qabasho, hawl gacmeed, gacan ku falis.
Practise	(Praaktis) v.	Ku celcelin wax qabasho.

Praise	(Preys) v.	Amaanid, amaanis, la amaano.
Prate	(Preyt) v.	Iska hadlid, si aad ah u hadlid.
Prattle	(Praatal) v.	U hadlid si carruurnimo ah.
Pray	(Prey) v.	Tukasho, la tukado.
Prayer	(Pree) n.	Salaad (salaadda la tukado).
Preach	(Priij) v.	Wacdiyid.
Precaution	(Prikooshan) n.	Ka digtoonaan, digniin laga hor tagayo khatar.
Precede	(Prisiidh) v.	Ka horreeya, hortiis yimaad.
Preceptor	(Prisebta) n.	Bare, macallin, tababare.
Preciosity	(Prishi-ositi) n.	Safayn; qaali ah, qiimo badan.
Precious	(Preshas) adj.	Wax qiimo weyn leh.
Precise	(prisaays) adj.	Si sax ah loo sheegay, sax ah.
Precision	(Prisishan) n.	sax, khalad la'aan.
Preclude	(Prikuluudh) v.	Ka celin, ka ilaalin (qof inuu wax falo).
Precursor	(Priikeesa) n.	Qof ama wax kale oo horseed u ah wax dhici doona.
Predecessor	(Prindhisesa) n.	Qofka xafiis ama maamul uga horreeya qof kale oo kala wareego.
Predicate	(Predhikeyt) n.	Caddayn in wax run yihiin.
Predict	(Pridhikt) v.	Sii sheegid inta aanay wax dhicin ka hor.
Predilection	(Priidileekshan) n.	Jeclaan gaar ah, door bidis.
Predominate	(Pridhomineyt) v.	Ka gacan sarreyn, ka awood iyo tiro badan.
Pre-eminent	(Prii-eminant) adj.	Ugu wanaagsan, ka wanaagsan kuwa kale oo dhan.
Pre-exist	(Prii-igsist) v.	Hore u sii jiray, mawjuud sii ahaa.
Preface	(Prefiis) n.	Sharax uu ku qoro qofka qoraaga ahi buuggiisa.

Prefect	(Prefekt) n.	Horjooge.
Prefer	(Prifee) v.	Ka door-bidid.
Preference	(Prefaranis) n.	Ka doorbidid ama ka doorbidasho.
Pregnant	(Pregnant) adj.	Uur leh (dheddigga).
Prehistoric	(Priihistorik) adj.	Dhigaalka ama qoraalka taariikhda - ka hor, intaan taariikhda la qorin.
Prejudice	(Prejudhis) n.	Iska jeclaansho ama iska necbaansho.
Premature	(Premajuwa) adj.	Wax dhaca ama la falo wakhtigey ku habbooneyd - ka hor.
Premise	(Primis) n.	Weedh sabab leh.
Preoccupy	(Pri-ekyubaay) v.	Mashquulin, la mashquuliyo.
Preparation	(Prapareyshan) n.	Diyaarin, diyaar garayn.
Preparatory	(Pripaartari) adj.	In la diyaariyo u baahan.
Prepare	(Pripee) v.	Diyaarin.
Prepay	(Prepay) v.	Sii bixin; Qadimid.
Prescient	(Prishiyent) adj.	Wax ka og ama wax ka sheegi kara wax soo Socda.
Presence	(Presenis) n.	Joogitaan.
Present	(Present) adj.	Jooga; Hadiyad; Ugu deeqid; Siin.
Presentation	(Presanteyshan) n.	Soo bandhigid.
Preserve	(Priseef) v.	Dhibaato ama khatar ka ilaalin.
Preside	(Prisaaydh) n.	Xukun ama awood yeelasho (Madax la noqdo).
Presidency	(Presidhansi) n.	Xafiiska Madaxtooyada.
President	(Presidant) n.	Madaxweyne.
Press	(Pres) v.n.	Isku cadaadin; Jariidad; Maqaal; Daabicid.
Pressure	(Presha) n.	Cadaadis.

Prestige	*(Prestiij) n.*	Ixtiraam Ka dhasha guul iyo Lahaansho iyo wixii la mid ah.
Presto	*(Prestow) adj. adv.*	Degdeg; Si dhakhso ah.
Presume	*(Prisyuum) v.*	In si laysaga qaato; in run laysaga qaato.
Pretend	*(Pretendh) v.*	Iska yeelyeelid; matelid; Iska dhigid.
Prettify	*(Pritifaay) v.*	Qurxin; la qurxiyo.
Pretty	*(Priti) Adj.*	Ku soo jiidanaya; Jinniyad leh; Qurux leh.
Prevail	*(Prifeyl) v.*	Kagacan sarreyn; ka guulaysi.
Prevaricate	*(Prifaarikeyt) v.*	Beenayn.
Prevent	*(Prifent) v.*	Iska hortaagid; ka celin; ka joojin.
Prevention	*(Prifenshan) n.*	Is hor taah; Jiijin.
Prewar	*(Priwoo) adj.*	Dagaalka ka hor; Dagaalka hortii.
Prey	*(Prey) n.*	Raq.
Price	*(Praays) n.*	Qiime; Qiime wax lagu gado.
Prick	*(Prik) v.*	Daloolin.
Pride	*(Ptaaydh) n.*	Isla weyni.
Primary	*(Praaymeri) Adj.*	Wax walba ugu horreeya ama ugu Muhiimsan.
Prime	*(Praaym) n.*	QAyb ugu fiican; Ugu Sarraysa; Muhiim loo baahan yahay.
Primegal	*(Praaymiigal) adj.*	Wakhtigii ugu horreeya taariikhda Adduunka.
Primitive	*(Primitif) Adj.*	Wakhtiyadii hore; Ilbaxnimadiisu Dambayso.
Primogeniture	*(Praaymow-Jeniyta adj.*	Curad.
Prince	*(Prinis) n.*	Inanku boqor dhalay; Inan Boqor.
Princess	*(Prinses) n.*	Inanta Boqorku dhalay; Gabadha ina Boqor.

Principal	*(Prinsibal) n.*	Qofka Dugsiga ka Madaxa ah; Ugu Muhiimsan.
Principle	*(Prinsibal) Adj.*	Hab wax u shaqeeyaan; Qaynuun; Runku salaysan.
Print	*(Print) v.*	Dabicid; La daabaco.
Priority	*(Praayoriti) n.*	Ka mudan; Mudnaansho la siiyo.
Prison	*(prisan) n.*	Jeel; Xasbi.
Prisoner	*(Prisana) n.*	Xidhan; Maxbuus; Qof jeelka ku xidhan.
Private	*(Praayfit) Adj.*	Gaar loo leeyahay; Sir.
Privation	*(Praayfeyshan) n.*	La'aansho waxyaabaha nolosha lagama maarmaanka ah.
Privilege	*(Prifiliji) n.*	Tixgelin ama mudnaan cid la siiyo.
Prize	*(Praays) n.*	Abaal-gud; Jaa'isad.
Probable	*(Probabal) adj.*	Dhici kara; si noqon kara.
Probity	*(Prowbiti) n.*	Dabeecad toosnaan.
Problem	*(Problem) n.*	Mushkulad; Xisaab ama su'aal la xalilo.
Procedure	*(Prasiija) n.*	Hab wax loo sameeyo; Sida wax loo qabto.
Proceed	*(Prowsiidh) v.*	Hore u socod; Sii wadid.
Process	*(Prowses) n.*	Sida ama jidka wax loo yeelo ama qabqabto waxyaabo isku daba xidhan oo si isdaba joog ah u dhaca.
Procession	*(Praseshan) n.*	Tiro Dad ama Gaadiid ah oo is daba socda.
Proclaim	*(Prakleym) v.*	Daboolka ka qaadid; Dad-weynaha u soo Bandhigid.
Procrastinate	*(Prowkraastineyt) v.*	Dib u dhig; Dib u dhig.
Prodigal	*(Prodhigal) Adj.*	Khasaare ah.
Prodigy	*(Prodhiji) n.*	Wax la yaab leh oo la moodo in waxyaabaha Dabiiciga ah ku lid tahay.

Produce	(Pradhiyuus) v.	Soo saarid; Dhalid; la soo saaro.
Production	(Pradhk-shan) n.	Wax soo saar.
Productive	(Pradhiktif) Adj.	Wax soo saari kara; Wax dhalin kara.
Profession	(Prafeshan) n.	Shaqo cidi qabto siiba loo baahan yayah Tababar iyo aqoon kaleba.
Professor	(Prafesa) n.	macallinka Jaamacadda wax ka dhiga.
Proffer	(Profa) v.	Ugu deeqid; Deeq.
Proficient	(Prafishant) Adj.	Xirfad leh; Khibrad leh.
Profit	(Profit) v.	Macaash; Faa'iido.
Profitable	(Profitabal) Adj.	Laga Macaashi karo; Faa'iido keeni kara.
Profound	(Prafawndh) Adj.	Si qoto dheer; si aad ah u qoto dheer.
Profuse	(Praf-yuus) Adj.	Badan; aad u badan; la heli karo.
Prognosticate	(Prognostikeyt) v.	Wax ka sii sheegid wax dhici doona.
Programme	(Prowgraam) n.	Wax lagu tala galay in la fuliyo; Borogaraam.
Progress	(Progaras) n.	Horumar; Horusocod; Horukac.
Progression	(Pragreshan) n.	Horosocodnimo.
Prohibit	(Prahibit) v.	Mamnuucud; Wax la fali jiray oo la joojiyo.
Prohibition	(Prahibishan) n.	Joojin (Wax la samayn jiray); Mamnuuc.
Project	(Projekt) v.	Mashruuc; Qorshe.
Projector	(Prajekta) n.	Qalab Suurta geliya in Sawirka lagu muujiyo Gidaarka.
Proletariat	(Prowleteeriyet) n.	Xoogsatada; Dabaqada Shaqaalaha ah,
Prolong	(Pralong) v.	Sii dheereyn.
Prominent	(Prominant) Adj.	Si hawl yar loo arki karo.

Promise	(Promis) n.	Ballan; Ballan-qaadid.
Promote	(Pramowt) v.	Dallacsiin; Horu-dallicin.
Promotion	(Pramow-shan) n.	Dallacaad.
Prompt	(Promt) Adj.	Aan daahin; aan wakhtiga dib uga dhicin.
Pronoun	(Prownawn)n.	Magac-u-yaal) (Naxwe).
Pronounce	(Pranawnis) v.	Ku dhawaaqid; Shaac ka qaadid.
Pronunciation	(Pranansi-eyshan) n.	Habka ama sida Erayada loogu dhawaaqo.
Proof	(Pruuf) n.	Caddayn; Sabab sheegid.
Propaganda	(Propaganda) n.	Dacaayad.
Propagate	(Propageyt) v.	Tarmid; Si ballaaran u fidid.
Propel	(Prapel) v.	Hore u kaxayn; Hore u wadid.
Proper	(Propa) Adj.	Habboon; Ku habboon.
Property	(propati) n.	Hanti.
Prophet	(Profit) n.	Nebi; Rasuul.
Proportion	(Prapooshan) n.	Xidhiidhka uu wax uga dhigmo wax kale.
Proportional	(Prapooshanal) Adj.	Isku dhigma; u dhigma.
Propose	(Prapows) v.	Ujeeddo; Qasdi; Muraad; Ra'yi soo jeedin.
Prosecute	(Prosik-yuut) v.	La sii wadid; La bilaabid Taxenayaal Sharci ah iyadoo ka soo horjeedda.
Prospect	(Praspekt) n.	Maskax ku sii hayn; Rajayn; La filo; la sii dhowro.
Prospectus	(Praspektas) n.	Xayeysiin qoraal ah oo warbixin leh.
Prosper	(Prospa) v.	Guulaysi; Barwaaqaysi ama barwaaqayn.
Protect	(Pratekt) v.	Ilaalin; Badbaadin; Daaficid; ka ilaalid.
Protection	(Pretek-shan) n.	Ilaalis; Badbaadis; Dhib ka hor tegis.

Protective	*(Pratektif) Adj.*	Ka ilaalin kara; ka hor tegi kara; ka celin kara.
Protectorate	*(Pratekterit) n.*	Maxmiyad; Dal uu ilaaliyo dal kale oo awood weyni.
Protest	*(Prowtest) n.*	Diidmo; Diidid; Qaadicid.
Protocol	*(Prowtakol) n.*	Naqliga ama qoraalka hore ee He-shiis.
Protractor	*(Prataraakta) n.*	Aalad lagu cabbiro Xaglaha.
Proud	*(Prawdh) Adj.*	Isla-weyn; Kibir weyn; qab weyn; han weyn.
Prove	*(Pruuf) Adj.*	Caddeyn.
Proverb	*(Profab) n.*	Maahmaah.
Provide	*(Prafaaydh) v.*	Siin; U qaybin.
Province	*(Profuns) n.*	Qayb weyn oo Maamul leh oo dal ka mid ah (Gobol) Dalka oo dhan marka Magaala-madaxda.
Provision	*(Prafishan) n.*	Qaybqaybis; Waqtiga soo socda u sii qaybin; Raashin qaybin.
Provisional	*(Prafishanal) Adj.*	Ah Xilliga marka la joogo oo qudha oo marka dambe la beddeli doono.
Provoke	*(Prafowk) v.*	Ka cadhaysiin; laga caraysiiyo.
Proximate	*(Proksimat) Adj.*	Ugu dhawaan; Ugu dhaw; ka hor ama ka dib.
Psyche	*(Saayki) n.*	Ruuxa bani-aadamka.
Psychology	*(Saaykoloji) n.*	Cilmi nafsi.
Puberty	*(Piyuubati) n.*	Baaluq; Qofku markuu baaluq noqdo.
Public	*(Pablik) n.*	Dadweynaha ka dhexeeya.
Publicity	*(Pablisiti) Adj.*	Caannimo; La wada yaqaan.
Publish	*(Pablish) v.*	Ogeysiin dadweynaha; Daabicid ama u soo Saarid (Buug, Wargeys, Maqaal iwm).

Puddle	*(Padhal) n.*	Meel yar oo Biyuhu ku fariistaan markuu Roobku da'o, Sida meelaha Dariiqyada dhex ah.
Pudgy	*(Paji) Adj.*	Gaaban oo Buuran.
Puke	*(Piyuuk) v.*	Hunqaacid; Matagid; la mantago.
Pull	*(Pull) v.*	Soo jiidid; Soo jiid; la soo jiido.
Pulse	*(Pals) n.*	Garaaca caadiga ah ee Halbowlaha dhiigga qaada.
Pulverize	*(Palfaraays) v.*	Shiidid; Ridqid; daqiiqid.
Pump	*(Pamp) v.*	Mishin meel wax ka soo saara (Sida ka neefta soo saara; ka Biyaha soo saara iwm).
Punch	*(Panj) n.*	Qalab ama mishiin lagu jaro Daloollada; feedhid; Tatoomid.
Punctual	*(Pank-jyuwal) Adj.*	Aan ka soo hor marin kana dib dhicin Wakhtiga.
Punctuate	*(Pankt-yuweynt) v.*	Xarakayn; Qoraalka oo la Xarakeeyo.
Punish	*(Panish) v.*	(Ciqaabid; Karbaashid; la ciqaabo.
Puny	*(Piyuuni) Adj.*	Yar oo caato ah.
Pupil	*(Pyuubil) n.*	Ardayga Dugsiga dhigta.
Purchase	*(Peejas) n.*	Iibsasho; Gadasho.
Pure	*(Pyuw) Adj.*	Saafi ah; aam waxba ku khaldanayn.
Purify	*(pyuwarifaay) v.*	Safayn; Saafi ka dhigid.
Purpose	*(Paabas) n.*	Ujeeddo.
Purse	*(Pees) n.*	Shandad yar oo Lacagta lagu qaato; Boorso.
Pus	*(Pas) n.*	Malax.
Push	*(Push) v.*	Riixid.
Put	*(Put) v.*	Dhigid; la dhigo; dhig.
Putrid	*(Pyuutridh) Adj.*	Qudhmay; uray.

Puzzle	(Pasal) n.	Su'aal ama Mushkilad ay adag tahay sida loo fahmaa ama looga jawaabo.
Pyjam as	(Pijaamis) n.	Shaati iyo Surwaal lagu Seexdo.
Pylon	(Paaylon) n.	Baalo ama biraha ama tiirka dheer ee Xadhkaha dhaadheer ee korontada dusha laga marsho.
Pyramid	(Piramidh) n.	Ahraam: (buuro Qaahira "Masar" laga dhisay).
Python	(Python)	Jebiso; Mas weyn oo waxa uu rabo inuu cuno isku marmara oo Jejebiya-Burbursha.

—— Q ——

Quadrant   *(Kuwodharant) n.*   Goobada Rubuceed; Afar meelood oo meel Goobada.

Quadruped   *(Kuwodhrupadh) Adj.*   Xayawaanka afarta adin leh.

Quadruple   *(Kuwodhrupal) adj.*   Afar meelood u qaybin.

Quadruplicate   *(Kuwodhruuplikat) Adj.*   Afar jeer ku Celin.

Quaff   *(Kuwaaf) v.*   Aad u Cabid.

Quail   *(Kuweyl) n.*   Baqdin; Baqdin; Baqid.

Quake   *(Kuweyk) v.*   Gariirid (Sida Dhulka).

Qualification   *(Kuwolifikeyshan) n.*   Qiimayn; Tababar; Aqoonsi.

Qualify   *(Kuwolifaay) v.*   Tababarid; Caddayn.

Quality   *(Kuwaliti) n.*   Tayo.

Qualm   *(Kuwaam) n.*   Shaki.

Quantity   *(kuwaantati) n.*   Tiro.

Quarrel   *(Kuworal) v.*   Cilaaqtan; Cilaaqtamid.

Quarter   *(Kuwaata) n.*   Rubuc; Rubucayn.

Quarterly   *(Kuaartarli) Adj.*   Saddexdii Biloodba mar.

Quartz   *(Kuwaats) n.*   Nooc Macdanta ka mid ah.

Quash   *(Kuwash) v.*   Diidid.

Quaver   *(Kuweyfa) v.*   Hadal googoynayo; Hadal la gargariirid.

Queen   *(Kuwiin) n.*   Boqorad; naagta Boqorka.

Quench   *(Kuwenj) v.*   Damid (Dabka); Harraad tirid; Qaboojin (Biyaha).

Quern   *(Kuween) n.*   Mishiinka xawaashka lagu riqdo.

Querulous   *(Kuwerulos) Adj.*   Cabasho badan.

Question   *(Kuweyshan) n.*   (Su'aal.

Queue   *(Kuyuu) n.*   Kuyuu; Dad isku daba-xidhiidhsan.

Quick	(Kuwik) Adj.	Dhaqso; Degdeg.
Quicken	(Kuwikin) v.	Dedejin.
Quicklime	(Kuwik-laym) n.	Nuurad qoyan.
Quick Sand	(Kuwiksaandh) n.	Dhiidhi.
Quiet	(Kuwaayat) Adj.	Jaba-la'aan; Sanqadh iyo Hadal la'aan.
Quietude	(Kuwaytyuudh) n.	Degganaan.
Quietus	(Kuwayitas) n.	Naf ka saarid.
Quilt	(Kuwilt) n.	Furasho.
Quinine	(Kuwiniin) n.	Kiniin.
Quinsy	(Kuwinsi) n.	Cuna-Xanuun.
Quintal	(Kuwintal) n.	Kiintaal; Boqol Rodol.
Quire	(Kuwaya) n.	Afar iyo Labaatan xaashiyood oo nooc Wax lagu qoro ah.
Quisling	(Kuwisling) n.	Daba dhilif.
Quit	(Kuwit) v.	Ka tegid.
Quite	(Kuwayt) Adj.	Si Buuxda.
Quiver	(Kuwifa) n.	Ruxid.
Quiz	(Kuwis) n.	Kedis (Sida Barnaamijka Kedis).
Quotation	(Kuwoteyshan) n.	Tusalooyin; Hal ku dhigyo.
Quote	(Kuwowt) v.	Ka soo Xigasho.
Quotient	(Kuwowshant) n.	Laba tiro marka laysku qaybsho wax ka soo baxa.

—— R ——

Rabbit	(Raabit) n.	Bakayle.
Rabies	(Reybiis) n.	Cudurka eyda ku dhaca ee waala.
Race 1	(Reys) n.	Tartan; Orod.
Race 2	(Reys) n.	Dad isku jinsiyad ah.

Racket	(Raakit) n.	Usha lagu ciyaaro Kubbadda Miiska.
Raconteur	(Raakonta) n.	Sheekeeya; Qofka sheekeeya.
Radar	(Raydha) n.	Raadaar.
Radiate	(Raydhayeyt) v.	Bixin ama dirid falaaraha sida kuwa Cad-ceedda ama kulka.
Radiator	(Reydhiyeyta) n.	Taangigga Biyaha ee Baabuurka.
Radio	(Redhiow) n.	Reediyow.
Radius	(Redhiyas) n.	Gacan (Dhexroorka Nuskii).
Raffle	(Raafal) n.	Iibinta Shatiyada Bakhtiyaanasiibka.
Rag	(Raag) n.	Maro Calal ah.
Ragamuffin	(Raagamafin) n.	Qofka Uskagga badan (Wasakhda badan) ama had iyo jeer Wasakhda ah.
Rage	(Reyg) n.	Cadho; Cadhooday.
Ragged	(Raagidh) Adj.	Jeex-jeexan; Daldaloola (Gaar ahaan Dharka).
Ragout	(Raaguu) n.	Suqaar; Hilib yar yar oo Khudaar lagu daray.
Raid	(Reydh) n.	Weerar; Dhacid.
Rain	(Reyn) n.	Roob.
Rainy	(Reyni) Adj.	Rooban; Roob leh.
Raise	(Reys) v.	Sare u qaadid.
Rake	(Reyk) n.	Faraley (Xashiishka yaa lagu Ururi-yaa).
Rally	(Raali) v.	Isu soo Ururid.
Ram	(Raam) n.	Sumal; Wanka aan la dhufaanin.
Ramadan	(Ramadaan) n.	Ramadaan; Soon; Bisha Muslimiintu soonto.
Ramble	(Raambal) v.	Temeshlayn.
Rampart	(Raampaat) n.	Daafac; Difaac.

Random	*(Raandhom) n.*	Nasiibin; Ku nasiibin.
Range	*(Reyinj) n. v.*	Tixid; Taxan (Wax sida Silsiladda xidhiidhsan).
Ranger	*(Reyinja) n.*	Dhir llaaliye; Seere Celiye (Qof).
Rank	*(Raank) n. v.*	Derejo; Derejeyn.
Rankle	*(Raankal) v.*	Gocasho; Gocday; la Gocdo (Jecleysto).
Ransom	*(Raansam) n.*	Madax Furasho.
Rant	*(Raant) v.*	Faanid; ka bad-badin.
Rap	*(Raap) v.*	Sanqadh yar.
Rapacious	*(Rapeyshas) n.*	Qofka Lacagta aad u jecel.
Rape 1	*(Reyp) v.*	Kufsasho; la tegid; Muquunin.
Rape 2	*(Reyp) n.*	Geed Midhihiisa saliid laga helo.
Rapid	*(Raabidh) Adj.*	Deg-deg; Dhakhso leh.
Rapprochement	*(Raproshmant) n.*	Isku soo laabasho; Si Saaxiibtinimo ah, isu soo Laabasho.
Rare	*(Ree) Adj.*	Macduun ah; Aan had iyo jeer jirin ama la arag; Naadir.
Rarefy	*(Reerifay) v.*	Ku baahid; Safayn; kala baahid.
Rarity	*(Reeriti) n.*	Macduunimo.
Rascal	*(Raaskal) n.*	Aan daacad ahayn.
Rash	*(Raash) Adj.*	Marka si aan degganayn wax loo falo ama sameeyo.
Rasp	*(Raasp) n.*	Nooc soofaha ka mid ah.
Rat	*(Raat) n.*	Jiir; Dooli.
Rate	*(Reyt) v.*	Qaderid; Qaderin.
Rather	*(Raada) Adj.*	Ka doorbidis; Doorbidid.
Ratio	*(Reyshi-ow) n.*	Isku dhig.
Ration	*(Raashan) n.*	Raashin.

Rationale	(Raasheynaal) n.	Sabab u yeelid; Sabab leh.
Rationalize	(Raashenalaays) v.	Sabab u yeelis.
Rattle	(Raatal) v.	Sameyn Cod yar: Sida (Jiiq-jiiq).
Ravage	(Raafij) v.	Baabi'in.
Rave	(Reyf) n.	Shinbir weyn oo Madow; Tukaha u eg.
Ravenous	(Raafinas) Adj.	Aad u gaajoonaya.
Ravine	(Raafiin) n.	Meel godan oo laba Meelood oo Sar-reeya hareeraha ka xigaan.
Ravish	(Raafiish) v.	La tegid.
Raw	(Roow) Adj.	Qeedhiin).
Ray	(Ray) n.	Falaadh (Iftiin).
Raze-Rase	(Rays) v.	Baabi'in; Burburin.
Razor	(Reysa) n.	Makiinad; Makiinadda ama sakiinta Gadhka lagu Xiiro.
Re	(Rii) Prep.	Mar Labaad.
Reach	(Riij) v.	Gaadhid; Tiigsad.
Read	(Reedh) v.	Akhriyid.
Readdress	(Riidhes) v.	Beddelid-Cinwaan; Beddelid cin-waan.
Reader	(Riidha) n.	Akhriyo; Qofka aad wax u akhriya.
Readjust	(Rii-adjast) v.	La Qabsasho; Mar labaad; Sidhimin mar kale.
Ready	(Redhi) Adj.	Diyaar; Diyaar ah.
Reaffirm	(Riafeem) v.	Caddeyn ama u rumeyn mar labaad.
Real	(Riyel) Adj.	Run ah.
Reality	(Rii-Aaliti) n.	Run.
Realize	(Riyelays) v.	Ogsoonaan.
Ream	(Riim) n.	480 Xaashiyood.
Reanimate	(Rii-aanimeynt) v.	Dhiirri gelin; Xoogayn.

Reap	(Riip) v.	Goyn (Sida Qasab goynta).
Reappear	(Rii-apiye) v.	Soo Muuqasho mar labaad.
Rear	(Riye) n.	Gadaal; Xagga Dan be.
Rear 2	(Riye) v.	Xannaanayn.
Rearm	(Rii-aam) v.	Hubayn.
Reason	(Riisan) n.	Sabab.
Reasonable	(Riisanabul) Adj.	Caqli gal; Wax macquul ah ama sabab yeelan kara.
Rebel	(Riibel) v.	Ka soo horjeedsi (Dawladda), laga soo soo horjeesto.
Reassure	(Riishuwa) v.	Shaki ka saarid.
Rebind	(Riibayindh) v.	Isku xidha mar labaad.
Rebirth	(Riibeedh) n.	Is beddel xagga Niyadda ah.
Rebound	(Riibawndh) n.	Ka soo boobid sida (Kubbad Gidaar lagu dhuftay).
Rebuff	(Ribaf) n.	Diidmo-deeqeed ama Codsi.
Rebuild	(Riibildh) v.	Dhisid mar Labaad.
Recalcitrant	(Rikaalsitran) Adj.	Canaad.
Recall	(Rikool) v.	Xusuusasho; la Soo noqosho.
Recant	(Rikant) v.	Ka noqosho.
Recapitulate	(Riikapiyuleyt) v.	Ku celin; Dulmarid mar labaad.
Receipt	(Risiit) n.	Helitaan; Rasiidh.
Receive	(Risiif) v.	Helid; Gaadhsiin.
Recent	(Reasant) Adj.	Waqti aan fogayn.
Reception	(Risapshan) n.	Soo dhoweyn.
Recess	(Rises) n.	Waqtiga ay shaqadu istaagto.
Rachauffe	(Rishowfey) n.	Diirin mar labaad sida Cuntada.
Recipe	(Resipi) n.	Hab ama dariiqo wax loo sameeyo (Sida Cuntada).

Reciprocal	*(Risiprakal) n.*	Beddel; kala beddelasho.
Reciprocate	*(Risiprekeyt) v.*	Siin adoo u gudaya wax hore laguu siiyey.
Recite	*(Risayt) v.*	Gabyid; Gabay tirin.
Rekon	*(Rekon) v.*	Xisaabin; Isku xisaabin.
Reclaim	*(Rik-leym) v.*	Hagaajin; Toosin.
Recline	*(Rikleyn) v.*	Nasasho; Nasin; la nasiyo.
Recluse	*(Rikuluùs) n.*	Cidla ku noolaasho; qofka aan jeclayn in dad kale la noolaado.
Reco-gnition	*(Rikagnishan) n.*	Aqoonsi; Garasho (Sida: Isla markiiba waan aqoonsaday).
Recognizance	*(Rikonisanis) n.*	Rahmaad; rahan.
Recognize	*(Rekognis) v.*	Aqoonsasho; Garawsi.
Recoil	*(Rikooyl) v.*	Dib u gurad, dib u boodid.
Recollect	*(Rekalekt) v.*	Xusuusasho.
Recollection	*(Rekalekshan)*	Xusuusad.
Recommend	*(Rekamend) v.*	Ku talin.
Recompense	*(Rekamopans) v.*	Abaal marin.
Reconcile	*(Rekansayl) v.*	Heshiin; Heshiisiin.
Recondition	*(Riikandhishan) v.*	Hagaajin samayn wax marka sidiisii hore lagu celiyo.
Reconnoitre	*(Rekanyooyta) v.*	Soo sahamin; soo ilaalayn soo basaasid.
Reconstruct	*(Riikan-istract) v*	Dib u dhisid; dib u Kabid.
Record	*(Rikoodh) n.v.*	Xusuus qorid; Rikoodh; Naastro.
Recount 1	*(Rikawnt) v.*	U sheegid; ka sheekayn.
Recount 2	*(Riikawont) v.*	Dib u tirid; Tirin mar Labaad.
Recourse	*(Rikoos) n.*	Caawimo ka filid; Gargaar ka dalbid.
Recover 1	*(Rikafa) v.*	Ladnaan.
Recover 2	*(Riikafa) v.*	Galayn; Gelin gal Cusub.

Recrimination	(Rikrimineyshan) n.	Ashkato; Aargudasho ah.
Recriminate	Rikrimineyt) v.	Ashkatoyin adoo ka aargudanaya ashkato hore laguugu sameeyey.
Recruit	(Rikruut) n.	Xubin Cusub oo ku soo biira Urur.
Rectangle	(Rek-taangal) n.	Afar geesle; - Leydi (Xisaab).
Rectify	(Rektifay) v.	Hagaajin; Toosin; Safayn.
Rectitude	(Riktit-yuudh) n.	Aaminimo; Dabeecad fiican.
Rectum	(Rektam) n.	Malawadka.
Recumbent	(Rikambant) Adj.	Jiif.
Recuperate	(Rik-yuupareyt) v.	Xoog yeelasho ka dib marka uu qof Xanuunka ka Bogsado (Baan qadasho hagaagta).
Recur	(Rika) v.	Ku celin; Imaasho.
Recurve	(Riikeef) v.	Dib u qaloocin; Qaloocsan.
Red	(Redh) Adj.	Casaan; Midka cas.
Redden	(Redhan) v.	Casayn; la caseeyey.
Redeem	(Ridhiim) v.	La soo noqosho; Soo furasho.
Redo	(Riidhuu) v.	Falid ama samayn mar labaad.
Redolent	(Redhoolant) v.	Carfid, ur udgoon.
Redouble	(Ridhabal) v.	Xoogeyn; Laba Laabid mar Labaad.
Redoubt	(Ridhawt) n.	Meel daafac aad u adag leh.
Redoubtable	(Ridhowtabul) Adj.	Wax laga baqo.
Redound	(Ridhawndh) v.	Ka dib; (Wax fiican haddaad fasho (Sharaftaaday kabaysaa).
Redress	(Ridhireys) v.	Isu dheelitird mar labaad.
Reduce	(Ridhyuus) v.	Yarayn; Gudhin.
Reduction	(Ridhagshan) n.	Yaraan.
Redundant	(Ridhan-dhant) Adj.	Aan loo baahnayn; Siyaado ah.

Re-echo	*(Rii-iikow) n.*	Deyaan labaad.
Reek	*(Riik) n.*	Ur Qadhmuun; Ur qadhmoon.
Reel	*(Riil) n.*	Aalad lagu duubo dunta iwm si ay u hawlyaraato isticmaalkeedu.
Reel 2	*(Riil) v.*	Gariirid; Dhicdhicid.
Re-entry	*(Riinteri) n.*	Gelid mar labaad.
Refection	*(Rifegshan) n.*	Cunto khafiif ah.
Refectory	*(Rifektori) n.*	Qolka Cuntada: Gaar ahaanna meelaha Dadka badani ku nool yihiin.
Refer	*(Rifer) v.*	Tixraacid, ku halqabsasho.
Referee	*(Refarii) n.*	Garsoore (Gaar ahaan Ciyaaraha).
Reference	*(Refaranis) n.*	Ka tusaale qadasho.
Referendum	*(Refarendham) n.*	U oggolaan doorasho dadweyne.
Refill	*(Riifil) v.*	Buuxin mar Labaad; Dib u buuxin.
Refine	*(Refaayn) v.*	(Safayn, (Sida Batroolka iwm).
Refinement	*(Refaaynment) n.*	Habka safaynta; Safayn, Safaysan.
Refit	*(Riifit) v.*	Dib u rakibid; dib u sameyn.
Reforest	*(Riiforist) v.*	Dib u dhirayn, beeris kale.
Reform	*(Rifoom) v.*	Dib loo habeeyo.
Reformation	*(Refomeyshan) n.*	Dib u habeyn.
Refrain	*(Rifrayn) v.*	Ka waanin.
Refrigeration	*(Rifirijareyshan) n.*	Qaboojiye.
Refuge	*(Refyuuj) n.*	Hoyga Qaxootiga.
Refugee	*(Refyuujii) n.*	Qaxooti (Qofka).
Refulgent	*(Rifaljan) Adj.*	Widhwidhaya.
Refusal	*(Rifyuusal) n.*	Diidmo.
Refuse	*(Rifyuus) v.*	Diidid.

202

Refute	(Rifyuut) v.	Beenayn; burin.
Regain	(Rigeyn) v.	Dib u helis; dib u helid.
Regale	(Rigeyl) v.	Ka farxin, farxad gelin.
Regard	(Rigaadh) v.	Tix-gelin.
Regency	(Riijansi) n.	Xafiiska qofka ku meel haarka ah.
Regent	(Riijant) n.	Qof si ku meel gaar ah meel loogu dhiibay.
Regicide	(Rejisaaydh) n.	Qofka dila Boqorka, dambiga dilista Boqorka.
Regime	(Reyjiim) n.	Dawlad dal xukunta iyo habka ay ku xukunto.
Regiment	(Rejiment) n.	(Ciidan) joogto ah oo guutooyin ama kooxo loo kala qaybiyey oo uu xukumo Gaashaanle Sare.
Region	(Rijon) n.	Gobol.
Register	(Rejistar) n. v.	Diiwaan; Diiwaan gelin.
Registar	(Rejistaraa) n.	Diiwaan-hayn.
Registration	(Rejistareyshan) n.	Diiwaan gelin.
Regret	(Rigret) v. n.	Ka calaacalid, ka shanlayto.
Regular	(Regyu-la) adj.	Caadi ah.
Reign	(Reyn) n.	Xili xukuumaadeed; xilli dawlad ama boqortooyo talin jirtay.
Reimburse	(Rii'ambees) v.	U magdhabid.
Reinforce	(Riinfoos) v.	Xoojin.
Reinsure	(Rii in shu'a) v.	Dib u hubin, dib u xaqiijin.
Reject	(Rijekt) v.	Diidid; Ku gacan saydhid.
Rejoice	(Rijooys) v.	Farxad gelin.
Rejoin	(Rijoon) v.	Dib u xidhiidhin; Jawaab ama War-gelin.
Relate	(Rileyt) v.	U sheekayn; Xidhiidhin.

Relative	*(Rileytif) n.*	Qaraabo; Ehel.
Relax	*(Rilaaks) v.*	Debcin.
Release	*(Riiliis) v.*	Sii deyn.
Relent	*(Rilant) v.*	Cadha bur-bur.
Reliable	*(Rilaayabul) Adj.*	Laysku halayn karo.
Reliance	*(Rilaayanis) n.*	Aaminid; Isku hallayn.
Relieve	*(Riliif) v.*	Ladnaan; Xanuun ka ladan.
Religion	*(Riliijan) n.*	Diin, caqiidad (Islamic Religion = Diinta Islaamka).
Relinguish	*(Rilingwish) v.*	Samrid.
Relocation	*(Rilokeyshan) n.*	Guurid.
Remain	*(Rimeyn) v.*	Hadhid; Baaqi; Reebid.
Remainder	*(Rimeyndha) n.*	Hadhaa; Daaqi.
Remand	*(Rimandh) v.*	Xabsi ku hayn iyada oo aan la Xukumin; rumaan.
Remarry	*(Riimaari) v.*	Mar Labaad la guursado; Dib u guursi.
Remedy	*(Remadhi) n.*	Daaweyn; Hagaajin.
Remember	*(Rimemba) v.*	Xusuusasho.
Rememberance	*(Rimambaraanis) n.*	Xusuus.
Remind	*(Rimaaynd) v.*	Xusuusin.
Reminisce	*(Riminis) n.*	Ka fekerid ama ka hadlid; Waxyaabo hore u dhacay.
Remiss	*(Rimis) Adj.*	Sag saag; Shaqo ka warwareegid; Dayacid.
Remission	*(Rimishan) n.*	Denbi dhaaf; Saamaxaad.
Remittance	*(Rimitanis) n.*	Lacag dirid.
Remote	*(Rimowt) Adj.*	Fog; Qoto dheer.
Remove	*(Rimuuf) v.*	Eryid; Tuuris; ka saarid.
Remunerate	*(Rimyuunareyut) v.*	Abaal marin.

Rename	*(Riineym) v.*	Magac u bixin; Dib u magacaabid.
Rend	*(Rendh) v.*	Kala jarid; Xoog ku kala qaybin.
Render	*(Rendha) v.*	U celin; Sida Ilaahay mahad u celin.
Renew	*(Rin-yuu) v.*	Cusboonaysiin; Dib u Cusboonaysiin.
Renown	*(Rinawn) n.*	Caan.
Rent 1	*(Rent) n.*	Dalool gaar ahaan dharka; Jeexdin (Dhar).
Rent 2	*(Rent) n.*	Kiro; Ijaar.
Reopen	*(rii-ow-pain) v.*	Dib u furid; Furid mar labaad.
Repair	*(Ripee) v.*	Dayactirid; Dib u hagaajin.
Reparation	*(Ripareyshan) n.*	Magdhow.
Repay	*(Ripey) v.*	U soo celin.
Repeat	*(Ripiit) v.*	Ku celin; dib u bixin (Lacag).
Replace	*(Ripleys) v.*	Dib u dhigid (Walax ama shay); Makaan gelin.
Reply	*(Ripalay) v.*	Warcelin; U jawaabid.
Report	*(Ripot) n v.*	War-bixin.
Repression	*(Ripreyshan) n.*	Cadaadin; Maskaxda ku dirqiyid.
Reprieve	*(Ripiriif) v.*	Dub u dhigid (Sida qof la dilayo oo Wakhtigii dib loogu dhigay).
Reprint	*(Riprint) v.*	Dib u daabicid.
Reproof	*(Repuruuf) n.*	Canaan; Ceeb.
Reptile	*(Reptayl) n.*	Xayawaanka Beerka ku socda; Xamaarato.
Republic	*(Ripablik) n.*	Hab dawladeed oo ay dadku soo doortaan; Madaxa Jamhuuriyadda.
Request	*(Rekuwest) n.*	Codsasho; Weydiisasho; Codsi.
Require	*(Rikuwaya) v.*	U baahan; U Baahasho.
Rescue	*(Reskuvu) v.*	Badbaadin; ka samato bixin.
Research	*(Riseej) n.*	Baadhis si wax Cusub loo soo saaro.

Resemblance	*(Risambalanis) n.*	U ekaan; u eg, isku-ekaan.
Resemble	*(Risambal) v.*	U ekaansho.
Resent	*(Risent) v.*	Nebcaysasho; Nebcaystay.
Reserve	*(Riserve) v.*	Keydsasho; la kaydsaday.
Reservoir	*(Resaf-waa) n.*	Berked; meel biyaha lagu keydiyo.
Reset	*(Riiset)*	Afayn; Soofayn; Dib ugu celin meel hore laga qaaday.
Resettle	*(Riisetel) v.*	Dib u dejin.
Reside	*(Risaydh) v.*	Ku noolaansho.
Residual	*(Risidhyu-al) Adj.*	Gunku-hadh.
Residue	*(Residhiyuu) n.*	Hadhaa.
Resign	*(Risyn) v.*	Ka tegid; (Ruqsayn Shaqo).
Resin	*(Resin) n.*	Xanjadda Dhirta.
Resist	*(Risist) v.*	Caabiyid; u adkaysi.
Resistance	*(Risis-tenis) n.*	Caabi.
Resole	*(Riisowl) v.*	Jaan saarid; Sarsaarid (Kab).
Resolve	*(Risolaf) v.*	Ku goosasho; Ku tashi; Dib u xallid.
Resource	*(Risoos) n.*	Hanti; Qaniimad; Khyraadka dhulka.
Respect	*(Rispekt) n. v.*	Ixtiraam; ixtraamid.
Respiration	*(Res-pireyshan) n.*	Neefsi; neefsasho.
Respire	*(Rispaya) v.*	(Neefsasho).
Respond	*(Rispondh) v.*	Ka jawaabid.
Risponse	*(Rispons) n.*	Jawaab.
Responsible	*(Risponsibul) Adj.*	Mas'uul).
Responsibility	*(Risponsibiliti) n.*	Mas'uuliyad.
Rest	*(Rest) n v.*	Nasasho; Nasad; inta kale.
Restate	*(Riisteyt) v.*	Sheegid mar labaad.

Restaurant	*(Restaran) n.*	Hudheel cunto.
Restore	*(Restoo) v.*	Soo celin (Sida waa la soo celiyey Alaabtii La xaday).
Restrict	*(Ristirikt) v.*	Xadayn.
Result	*(Risalt) n.*	Go'aan; Natiijo; Gabagabo.
Resume	*(Risyuum) v.*	Ambaqaad.
Resuscitate	*(Risasitayt) v.*	Miyiris; Miyirsaday.
Retell	*(Riitel) v.*	Sheegid mar labaad.
Rethink	*(Riithink) v.*	Dib uga fekerid.
Reticule	*(Retikyuul) n.*	Boorsada Dumarka.
Retina	*(Retina) n.*	Liid Xuub ah oo isha gadaal kaga yaal.
Retire	*(Ritaya) v.*	Hawl gabid.
Retool	*(Rituul) v.*	Qalabayn.
Retort	*(Ritot) v.*	Degdeg uga jawaabid.
Retrace	*(Rit-reys) v.*	Dib u raadin.
Retrograde	*(Retrow-gereydh) Adj.*	Dib u jeedin.
Return	*(Riteen) v.*	Soo noqosho; Soo noqod.
Revenge	*(Rifeng) n.*	Aar gudasho.
Revere	*(Rifiya) v.*	Qaderin; la qaderiyo.
Reverse	*(Rifees) v n.*	Kala rogid; Lid.
Review	*(Rif-yuu) v.*	Dib u hubin; Wax ka qorid.
Revile	*(Rifayl) v.*	Naanaysid Xun.
Revise	*(Rifays) v.*	Ku noqosho; Hubin.
Revolution	*(Refaluushan) n.*	Kacaan; Marka meel wax dul wareegaan.
Resolve	*(Rifolf) v.*	Ku warwareejin; ku meerid.
Revolver	*(Rifolfa) n.*	Tumuujad; Baastoolad (Nooca is Cabbeeya).
Reward	*(Riwoodh) n.*	Abaal marin.

Rewrite	(Riirayt) v.	Dib u qorid, Qorid mar labaad.
Rib	(Rib) n.	Feedh.
Rice	(Rays) n.	Bariis.
Rich	(Rij) n.	Taajir; Maaqabeen.
Rickets	(Rikits) n.	Cudur lafaha gala oo gaar ahaan Carruurta ku dhaca.
Ride	(Raydh) v.	Farda fuulid; Fuulid.
Ridiculous	(Ridhik-yulas) Adj.	Wax lagu qoslo.
Rifle	(Rayfal) n.	Rayfal; Nooc ka mid ah Qoryaha Rasaastu ka dhaco.
Right	(Rayt) Adj. n.	Sax; Midig.
Rigid	(Rijidh) Adj.	Wax adag oo aan la qaloocin karon.
Rind	(Reyndh) n.	Qolofta Midhaha.
Ring	(Ring) n.	Far-gal (Kaatun).
Rinse	(Rinis) v.	Dhaqid sida dharka; Biyo kaga saarid.
Riot	(Rayt) n.	Qalalaaso.
Ripe	(Rayp) Adj.	Bis-laad (Sida Midhaha).
Rise	(Rays) v.	soo Bixin; sida dayaxa; Qorraxda.
Risk	(Risk) n.	Khatar; Halaag.
River	(Rifa) n.	Webi.
Road	(Rowdh) n.	Jid; Waddo; Dariiq.
Roam	(Rowm) v.	War-wareegis (Socod) aan ujeeddo lahayn.
Roar	(Roo). v.	Codka libaaxa oo kale ah.
Roast	(Rowst) v. n.	Shiilid; Hilib la shiilay ama Hilib roos ah.
Rob	(Rob) v.	Dhicid sida Xoolaha la dhaco.
Rock	(Rok) n.	Dhadhaab.
Roll	(Rowl) v.	Giringirin

Romance	*(Rowmaanis) n.*	Sheeko ku saabsan mashaakil qof soo maray ama jacayl.
Roof	*(Ruuf) n.*	Saqafka; Dedka (Sida Saqafka Guryaha).
Room	*(Ruum) n.*	Qol.
Root	*(Ruut) n.*	Xidid; (Sida Xididdada Geedka).
Rope	*(Rowp) n.*	Xadhig.
Rot	*(Rot) v.*	Qudhmid; Qaasiyid.
Rotate	*(Rowteyt) v.*	Meel ku wareegid; meel ku wareejin sida afar iyo labaatankii saacba dhulka mar buu isku wareegaa.
Rotten	*(Roton) Adj.*	Qudhun; Khaayis.
Rough	*(Raf) Adj.*	Qalafsan.
Round	*(Rawndh) Adj.*	Qaab goobaabin ah sida kubbadda.
Rouse	*(Raws) v.*	Toosin; Kicin; (Hurdo ka kicin); Hiyi kicin.
Route	*(Ruut) n.*	Waddo.
Row	*(Row) n.*	Tixid; Taxan.
Rub	*(Rab) v.*	Masaxid; Tirtirid.
Rude	*(Ruudh) Adj.*	Dabeecad xun.
Rug	*(Rag) v.*	Roog; Roogga dhulka.
Ruin	*(Ruuwin) v.*	Baabi'in; Burburin.
Rule	*(Ruul) n. v.*	Xukumid (Sida; Wuxuu Xukumaa Gobol).
Rum	*(Ram) n.*	Khamriga laga sameeyo dheecaanka Sonkorta.
Rumour	*(Ruuma) n.*	War aan rasmi ahayn ee dadku isla dhex maraan.
Rump	*(Ramp) n.*	Badhida Xayawaanka ama Xoolaha.
Run	*(Ran) v.*	Orday; Ordid; Orod, Carar.
Rupture	*(Rapja) n.*	Kala jajabid.
Rust	*(Rust) n.v.*	Daxal; daxalaystay.
Ruthless	*(Ruuthlis) Adi*	Bilaa Naxariis; Naxariis laawe.

S

Sabbath	(Saabath) n	Maalin Nasasho.
Sable	(Seybal) n.	Xayawaan yar oo lagu qiimeeyo dhogortiisa qurxda badan; Madow; Murugo.
Sabot	(Saabow) n.	Kab loox kasamaysan; Qaraafiic.
Sabotage	(Sabataaj) n. v.	Curyaamin.
Sabre	(Seyba) n.	Soodh ama binet lagu dagaallamo oo marmaroora.
Sack	(Sak) n.	Joonyad; Kiish (Maro ama wax kale ah).
Sacred	(Seykridh) Adj.	Barakaysan; Barako leh.
Sacrifice	(Sakrifaays) n.	Sadaqo.
Sad	(Sad) Adj.	Murugaysan; Murugo leh; Murugoonaya.
Saddle	(Sadal) n.	Koore; Kooraha faraska dhabarkiisa lagu fariisto.
Saddler	(Saadhala) n.	Qofka koorayaasha sameeya.
Safari	(Safaari) n.	Socdaal, Ugaadhsi ah siiba lagu isticmaalo Bariga iyo Badhtamaha Afrika.
Safe	(Seyf) n.	Khasnad; Ammaan ah; Ka dhowrsanaan khatarta; Badqaba.
Safety	(Seyfti) n.	Ammaan ah; Dhawrsoonis; Badqabis.
Safety-pin	(ɔeyfti-bin) n.	Biinka dharka laysugu qabto.
Sag	(Sag) v.	Soo qalloocsamid; soo godmid.
Sagacious	(Sageyshas) Adj.	Maskax wanaagsan.
Sage	(Seyj) n.	Qof xikmaawi ah; Abwaan; qof murti badan.
Said	(Sedh) Pt.pp.	Yidhi; la yidhi.
Sail	(Seyl) v.	Shiraaca doonyaha; Bad marista; Bad maaxid.

210

Sailor	*(Seyla) n.*	Badmaax; Badmareen; Qofka markabka ama Doonida ka shaqeeya ee la socda.
Saint	*(Seynt) n.*	Weli; Qofka karaamada leh; Qofka weliga ah.
Sake	*(Seyk) n.*	Sidaas daraareed; Daraadeed.
Salaam	*(Salaam) n.*	Salaan.
Salable	*(Seylabal) Adj.*	Iib geli kara; La iibin karo.
Salad	*(Salaadh) n.*	Saladh; Khudrad Cunnada marka la cunayo lagu darsado.
Salary	*(Saalari) n.*	Mushaaro; Lacagta qofka shaqaalaha caadiga ahi uu Bishii mar qaato.
Sale	*(Seyl) n.*	Iib; gadasho.
Salient	*(Seylynt) Adj.*	Ka muuqda; si hawlyar loo garan karo.
Saline	*(Seylaayn) Adj.*	Milix leh; ay milix ku jirto.
Saliva	*(Salaayfa) n.*	Candhuuf; Dhareerka afka.
Saloon	*(Saluun) n.*	Qol markabka ka mid ah oo Dadweynaha ka dhexeeya.
Salt	*(Soolt) n.*	Milix.
Salutation	*(Saalyuteyshan) n.*	Salaan tixgelin Mudan.
Salute	*(Salyuut) n.*	Salaan (Siiba ta Ciidammada).
Salvage	*(Saalfij) n.*	Badbaadinta hantida.
Salve	*(Saaf, Saalf) n.*	Walax dufan ah oo la mariyo dhaawaca ama gubashada; Nabarrada iyo wixii la mida.
Salvo	*(Saalfow) n.*	Xabbad-ridid ama dab ridid looga jeedo salaan ama soo dhaweyn.
Samaritan	*(Samaaritan) n.*	Qofka naxariista leh ee caawiya dadka dhibaataysan.
Same	*(Seym) Adj. pn.*	Isku mid ah; isla mid ah.
Sample	*(Saampal) n.*	Sanbal; Mid la mid ah wax isku nooc ah oo tusaale ahaan loo soo qaaday.

Sanatorium	*(Saanatooriyem) n.*	Isbitaalka Dadka wadnaha ka jirran ama Dadka Xanuunka ka ladnaada lagu xannaaneeyo.
Sanction	*(Saankshan) n.*	Fasax qof la siiyo si uu wax u sameeyo; Oggolaansho loo siiyo awood inuu wax falo.
Sanctity	*(Saank-titi) n.*	Welinimo; Barako.
Sanctuary	*(Saankyuwari) n.*	Meel barakaysan.
Sanctum	*(Saanktam) n.*	Meel barakaysan.
Sand	*(Saand) n.*	Ciid; Camuud.
Sandal	*(Saandhal) n.*	Kabaha Summadda isweydaarsan leh; Sandhal.
Sandwich	*(Saanwij) n.*	Rooti hilib la dhex geliyey.
Sane	*(Seyn) Adj.*	Maskax fayow; aan waalayn.
Sang	*(Saang) pt.*	Heesay; Balweeyey.
Sanguinary	*(Sangwinari) Adj.*	Dhiig badani ku daato.
Sanguine	*(Saangwin) Adj.*	Rajo leh; Dhinaca fiican wax ka eega.
Sanitary	*(Saanitari) Adj.*	Nadiif ah; ka dhowrsan Wasakh iyo wixii kale ee Jirro keenaya; Fayow.
Sanitation	*(Saanteyshan) n.*	Isku Dubbaridista ilaalinta fayada ama Sixada.
Sanity	*(Saanit) n.*	Maskax fayoobi.
Sap	*(Saap) n.*	Qofka nacaska ah.
Sapient	*(Seyb-yant) Adj.*	Fiican; Maskax wanaagsan.
Sardine	*(Saadhiin) n.*	Kalluun yaryar oo cad fiican oo macaan leh.
Sat	*(Saat) pt.pp.*	Fadhiistay; Fadhiyey.
Satan	*(Seytaan) n.*	Shaydaan; Shaydaan ah.

Satchel	*(Saajal) n.*	Shandada lagu qaato alaabta yaryar ee Fudud siiba Buugaagta (Dugsiga iwm) Waxaanay ka samaysan tahay saan ama shiraac iwm.
Sateen	*(Saatiin) n.*	Dhar dhalaala oo cudbi ama suuf ka samaysan.
Satelite	*(Saatalaayt) n.*	Meere ku dul wareega mid kale; Dayax Gacmeed ku dul wareega Dhulka.
Satiable	*(Seysh-yabal) Adj.*	Si Buuxda looga raalli noqdo; aad kuu raalli gelinaya.
Satiate	*(Seyshiyeyt) v.*	Raalli gelin buuxda; La raalli geliyo.
Satiety	*(Sataayati) n.*	Marka ama Xaaladda si Buuxda loo raalli noqdo.
Satin	*(Saatin) n.*	Walax Xariir ah oo dhinac ka jilicsan kana dhalaalaysa.
Satisfaction	*(Saatisfaakshan) n.*	Raalli-gelin.
Satisfactory	*(Saatisfaktari) Adj.*	Raalli gelin leh; Ku siinaya Farxad iyo Raalligelin.
Satisfy	*(Saatisfaay) v.*	La raalli geliyo; Raalli gelin la siiyo.
Saturate	*(Saat-areyt) v.*	Rib ka dhigid (Dareeraha); La gaadhsiiyo Heerka ugu Sarreeya ee Suuragal ah.
Saturday	*(Saatadhay) n.*	Sabti; Maaalinta Sabtida.
Saturnine	*(Saateenaayn) Adj.*	Murugaysan; Murugo leh.
Sauce	*(Soos) n.*	Maraqa Raashinka lagu darsado; Suugo.
Saucepan	*(Soospan) n.*	Digsi dheg la qabto (Sida Maqliga) iyo Fur leh oo Suugada lagu sameeyo.
Saucer	*(Soosa) n.*	Seesar; Saxan yar oo Bagacasan oo Koobka la Dal saaro.
Saunter	*(Soonta) v.*	Temeshlayn; Socod laafyood ah.
Saute	*(Sowtey) Adj.*	Shiilan; la shiilay (Raashin).
Savage	*(Saafij) Adj.*	Badow; Badow ah; Debad galeen ah; Waxshi ah; Axmaq ah.

Savanna	*(Safaana) n.*	Dhulka bannaan ee dhirtu ku yar tahay ama aan lahaynba; siiba Laatiin-Ameerika.
Savant	*(Saafant) n.*	Nin Waxdhigasho fiican leh si weyn wax u dhigtay.
Save	*(Seyf) v.*	Nabad-geliyey; La badbaadiyey; La keydsho; Keydinta Lacagta iwm; Mustaqbalka loo dhigo.
Savour	*(Seyfa) n.*	Dhandhanmaya; Dha dhab ama jeclaysi.
Savoy	*(safooy) n.*	Nooc Kaabashka ka mid ah (Khudaar).
Saw	*(Soo) pt.*	La arkay; Mishaarta lagu jatjaro qoryaha; la miinshaareeyo; Miinshaar ku jarid.
Sawyer	*(Sooya) n.*	Ninka Shaqadiisu tahay inuu qoryaha ama looxaanta ku jarjaro Miishaar ama Miinshaareeyo.
Say	*(Sey) v.*	Dhihid; dheh; la dhaho; la yidhi.
Saxophone	*(Saaksafown) n.*	Aalad Muusikada loo afuufo.
Scabbard	*(Iskaabadh) n .*	Galka Soodhka; Galka tooreyda.
Scaffold	*(Iskaafald) n.*	Sakhaalad; Waxa loo koraa meesha la dhisayo; Jaranjaro.
Scald	*(Iskooldh) v.*	Biyo kulul ku gubasho; Ku gubid biyo Kulul, lagu gubo Biyo Kulul.
Scale	*(Iskeyl) n.*	Qiyaas ka qaadasho.
Scalp	*(Iskaalp) n.*	Madaxa intiisa kale marka laga reebo Wejiga; ama inta timaha leh mooyee Madaxa intiisa kale.
Scalpel	*(Iskaalopal) n.*	Mindi yar oo qalliinka dadka lagu isticmaalo.
Scamp	*(Iskaamp) n.*	Marka hawl ama shaqo loo qabto si aan niyad ahayn; u shaqayn niyad jab leh ama si Caajisnimo ah.
Scan	*(Iskaan) v.*	Aad u eegid; Eegmada ku celcelin; Daymo.

Scandal	*(Iskaandhal) n.*	Fadeexad; Dacaayad.
Scandinavian	*(Iskaandineyfiyan) n.*	Magac laysku yidhaahdo Waddammada kala ah: Dhenmaark, Noorway, Iswiidhan, Aayslaand.
Scant	*(Iskaant) Adj.*	Ay adag tahay siday ugu filaato; Si adag ugu filan.
Scapegoat	*(Iskeypgowt) n.*	Qof lagu ciqaabo ama lagu canaanto Khalad uu qof kale ama cid kale sameeyey ama falay.
Scapula	*(Iskaapyula) n.*	Garabka intiisa ballaadhan ee qarqarka ka hooseeya.
Scar	*(Iskaa) n.*	Xagtin; Xangurufo.
Scarce	*(Iskees) Adj.*	Aan laga haysan tiro ku filan; ka yar intii loo baahnaa.
Scarcity	*(Iskeesiti) n.*	Tiro yaraan; Baahida yar.
Scarcely	*(Iskeesli) Adj.*	Yara; aan yara qeexnayn; Yara malayn.
Scare	*(Iskee) v.*	Baqdin gelin; ka bajin.
Scarf	*(Iskaaf) n.*	Iskaaf; maro luqunta lagu xidho.
Scarlet	*(Iskaalit) n. adj.*	Guduud ama casaan dhalaalaya.
Scatter	*(Iskaata) v.*	Kala baahid; Kala firdhin.
Scavenger	*(Iskaafinja) n.*	Xayawaanka Bakhtiga cuna ama kuba nool.
Scene	*(Siin) n.*	Meesha dhacdo dhab ah ama khayaali ahi ka dhacday; Sharax shil ama qayb ka mid ah qof Noloshii.
Scenery	*(Siinari) n.*	Waxyaabaha dabiiciga ah ee degmo leedahay; Sida Buuraha; Kaymaha; Dooxooyinka iwm.
Scent	*(Sent) n.*	Ur-Udgoon; Urta Naftu jeclaysato.
Sceptic	*(Iskeptik) n.*	Qofka ka shakiya Runta dood gaar ah ama fikrad gaar ah iwm leedahay.
Schedule	*(Shedh-yuul) n.*	Faahfaahin ama qoraallo tusaaya wax lagutala galay; Jadwal.

Schematic	*(Iskiimaatik) Adj.*	Wax marka sawir ahaan lagu Tusaaleeyo, ee qorshe ama nidaam (hab).
Scheme	*(Iskiim) n.*	Isku duba ridis; Nidaam ama hab isku hagaajin; Qorshe; Isku dubaridid; Hab u sii dejin Mashruuc.
Schnorkel	*(Shinookal) n.*	Aalad ama qalab ka sameysan Tuubo dheer oo Maraakiibta badda hoos marta (Gujis) u suurta gelisa in ay hawo neecaw ah helaan; qalabka Neefsashada ee dabbaal Muquurasgada.
Scholar	*(Iskola) n.*	Qofka dugsiga dhigta; Ciyaala-Iskuul; Qofka Aqoonta badan leh.
Scholarship	*(Iskolashiip) n.*	Deeq Waxbarasho.
School	*(Iskuul) n.*	Dugsi; Iskuul; Meesha wax lagu barto; Tiro weyn ama tiro badan oo kalluun ah; Raxan Kalluun ah oo wada dabbaalanaya.
Sciatic	*(Saayaatik) Adj.*	Ee misigta; La xidhiidha Misigta.
Science	*(Saayanis) n.*	Saynis; Cilmid dabeecadeed.
Scientific	*(Saayantifik) Adj.*	Cilmiyeysan; Cilmi ku dhisan.
Scimitar	*(Simata) n.*	Seef gaaban oo yara qaalooban oo laga Isticmaali jiray Beershiya; Carabta iyo Turkiga.
Scisssor	*(Sisa) n.*	Maqas ama Manqas; ka dharka marka la tolayo lagu Jarjaro.
Sclerosis	*(Iskilyarowsis) n.*	Jirro keenta ama dhalisa in Xubnaha Jiljilicsan ee Halbowlayaashu ay adkaadaan.
Scold	*(Iskowld) v.*	Canaan ay hadallo cadho lihi weheliyaan.
Scoop	*(Iskuup) n.*	Masaf ama mafag.
Scooter	*(Iskuuta) n.*	Dhugdhugley; Mooto.
Scorch	*(Iskooj) v.*	Engejin; Qallajin; Gubid ama kul ku engejin.

216

Score	*(Iskoo) n.*	Dhibco (Buundo Tirsiga Ciyaaraha); Lagu Calaamadeeyo ama lagu sunto Jaris; Xagtin; Xariiq.
Scorn	*(Iskoon) n.*	Xaqirid; La xaqiro; aan tixgelin la siin.
Scorpion	*(Iskoobiyan) n.*	Dib-qalloc ama daba-Qallooc; Hangarale.
Scotch	*(Iskoj) Adj.*	Dhaawicid ama nabar ku dhufasho aan dil ahayn.
Scoundrel	*(Iskawndhral) n.*	Qof aan waxba isku falayn; Qof aanay waxba ka xaaraan ahayn.
Scour	*(Iskawa) v.*	Xaquuq ama xoqid ku nadiifin; Loo baahdo si aan degganayn; Degdeg ku daydayid (Doondoonid).
Scowl	*(Iskawl) n.*	Huruufid; Si xun u eegid; Huruuf.
Scrag	*(Iskaraag) n.*	Qofka ama Xayawaanka Caatada ah; Raqabada ama luqunta idaha inta lafaha ah ee Maraqa lagala baxo.
Scram	*(Iskaraam) Int.*	Bax; Orod; Carar.
Scramble	*(Iskarambal) v.*	Korid; Fanansho; Kuwo kale la halgamid.
Scrap	*(Iskaraap) n.*	In yar; Qidcad yar; Qodobo aan la rabin ama qashin ah.
Scrape	*(Iskareyp) v.*	Xaquuq; Isku simid; Saliilyo (Sanqadha ama Jiiqjiiqda ay dhaliso).
Scraper	*(Iskareypa) n.*	Qalabka wax lagu xoqo ama xaquuqo.
Scratch	*(Iskaraj) v.*	Xangaruufo; Xagtin.
Scream	*(Iskiriim) v.*	Qaylada dhuuban (Xayawaanka: Carruurta; Shimbiraha; is xoqa raha iwm).
Screen	*(Iskiriin) n.*	Boodhka filimka laga daawado; Muraayadda hore ee Baabuurka iwm; Wixii wax laga arko.

Screw	(Iskuruu) n.	Musmaarka.
Script	(Iskiript) n.	Qoraal; Far ka qoro; Far gacanta lagu qoro.
Sculpture	(Iskalapja) n.	Qoridda: (Qori; Dhagax; Bir; iwm).
Sea	(Sii) n.	Bad.
Search	(Seej) v.	Baadigoobid
Season	(Siisan) n.	Xilli; Fasal; (Gu', Dayr, Xagaa, Jiilaal) Qaybaha Sannadka.
Seat	(Siit) n.	Fadhi; fadhiisin.
Second	(Sekand) Adj.	Labaad; ka labaad; Ilbiriqsi: 1/60 Daqiiqad.
Secondary	(Sekandari) Adj.	Ka muhiimka ah; Sare (Secondary School 5Dugsiga Sare).
Secret	(Siikrit) Adj.	Sir; Qarsoodi; Qarsoon.
Secretary	(Sekritari) n.	Xoghaye.
Section	(Sekshan) n.	Qayb; Qormo.
Sector	(Sekta) n.	QAybo goobo ka mid ah oo u dhexaysa laba Xarriiqood oo isku xidha.
Secure	(Sikyuuwa) Adj.	Badbaadsan; Nabadqaba.
Security	(Sikyuwariti) n.	Nabadgelyo; Badbaado; Nabadqab.
Sediment	(Sedhimant) n.	Huubo; Huubaha ka hara wax la Isticmaalay.
See	(Sii) v.	Arag; Fiiri; Arkid; Fiirin.
Seed	(Siidh) n.	Iniin; Midhaha iniintooda.
Seek	(Siik) v.	Doondoonid; u eegid.
Seem	(Siim) v.	La moodo; u sansaan eg.
Seesaw	(Siisoo) n.	Leexo; Loox dheer oo laba qof Midba dacal kaga fariisto oo laysku ruxo.

Segment	(Segmant) n.	Gobol; Go' ama qayb.
Segregate	(Segrigeyt) v.	Laga sooco inta kale; Gooni ka geysid kuwa kale.
Seismology	(Saaysmoliji) n.	Cilmiga (Sayniska) Dhulgariirka.
Seize	(Siis) v.	Qabasho.
Seldom	Seldham) Adj.	Marmar ama Wakhti; Maaha had iyo jeer.
Select	(Silekt) v.	Ka doorasho; Xulasho.
Selection	(Silekshan) n.	Xul; Doorasho.
Self	(Selef) n.	Naf; iska; Iskii;, Iskeed; iwm.
Selfish	(Selffish) Adj.	Anaani; Aan dan ka gelin kuwa kale; had iyo jeer aan u danayn cid kale.
Sell	(Sel) v.	Iibisid; Gadid (Sida Dukaanka iwm).
Semen	(Siimen) n.	Mani; Shahwada labka.
Semester	(Simesta) n.	Sannad dugsiyeedka barkii ama sannad Jaamacadeedka badhkii.
Semi	(Semi) Pref.	(Hordhig) = Barkii; Sida goobada badhkeed.
Seminar	(Semina) n.	Aqoon-isweydaarsi; Siminaar; Wax-barasho gaaban.
Senate	(Senit) n.	Golaha MUdanayaasha.
Send	(Send) v.	Dir; Dirir; Dirto; U dirid; loo diro ama la diro.
Senior	(Siinya) Adj.	Ka sare; heer sare ah; u sarreeya xagga derejada; awoodda.
Sensation	(Senseyshan) n.	Dareen; Dareemis.
Sense	(Senes) n.	Dareen; Dareemayaal sida indhaha; dhegta iwm.
Senseless	(Senislis) Adj.	Maalayacni; Nacasnimo.

Sensible	(Sensibal) Adj.	Caqliga gali kara; La qaadan karo; Macno samayn kara ama la rumaysan karo.
Sensitive	(Sensitif) Adj.	Dareemi og; Dareen badan.
Sentence	(Sentanis) n.	Weedh; Weedho; Erayo hadal macne leh sameynaya.
Sentry	(Sentari) n.	Askariga Waardiyaha ah (Ilaaliyaha).
Separate	(Separeyt) Adj.	Kala Soocan; La kala qaybshay; Kala gooni ah; Kala sooc.
September	(Septemba) n.	Bisha sagaalaad (9) ee Sannadka Miilaadiga, Sibtembar.
Sequence	(Siikwenis) n.	Isku xigxiga; Isdaba-jooga; isku xirxiriirsan.
Sergeant	(Saajant) n.	Saddex Alifle (Drajo ciidan) : Saajin.
Serial	(Si-ariyel) Adj.	Taxane ah.
Series	(Si-ariis) n.	Taxan (Aan is beddelin); Isku xidhiidhsan.
Serious	(Siyariyas) Adj.	Khtar ah; il-daran; Halis ah.
Servant	(Seefant) n.	Qofka adeega; Adeege; Shaqaale.
Serve	(Seef)	U adeegidda; Adeegid.
Service	(Seefis) n.	Adeegnimo-Shaqo.
Set	(Set) v.	Dhicista ama gabbashada; Dhicista (Cadceedda; Dayaxa; Xiddigaha iwm); Tiro alaab ah oo isku nooc; Nidaamin.
Settle	(Setel) v.	Degid; Dejin; la dego ama la dejiyo.
Settlement	(Settlmant) n.	Degganaansho; Dejin; Degmo; deggan.
Sever	(Sefa) v.	Jarid; Goyn.
Several	(Seferal) Adj.	Dhawr; Saddex ama ka badan.
Severe	(Sifiye) Adj.	Si adag; Xaal adag; (Qallafsan); Xoog leh.

Sew	*(Sow) v.*	Tolis; Tolid (Irbad & Dun la isticmaalo).
Sewing-machine	*(Sawing-mashiin) n.*	makiinadda Dharka lagu tolo; Dawaar.
Sex	*(Sekis) n.*	Labood ama dheddig.
Sexual	*(Sek-shuwal) Adj.*	La xidhiidha galmo iwm; Galmo.
Shade	*(Shiyedh) n.*	hadh; hadhayn; Hoos.
Shackale	*(Shaakal) n.*	Seeto, Shakaal.
Shadow	*(Shaadhow) n.*	Hadhaysan; Hoosis.
Shady	*(Shiyedi) Adj.*	Hadhac; hadh leh.
Shaft	*(Shaaft) n.*	Daab; Sabarad.
Shake	*(Shiyek) v.*	Lulid; Ruxruxid; Dhaqdhaqaajin.
Shaky	*(Shiyeki) Adj.*	Lulmaya; Gariiraya; Ruxmaya.
Shallow	*(Shaalow) Adj.*	Aan hoos u dheerayn; Gun dhaw.
Shame	*(Shuyem) n.*	Isku sheexid;Isla yaabid.
Shampoo	*(Shaambuu) n.*	Saabuun dareere ah oo timaha Madaxa lagu maydho (Dhaqo).
Shank	*(Shaank) n.*	Dhudhunka lugta (Inta u dhexaysa Jilibka iyo Raafka).
Shape	*(Shiyep) n.*	Qaab.
Share	*(Shee) n.*	Saami; Qayb.
Sharp	*(Shaap) Adj.*	Fiiqan.
Shatter	*(Shaata) v.*	Burbur qarax oo kale ah.
Shave	*(Sheyf) v.*	Xiirista Gadhka; Gadh xiirid.
Shawl	*(Shool) n.*	garbo-saar; Shalmad.
She	*(Shii) Pron.*	Iyada; Qofka dheddigga iwm.
Sheep	*(Shiip) n.*	Adhi; Ari; Ido.
Sheet	*(Shiit) n.*	Harqad, Durraaxad; Xaashı ama Harqad iwm.

Shelter	*(Shelta) n.*	Hooy.
Shepherd	*(Shipadh) n.*	Arijir; Qofka ariga raaca.
Shield	*(Shiild) n.*	Gaashaan.
Shift	*(Shift) v.*	Meel ama jiho ka beddelid; Koox shaqaale ah oo shaqada mar wada wada gala (Qabta).
Shine	*(Shaayn) v.*	Widhwidhin; Dhalaal cad.
Ship	*(Ship) n.*	Markab.
Shirt	*(Sheet) n.*	Shaadh; Shaati; Qamiis.
Shock	*(Shok) n.*	Naxdin; Argagax.
Shoe	*(Shuu) n.*	Kab.
Shoot	*(Shuut) v.*	Toogasho; Dhug ama shiishid.
Shop	*(Shop) n.*	Dulaan; daas ama macdaar.
Shore	*(Shoo) n.*	Qooriga Badda.
Short	*(Shoot) Adv.*	Gaaban.
Shortage	*(Shootij) n.*	Yaraan; Gaabnaan; aan ku filnayn.
Shorts	*(Shootis) n.*	Surwaalka gaaban (Ka kubadda lagu Ciyaaro).
Shoulder	*(Showldha) n.*	Garab; Garabka gacanta dusheeda ah.
Shout	*(Shawt) n.*	Qaylo.
Shovel	*(Shafal) n.*	Manjarafad (Ta ciidda iwm lagu qaado).
Show	*(Show) v.*	Tusid.
Shrimp	*(Shirump) n.*	Aargoosasho.
Shrink	*(Shirink) v.*	Isku roorid; Isku ururid (Sida dharka qaar marka la mayro).
Shroud	*(Sharowdh) n.*	Kafan; Marada Maydka lagu duubo.
Shrub	*(Sharab) n.*	Dhirta laama-yarada ah ee dhowrka Jirridood (ee yaryar) leh.

Shrug	(Sharag) v.	Garab gundhin.
Shut	(Shat) v.	Xidh; Xidhid.
Shy	(Shaay) Adj.	Xishoonaya ama xishoonaysa; Xishood leh.
Sick	(Sik) Adj.	Buka; Jirran; Xanuunsanaya.
Sickle	(Sikal) n.	Majo; Qalab lagu jaro cawska; Gallayda; Haruurka iwm.
Sickness	(Siknis) n.	Jirro; Bukaan; Xanuun.
Side	(Saaydh) n.	Dhinac; Hareer.
Siege	(Siij) n.	Qabashada ciidan xoog ku qabsado magaalo iwm.
Siesta	(Siyesta) n.	Wakhtiga u dhexeeya duhurka iyo Casarka ee la nasto ama la seexdo.
Sight	(Saayt) n.	Aragga; Aragti; Aragga ama wax arag.
Sightless	(Saaytlis) Adj.	Arag darro; indho la'i.
Sign	(Saayn) n.	Summad; Astaan; Saxeexid.
Signal	(Signal) n.	Seenyaale.
Signature	(Signaja) n.	Saxeex.
Significant	(Signifikant) Adj.	Aad lagama maarmaan u ah; qiimo u ah; qiimo u leh.
Silence	(Saaylans) n.	Aamusnaan; Jabaq la'aan; Sanqar la'aan.
Silent	(Saaylant) Adj.	Aamusan.
Silk	Silik) n.	Xariir.
Silly	(Sili) Adj.	Doqon; Dabbaaal.
Silver	(Silfa) n.	Qalin (Macdan) qaali ah.
Similar	(Simila) Adj.	U eg; la jaad ah.
Simple	(Simpal) Adj.	Fudud; aan adkayn; Hawl yar ama muhiim ahayn.

Simultaneous	*(Simaltiyanyas) adj.*	Dhaca isku mar qudha.
Sin	*(Sin) n.*	Dembi; Sharci jabin.
Sincere	*(Sinsiye) Adj.*	Mukhlis ah.
Sing	*(Sing) v.*	Heesid; La heeso.
Single	*(Singal) Adj.*	Keli ah; Mid qudha; keli.
Singlet	*(Singlit) n.*	Garan; Marada shaadhka laga hoos xidho.
Singular	*(Singyula) Adj.*	Keli (Naxwe).
Sink	*(Sink) v.*	Qarraq; Degista Biyaha la maquurto.
Sir	*(See) n.*	Mudane; Erey ixtiraam-muujin ah oo ragga lagu yidhaa.
Sisal	*(Sisal) n.*	Xigga, Xig, Xaskusha.
Sister	*(Sista) n.*	Walaasha; Walaal (Gabadh ah).
Sit	*(Sit) v.*	Fadhiisin; Fadhiisad.
Situated	*(Sit-yuweytidh) Adj.*	La dejiyey; Xaal xumi; Ku yaalla.
Situation	*(Sityuweyshan) n.*	Degaan; Xal (Siday arrimuhu yihiin).
Six	*(Sikis) Adj. n.*	Lix; Tirada ah Lix = 6.
Size	*(Saays) n.*	Inta wax dhumucdiisu ama baaxaddiisu tahay.
Skeleton	*(Iskelitan) n.*	Dhiska lafaha jirka.
Sketch	*(Iskej) n.*	Sawir-gacmeed dhakhso loo sameeyey.
Skew	*(Iskyuu) Adj.*	Duwid; Dhinac u qalloocin; Aan toosnayn.
Skill	*(Iskil) n.*	Xirfad.
Skin	*(Iskin) n.*	Harag; Maqaar; Saan.
Skip	*(Iskip) n.*	Booddo awreed.
Skirt	*(Iskeet) n.*	Kurdad; Toob gaaban.
Skull	*(Iskal) n.*	Lafta Madaxa.

Sky	(Iskaay) n.	Cirka.
Slap	(Islaap) v.	Dhirbaaxid; Dhirbaaxo.
Slattern	(Islaatan) n.	Basari; Baali.
Slaughter	(Isloota) n.	Gawracidda iyo Qalista Xoolaha.
Slave	Isleyf) n.	Addoon.
Slay	(ISley) v.	Gawracis; Qalis; Dilid (Nafta ka Qabasho).
Sleep	(Isliip) n.	Hurdo; Seexasho.
Sleepy	(Islipi) Adj.	Lulo; Laamadoodaya.
Slight	(Islaayt) Adj.	Xoogay; Yar.
Slip	(Islip) v.	Simbiriririxasho; Siibasho.
Slogan	(Islowgan) n.	Hawl ku dhig (WEER).
Slope	(Islowp) n.	Tiiro, Janjeer.
Slot	(Islot) n.	Jeexdin Jeexdin aan daloolin oo wax lagu ridi karo.
Sloven	(Islafen) n.	Qof basari ah; Qofka (feejig darro) Qaabxumida; Labbis Xun leh.
Slow	(Islow) Adj.	Qunyar; Aayar.
Sluggard	(Islagadh) n.	Qunyarluud; Caajis; Aayar socda.
Small	(Ismool) Adj.	Yar; Aan weyneyn.
Smart	(Ismaart) Adj .	Widhwidhaya; Xariif ah; Si fiican u labbisan.
Smell	(Ismel) n.	Ur.
Smelt	(Ismelt) v.	Dhalaalinta Birta (Kala Soocidda); Ilka caddeeyey.
Smile	(Ismaayl) n.	Ilka caddeyn.
Smith	(Ismith) n.	Tumaal; Birtun.
Smoke	(Ismowk) n.	Qiiq; Qaac; Sigaar cabid.
Smooth	(Ismuuth) Adj.	Siman; Si fiican; Siman.

Smuggle	*(Ismagal) v.*	Koontarabaanin; Koontarabaan.
Snake	*(Isneyk) n.*	Mas.
Snare	*(Isnee) n.*	Dabin.
Snatch	*(Isnaaj) v.*	Boobis; Ka gaadhsiin.
Sneak	*(Isniik) v.*	Dhuumasho; Ka war-sheekood.
Sneeze	*(Isniis) n.*	Hindhiso.
Sniff	*(Isnif) v.*	Fiifsi; Neef ka qaadasho xagga sanka oo Sanqadh leh.
Snore	*(Isnoo) n.*	Khuurin; Khuurayn (Hurdada dhexdeeda).
Snow	*(Isnow) n.*	Baraf-dhado.
Snuff	*(Isnaf) n.*	Buuriga Sanka, Buuri san ka qaadasho.
Snug	*(Isnag) adj.*	Dugsi leh; Laga ooday dabaysha iyo Dhaxanta.
Soak	*(Sowk) v.*	Qoyaan; lo qooyo; Qooyn.
Soap	*(Sowp) n.*	Saabuun.
Soar	*(Soo) v.*	Hawada loo gano.
Social	*(Sowshal) Adj.*	Wada noolaasho; Bulsho wada nool.
Socialism	*(Sow-shalisam) n.*	Hantiwadaag.
Society	*(Sasaayati) n.*	Bulsho wada nool oo isku dhaqan ah; Mujtamac.
Sociology	*(Sowsi-olaji) n.*	Sayniska ama cilmiga dabeecadda iyo Korniinka Bulshada.
Sock	*(Sok) n.*	Sharaabaad; Maro cagaha kabaha Buudhka ah loo gashado.
Socket	*(Sokit) n.*	Meel ay wax ku dhex jiraan (Sida godka isha); Daloolada korontada laga qaato (Fiish) Bareeso.
Soda	*(Sowdha) n.*	Walax kimiko oo lagu daro waxyaabaha Khamiirinta u baahan ama saabuunta.

Sodium	*(Sowdhyam) n.*	Curiye(Na) Milixda ku jira.
Sofa	*(Sowfa) n.*	Kursi fadhi oo dheer ee dhowr qofi ku fariisan karto.
Soft	*(Soft) adj.*	Jilicsan.
Soil	*(Sooyal) n.*	Ciid.
Solar	*(Sowla) Ajd.*	Cadceedeed; Cadceedda ah.
Solder	*(Sooldha) n.*	Laxaamad.
Soldier	*(Sowljee) n.*	Askari.
Sole	*(Sowl) n.*	Sarta hoose ee kabaha: Midka keli-ya: Kalluun balaaran oo badda ku jira.
Solemn	*(Solam) Adj.*	Nidar; Si niyad ah.
Solid	*(Solidh) Adj.*	Adke.
Solidarity	*(Soladaariti) n.*	Isku xidhnaan.
Solitary	*(Solitari) Adj.*	Keli-nool; Aan la wehelin; Kelinimo.
Soluble	*(Sol-yubal) Adj.*	Milmi kara; Ku dhex qasmi kara da-reeraha.
Solution	*(Saluushan) n.*	Qoosh; Xalilid.
Solve	*(Solaf) v.*	Xallilaad.
Solvent	*(Solfant) Adj.*	Mile.
Some	*(Sam) Adj. pron. adv.*	Xoogaa yar.
Somebody	*(Sam-badhi) Pron.*	Qof.
Somehow	*(Sam-haaw) Adv.*	Si ahaan.
Something	*(Sam-thing) Pron.*	Wax.
Sometimes	*(Sam-taaymis) Adv.*	Marmarka qaarkood.
Somewhat	*(Sam-wot) Adv.*	Waa yara.
Somewhere	*(Samwee) Adv.*	Meel (Aan aad loo garanayn).
Son	*(San) n.*	Igaar; Inanka (la dhalay).
Song	*(Song) n.*	Hees.

Sonic	(Sonik) Adj.	La xiriira dhawaaqa (Sanqarta).
Soon	(Suun) Adv.	Dhakhso.
Soot	(Sut) n.	Manduul; Madowga meel ku samaysma qaac markuu ku baxo.
Soppy	(Sopi) Adj.	Aad u qoyan.
Sorghum	(Soogam) n.	Masaggo.
Sorrow	(Sorow) n.	Murugo.
Sorry	(Sori) Adj.	Ka xumaansho: Waan ka xumahay!
Sort	(Soot) n. '	Nooc.
Soul	(Sowl) n.	Nafta, Qudha;
Sound	(Sawnd) n.	Dhawaaq; Jabaq; Sanqadh; Caafimaad-qab; Qiyaasta dhererka hoos ee badda iwm.
Soup	(Suup) n.	Maraq; Fuud.
Sour	(Sawa) Adj.	Dhanaan.
Source	(Soos) n.	Meesha wax ka soo baxaan; Sida isha Biyaha ama Mishiinka korontada dhaliya.
South	(Sawth) n.	Koonfur (JIHO).
Southern	(Sadan) Adj.	Ee koonfureed; Koonfur ah.
Sow	(Sow) v.	Shinniyeynta beerta; Midho ku beeridda beerta.
Space	(Ispeys) n.	Meel banaan oo sidaas u sii wenayn.
Spade	(Ispeyd) n.	Manjarafad; Nooc turubka ka mid ah.
Spanner	(Ispaana) n.	Baanad, Qalabka Boolasha lagu furo.
Spare	(Ispee) Adj.	Dayactir; Keyd.
Spark	(Ispaak) n.	Dhinbiil (Falliidh dab ah) .
Speak	(Ispiik) v.	Hadal; La hadlo.

Spear	*(Ispiye) n.*	Waran.
Special	*(Ispeshal) Adj.*	Gaar; Khaas; Laba-daraale.
Specific	*(Ispisifik) Adj.*	Wax gaar ah; Si gaar ah.
Specimen	*(Ispesimin) n.*	Mid tusaale ah.
Spectator	*(Ispekteyta) n.*	Daawadaha (Siiba Ciyaar), qofka daawanaya wax (Ciyaar; Riwaa-yad iwm).
Speech	*(Ispiij) n.*	Hadal; Khudbad.
Speed	*(Ispiidh) n.*	Xawaare; Xawaareyn.
Spell	*(Ispel) v.*	Yeedhis (Erayo ah) Xarfaha uu eraygu ka kooban yahay.
Spend	*(Ispend) v.*	Kharash garayn; Kharshiyeyn; Istic-maalid.
Sperm	*(Ispeem) n.*	Manida labka (Shahwada).
Spice	*(Ispaays) n.*	Xawaash; Walxaha raashinka iyo Shaaha udgooneeya.
Spider	*(Ispaaydha) n.*	Caaro (Naflay yar oo khafiif ah).
Spin	*(Ispin) v.*	Samaynta dunta; Wareejin ama du-bid.
Spine	*(Ispaayn) n.*	Laf-dhabar.
Spinal-cord	*(Ispaanlakodh) n.*	Xangulayda Laf-dhabarta ku dhex jirta.
Spiral	*(Ispaayaral) Adj. n.*	Mardhacyo leh; Garaaro leh.
Spirit	*(Ispirint) n.*	Ruux, Naf, Niyad.
Spit	*(Ispit) v.*	Candhuuf tufid.
Spittle	*(Ispitil) n.*	Dhareerka afka; candhuuf.
Split	*(Ispiit) n.*	Kala jabin.
Spoil	*(Ispooyl) v.*	Kharibaad; Wax Xumayn.
Spokesman	*(Ispookismaan) n.*	Af-hayeen; Nin af-hayeen ah.
Sponge	*(Ispanj) n.*	Buush.

Spoon	*(Ispuun) n.*	Qaaddo; Malqacad.
Sport	*(Ispoot) n.*	Ciyaar = Ciyaar la daawado oo tartan ah.
Spot	*(Ispot) n.*	Bar; Dhibic, meel gaar ah.
Spray	*(Isprey) n.*	Buufin.
Spread	*(Ispredh) v.*	Firdhin; fidin, kala filqin.
Spring	*(Ispring) n.*	Isbiriin, Kariirad; kaamaan; gu' (Fasalka dhexeeya Jiilaalka iyo Xagaaga).
Spy	*(Ispaay) n.*	Basaas; Jaajuus.
Square	*(Isk-wee) n.*	Labajibbaar.
Squeeze	*(Isk-wiis) v.*	Maroojin.
Squint	*(Isk-wint) v.*	Indhaha cawaran; Cawarrada indhaha.
Squirrel	*(Isk-wiral) n.*	Soongur, (bahal yar oo dabagaalaha u eg).
Stable	*(Isteybal) Adj.*	Xidhan; Adag oon dhaqdhaqaaqayn; Xerada Fardaha.
Stadium	*(Isteyd-yam) n.*	Xero loogu talagalay Ciyaaraha lagu qabto; garoon ciyaareed.
Staff	*(Istaaf) n.*	Shaqaale; Shaqaale meel ka shaqeeya.
Stage	*(Isteyj) n.*	Marxalad: Meesha (Meel kor u yara dheer) Qofka hadlayaa ama qudbadeynayaa isku taago.
Stagger	*(Istaaga) v.*	Heedadow; Dhacdhacid (Sida qofka Sikhraansan).
Stair	*(Sitee) n.*	Jaranjaro.
Stammer	*(Istama) v.*	Haghago (Marka la hadlayo oo hadalka la qabqabto.
Stamp	*(Istaamp) n.*	Shaambad; Tigidh ama shati (Ka boosta oo kale).
Stand	*(Istaand) v.*	Istaag; Sarejoog; Kicin.

Standard	*(Istaandhadh) n.*	Heer.
Star	*(Istaa) n.*	Xiddig.
Stare	*(Istee) v.*	Ku dhaygagid (Eegmo).
Start	*(Istaat) v.*	Bilow; Bilaabid.
Starve	*(Staaf) v.*	Macaluulid.
State	*(Isteyt) n.*	Waddan; Xaalad; Sheeg.
Station	*(Isteyshan) n.*	Meel (Wax deggan yihiin) Istaan ama Boostejo.
Statistics	*(Istaatistikis) n.*	Tiro koob.
Statue	*(istaat-yuu) n.*	Sanam; Meesha Idaacadda ama TV-iiga hadalka iyo Barnaamijyada laga sii daayo.
Stature	*(Istaaja) n.*	Joogga Qofka.
Stay	*(Istay) v.*	Joogis; Joogid.
Steady	*(Istedhi) Adj.*	Deggan.
Steam	*(Istiim) n.*	Qaac; Uumi.
Steel	*(Istiil) n.*	Bir adag oo ah isku darka xadiidka iyo Kaarboon ama Curiye kale.
Steep	*(Istiip) Adj.*	Aad u janjeedha; Janjeera.
Steering	*(Isteyring) n.*	Shukaan.
Stem	*(Istem) n.*	Jirrid.
Step	*(Istep) n.*	Tallaabo.
Sterile	*(Isteraayl) Adj.*	Ma dhalays ah.
Stethoscope	*(Istedeskowb) n.*	Qalab (Aalad) uu takhtarku dhegaha gashado oo ay ku dhegaystaan sanqarta Jidhka hoostiisa.
Stick	*(Istik) n.*	Ul.
Sticky	*(Istiki) Adj.*	Dhedheg ah.
Stiff	*(Istif) Adj.*	Aan si hawl yar loo qalloocin karin ama la qaab beddeli karin.

231

Stifle	*(Istaayfal) v.*	Neef-qabatow.
Still	*(Istil) Adv. adj.*	Dhaqdhaqaaq iyo Jabaq la'aan; Weli (Aan weli).
Stir	*(Istee) v. n.*	Walaaqid; Lulid; Xabsi.
Stock	*(Istok) n.*	Jirridda hoose; Cammiraad.
Stomach	*(Istamak) n.*	Calool.
Stone	*(Istown) n.*	Dhagax.
Stooge	*(Istuuj) n.*	Dabadhilif; ka lagu adeegsado ama adeegto.
Stool	*(Istuul) n.*	Kursi dheer; Saxaro.
Stop	*(Istop) v.*	Joojin; Istaag; Joogso.
Store	*(Istoo) n.*	Bakhaar; Qolka kaydka; Kayd; Kaydin.
Storey	*(Istoori) n.*	Dabaq ka mid ah Guriga ama dhismaha fooqa ah.
Storm	*(Istoom) n.*	Duufaan.
Straight	*(Istreyt) Adj.*	Toosan; Qumman; Qumaati ah; aan qallocnayn.
Story	*(Istoori) n.*	Sheeko.
Strange	*(Ist-reynj) Adj.*	Yab; Fajac; Aan hore loo arag.
Strangely	*(Ist-reynjli) Adj.*	Si aan la arki jirin.
Stranger	*(Ist-reynja) n.*	Qof qalaad oo qariib ah.
Strangle	*(Istrangal) v.*	Cunoqabad lagu dilo; Cunaha la qabto, Ceejin.
Strategy	*(Istraatiji) n.*	Meel dagaalka ku habboon muhiin ah.
Stream	*(Istiiriim) n.*	Il (ta Biyaha oo kale); Iliilad.
Street	*(Istiriit) n.*	Suuq; Waddada magaalo ku taal ee aqalladu hareeraha kaga soo jeedaan (Labada dhinac).

Strength	*(Istrenth) n.*	Xoog.
Stress	*(Istres) n.*	Cadaadin; Xoog saaris.
Stretch	*(Istrej) v.*	Kala bixin; Kala fidin.
Strict	*(Isrikt) Adj.*	(Xaal) Adag.
Strike	*(Istraayk) n.*	Mudaaharaad, Giriifid; Garaacid.
String	*(Istring) n.*	Xarig; Khayd.
Strip	*(Istrip) v.*	Ka bixin; Qaawin (diir ama qolof) ka xuubin ama ka xayuubin.
Stroll	*(Istrowl) n.*	Tamashlayn.
Strong	*(Istrong) Adj.*	Xoog ah; Xoog leh; Xooggan.
Structure	*(Istrakja) n.*	Muuqaal.
Struggle	*(Istragal) v.*	Halgan; Halgamid.
Stub	*(Istab) n.*	Gummud, (Haash), Dabo.
Stubborn	*(Istaban) Adj.*	Canaadi.
Stuck	*(Istak) v.*	Waa dhidban yahay; aan dhanna u baxayn; Hadalkiisa taagan.
Student	*(Istyuudhan) n.*	Arday (Siiba ka Jaamacadda dhigta).
Study	*(Istadhi) n.*	Wax-barasho.
Stumble	*(Istambal) v.*	Harraatida; Turunturo.
Stupid	*(Istyuupidh) Adj.*	Fikrad gaab ah; Nacasnimo; Dammiin.
Style	*(Istaayl) n.*	Hab (Qoraal hadal; Dharxidhasho iwm).
Subcontract	*(Sabkont-raakt) n.*	Qandaraas ka sii qaadasho.
Subdivide	*(Sab-difaaydh) v.*	Sii kala qaybin kale.
Subject	*(Sabjakt) n.*	Maadad; Hoos yimaada.
Submarine	*(Sabmariin) Adj.*	Badda hoosteeda; Gujis (Markab dagaal oo badda hoos mara).

Submit	*(Sabmit) v.*	Isu dhiibid.
Subordinate	*(Saboodhinit) Adj.*	Hooseeya; Ka hooseeya.
Substance	*(Sabistanis) n.*	Walax; Shay.
Substitute	*(Sabistityuut) n.*	Ku beddelid; Isku beddelid.
Subtract	*(Sabtaraakt) v.*	Ka jarid; Tiro laga jaro tiro kale $6 - 2 = 4$.
Succeed	*(Saksiidh) v.*	Guuleysi.
Success	*(Sak-ses) n.*	Guul.
Successive	*(Sek-Sesif) Adj.*	Isku xigxiga.
Succour	*(Saka) n.*	Macaawimo; Gargaar.
Such	*(Saj) Adj. Pron.*	Oo kale; Sidaa oo kale.
Suck	*(Sak) v.*	Nuugid; Nuug; Nuujin; Jiqis.
Suckle	*(Sakal) v.*	Naas Nuujin; Naas jaqis; Candho Nuugid (Jaqid).
Sudden	*(Sadhan) Adj.*	Si lama filaan ah; Kediso.
Suffer	*(Safa) v.*	Ku dhacay ama haya (Cudur, Arrin kale).
Sufficient	*(Safishant) Adj.*	Ku filan.
Suffocate	*(Safakeyt) v.*	Cabbudhid; Cabbudhaad.
Sugar	*(Shuga) n.*	Sonkor.
Suggest	*(Sajast) v.*	Qasdiyid; Niyeyn; Arrın soo jeedin ama soo Bandhigid.
Suicide	*(Siyusaaydh) n.*	Is dilid; Is dil.
Suit	*(Suyuut) n.*	Suudh; Dhar isku joog ah (Isku mid ah) koodh iyo Surwaal isku nooc ah; ku habboon.
Suitable	*(Suyuutabal) Adj.*	Ku habboon.
Sum	*(Sam) n.*	Wadar; Xaddi Lacag ah.
Summary	*(Samari) Adj.*	Soo koobid; Soo yarayn.

Summer	*(sama)n.*	Xagaaga: xilliga u dhexeeya bilaha Juun ilaa Ogosto.
Summit	*(samit)n.*	Figta, halka ugu dheer. Shir heer madaxweyneyaal ah.
Summon	*(samman)v.*	Uyeedhis; wacid; isku yeerid.
Sun	*(san)n.*	Qorrax; cadeed.
Sunday	*(sandey)n.*	Maalinta Axadda. Axad.
Superabundant	*(suuparabandant)adj.*	Aad u xad dhaaf ah; ka badan intii ku filnayd.
Superior	*(suupeyeriye)adj.*	Sarreeya; ka tiro badan.
Superlative	*(suupaleetif)adj.*	Ugu heer sarreeya.
Superman	*(suupamaan)n.*	Nin dadka caadiga ah ka awood badan.
Supersonic	*(suupasonik)adj.*	Guuxiisa ka dheereeya; ka dheereeya guuxa.
Supertax	*(suupataaks)n.*	Canshuur dheeraad ah.
Supervisor	*(suupafaaysa)n.*	Qofka dusha ka ilaaliya ee kala wada hawsha iyo shaqaalaha.
Supper	*(sapa)n.*	Casho. Cuntada la cuno habeenkii.
Supply	*(sapalaay)v.*	Qaybqaybin; u qaybin.
Support	*(sapoot)v.*	Xejin, xejiyo; taageerid.
Suppose	*(sapows)v.*	Kaba soo qaad in - u malayn.
Supreme	*(suupriim)adj.*	Ugu sarreeya (darajo ama awood).
Surcharge	*(seejaaj)n.*	Dulsaar; takhsiir.
Sure	*(shuwa)adj.*	Shaki la'aan; xaqiiq.
Surface	*(saafis)adj.*	Sagxad; dusha.
Surgeon	*(saajan)n.*	Dhakhtarka qalliinka.
Surgery	*(saajari)n.*	Cilmiga iyo barashada nabarrada iyo cudurrada la qalo.

Surmise	*(Saamays) v.*	Malayn, Male.
Surmount	*(Saamawnt) v.*	
		La xallilo; Laga roonaado (Dhibaato iwm).
Surname	*(Saaneym) n.*	Magac uu qof caan ku yahay ama looga yaqaan qoyskooda.
Surplus	*(Saapalas) n.*	Siyaado ka ah intii loo baahnaa.
Surprise	*(Saparays) n.*	Amakaag; Yaab, Naxdin, Yaabid, Amakaagid.
Surrender	*(Sarenda) v.*	Is dhiibid (Sida marka dagaalka).
Surround	*(Serawnd) v.*	Ku soo wareejin; Agagaarayn.
Survey	*(Sefey) v.*	Sahamin.
Survive	*(Sarfaayf) v.*	Cimri dherer.
Suspect	*(Saspekt) v.*	Ka shakiyid.
Suspend	*(Sas-pend) v.*	Soo laalaadin; Hoos u soo laalaadin.
Suspicion	*(Sas-penshan) n.*	Shaki.
Suspicious	*(Sas-pishas) Adj.*	Shaki ah; Shaki leh.
Swallow	*(Iswolow) v.*	Liqid; Dejin (Cuno Marin).
Swan	*(Iswon)*	Shmbir badeed (Cad).
Swarm	*(Iswoom) n.*	Raxan u wada socoda; Shinnida; Shimbiraha iwm.
Sway	*(Iswey) v.*	Lulid; Ruxruxid.
Sweat	*(Iswet) n.*	Dhididka jidhka.
Sweep	*(Iswiip) v.*	Xaaqid; Dhul xaadhid.
Sweet	*(Iswiit) Adj.*	Macaan; Dhadhan macaan.
Swell	*(Iswel) v.*	Barar; Bararid.
Swift	*(Iswift) Adj.*	Dedejin; Boobsiin.
Swim	*(Iswim) v.*	Dabbaalasho; Dabbaal ama la dabbaasho.
Swing	*(Iswing) v.*	Leexaysi; Laalaadin.

Switch	*(Iswiij) n.*	Daare-damiye.
Sword	*(Soodh) n.*	Binnad, Soodh, Mindida Bunduqa afkiisa ku jirto.
Swot	*(Sowot) v.*	Dadaal.
Syllabus	*(Silabas) n.*	Manhaj; Muqarar.
Symbol	*(Simbal) n.*	Summad.
Symmetry	*(Simitri) n.*	isku mid ah; Is le'kaanaya.
Sympathy	*(Simbathi) n.*	naxariis; u Jiidh-debecsanaan.
Synchronize	*(Sink-ranaays) v.*	Isku mar la dhaqaajiyo; Isku mar dhaca.
Syphilis	*(Sifilis) n.*	Cudurka la yidhaa Xabbad ama Waraabow.
Syrup	*(Sirap) n.*	Sharoobo, Dawooyinka dareeraha ah.
System	*(Sistem) n.*	Hab, Nidaam.

—— **T** ——

Table	*(Teybal) n.*	Miis, Jadwal Wakhtiyeed.
Tack	*(Taak) n.*	Musbaar Madax balaadhan.
Tacky	*(Taaki) Adj.*	Aan weli qalalin (Siiba Rinjiga).
Tactics	*(Taaktikis) n.*	Xeelad, Taktiko.
Tadpole	*(Taadh-powl) n.*	Rah yar.
Tail	*(Teyl) n.*	Dabo, (Dabada Xayawaanka oo kale).
Tailor	*(Teyla) n.*	Dawaarle, ka dharka tola.
Take	*(Teyk) v.*	Qaadid, la qaado, qaad, Wax qaadid.
Tale	*(Teyl) n.*	Sheeko.
Talent	*(taalent) n.*	Karti.
Talk	*(Took) v.*	Hadal; la hadlo; Hadlid.
Tall	*(Tool) Adj.*	Dheer (Siiba Dadka), kor u dheer.

Talon	(Taalan) n.	Ciddida Haadka.
Tame	(Teym) Adj.	Rabbaayad, Rabbaysan, Carbisan.
Tangent	(Taanjant) n.	Xood.
Tangerine	(tanjariin) n.	Liin yar yar oo Macaan.
Tangible	(tanjabal) Adj.	La taaban karo.
Tank	(Taank) n.	Taangi, Haan Biyeed ama batrool iwm, Kaare dubaabad; Taangiga dagaalka.
Tankard	(Taankadh) n.	Koob dheg leh.
Tantalize	(Taantalaays) v.	Haweysi, Wuxuu qof haweysanayo ama ku hamiyo.
Tap	(Taap) n.	Meesha qasabadda laga xidho ama laga furo. fur.
Tapestry	(Taabistari) n.	Daabacad.
Tar	Taa) n.	Daamur.
Target	(Taagid) n.	Meesha la shiisho, Badhka (Halka wax lagu toogto.
Tarn	(Taan) n.	Kal.
Task	(Taask) n.	Shaqo.
Taste	(Teyst) n.	Dhadhan; Dhahamid.
Tax	(Taakas) n.	Canshuur.
Taxi	(taaksi) n.	Tagsi; Baabuurka yar ee la kiraysto.
Tea	(Tii) n.	Shaah; Caleenta Shaaha.
Teach	(Tiij) v.	Barid; Wax u dhigid; wax barid.
Teacher	(Tiija) n.	Macallin; Bare.
Team	(Tiim) n.	Koox.
Tear 1	(Tee) v.	Jeex-jeexid gaar ahaan Warqadaha, Dharka.
Tear 2	(Tee) n.	Ilmo, Oohin.
Technician	(Teknishan) n.	Farsamo-yaqaan.

Technique	*(Tekniik) n.*	Xeeladda wax qabasho.
Technology	*(Tek-noolaji) n.*	Tig-nooliyadda.
Teeth	*(Tiith) n.*	Ilko.
Tedious	*(Tiidhyas) Adj.*	Wax daalinaaya (Waa Hadal wax daalinaya).
Teg	*(Teg) n.*	Sabeen ama wan laba jir ah.
Telecommunication	*(Telikumanii-keyshan) n.*	Isgaadhsiin.
Telegram	*(Telegaraam) n.*	Teligaraam; Taar (Ka laysku diro).
Telephone	*(Tilifown) n.*	Telifoon.
Telescope	*(Telis koob)*	Aalad lagu eego xiddigaha iyo Meerayaasha.
Television	*(Tilifishan) n.*	Telifishan; Raadiyaha layska arko.
Tell	*(Tel) v.*	U sheeg; loo sheego.
Temperature	*(Temparija) n.*	Kulsid.
Temple	*(Tempal) n.*	Dhafoorka; Sanam.
Temporary	*(Tempareri) Adj.*	Aan joogta ahayan.
Ten	*(Ten) n.adj.*	Toban Toban (Tiro ah 10).
Tenable	*(Tenbal) Adj.*	La daafici karo.
Tenant	*(Tenant) n.*	Qofka kiro ka bixiya meel uu Kiraystay.
Tend	*(Tendh) v.*	Ilaalin.
Tend	*(Tendh) v.*	U janjeedhsanaasho (Wuxuu u janjeedhaa in uu tago).
Tender	*(Tendha) n.*	Arji loo qorto qandaraaska.
Tendon	*(Tendan) n.*	Seed.
Tennis	*(Tenis) n.*	Kubbadda Miiska.
Tense	*(Tenis) Adj.*	Kala Jiidid; Kala Jiidis.

Tent	*(Tent) n.*	Taanbuug; Teendho.
Term	*(Teem) n.*	Waqti Xaddidan.
Termagant	*(Teemagant) n.*	Coon; Naag qaylo iyo dagaal badan.
Terminate	*(Teemineyt) v.*	Dhamayn; (Qandaraaskii wuu ka dhammaaday).
Termite	*(Teemayt) n.*	Aboor.
Tern	*(Teen) n.*	Shinbir badeed.
Terrestrial	*(Tiresteriyel) Adj.*	Meelaha lagu nool yahay ee dhulka ah.
Terrible	*Teribel) Adj.*	Wax ku-naxdin geliya; wax kaa nixiya.
Terrify	*(Terifay) v.*	Bajin, ka bajin, Baqo gelin.
Territory	*(Teritari) n.*	Dhul ay Dawladi Xukunto; Degmo.
Terror	*(Tera) n.*	Baqdin badan.
Test	*(Teest) v.*	Imtixaanid, Tijaabin.
Terse	*(Tees) Adj.*	Hadal gaaban ujeeddadii oo dhani ku dhan tahay.
Testament	*(Tastamant) n.*	Dardaaranka.
Testate	*(Testat) Adj.*	Qofka dardaarma dabadeedna dhinta.
Testicle	*(Testikal) n.*	Xiniin.
Testify	*(Testifay) v.*	Caddayn; Markhaati furid.
Testimonial	*(Testimoniyal) n.*	Caddayn.
Testy	*(Testi) n.*	Qofka camalka xun.
Tether	*(Teda) n.*	Dabarka, Xadhiga xoolaha lagu xidho marka ay daaqayaan.
Textile	*(Tegsitayl) Adj.*	Hab dhar samayneed (Sida Warshadda dharka ee Balcad.
Thank	*(Thaank) v.*	Mahadnaq; U mahadnaqid.
That	*(Daat) Adj. Pron.*	Kaas.

Theatre	(Thiyeta) n.	Meesha riwaayadda lagu dhigo.
Theft	(Thiift) n.	Tuugnimo, xatooyo.
Their	(Dee) Adj.	Waxooda, Kooda.
Then	(Den) Adv.	Dabadeed.
Theodolite	(Thiodhalayt) n.	Aalad lagu eego kala sarraynta dhulka.
Therapy	(Therapi) n.	Daaweyn.
There	(Thee) Adj.	Halkeer.
Thermometer	(Thamomita) n.	Kul-beeg.
Thermos	(Theemos) n.	Falaasta sida ta shaaha lagu shubto.
These	(Diis) Adj. Pron.	Kuwan.
Thews	(Thyuus) n.	Muruqyo.
They	(Dey) Pron.	Iyaga, iyaka.
Thick	(Thik) Adj.	Dhumuc weyn.
Thicket	(Thikit) n.	Kayn, dhir badan oo meel ku wada taalla.
Thief	(Thiif) n.	Tuug; Qof wax xada.
Thigh	(Thay) n.	Bawdada.
Thin	(Thin) Adj.	Dhumuc yar, Dhuuban.
Thing	(Thing) adj.	Wax, Walax.
Think	(Thing) v.	Fekerid, la fekero.
Third	(Theedh) Adj. n.	Saddexaad.
Thirst	(Theest) n.	Harraad, Marka wax la cabbo loo baahdo.
Thirteen	(Theetiin) Adj. n.	Saddex iyo toban (13).
Thirty	(Theerti) Adj. n.	Soddon.
This	(Dis) Adj. Pron.	Waxaan, Kan.
Thong	(Thong) n.	Suun ka samaysan saan.

Thorax	*(Thooraaks) n.*	Sakaarka (Shafka, Laabta).
Thorn	*(Thoon) n.*	Qodax, Waa geed Qodax leh.
Thorough	*(Thara) Adj.*	Dhammaystiris, Dhammaystirid dhinac kasta.
Those	*(Doos) Adj. Pron.*	Kuwaas.
Thought	*(Thoot) n.*	Hammi, Fikrad.
Thousand	*(Thawsandh) Adj. n.*	Kun (1000).
Thrash	*(Thraash) v.*	Ulayn, Karbaashid.
Thread	*(Theredh) n.*	Dun.
Threat	*(Thiret) n.*	Hanjebaad.
Three	*(Tirii) Adj. n.*	Saddex (3).
Thresh	*(Theresh) v.*	Tumid, Balka ka ridid.
Thrice	*(Tharays) Adv.*	Saddex jeer.
Throat	*(Thorowt) n.*	Cunaha.
Throb	*(Throb) v.*	Boodboodid; Sida Wadnaha Garaaciisa.
Throe	*(Thorow) n.*	Xanuun kulul sida Xanuunka ay la Kulanto Qofka dumari marka ay umulayso.
Throne	*(Thorown) n.*	Kursiga Boqorka.
Throttle	*(Throtal) v.*	Ceejin (Cuno ama Hunguri Ceejin).
Throw	*(Thorow) v.*	Tuurid.
Thrush	*(Tarash) n.*	Cabeebka, Xanuunka Carruurta afka kaga dhaco.
Thud	*(Thad) n.*	Sanqadh yar, Sida wax meel jilicsan ku dhacay oo kale.
Thug	*(Thag) n.*	Danbiile, Gacan ku dhiigle
Thumb	*(Thamb) n.*	Suul; Suulka; Gacanta.
Thunder.	*(Thanda) n.*	Onkodka Roobku dhaliyo, Onkod.

Thursday	*(Theesdhay) n.*	Khamiis, Maalin maalmaha Toddobaadka ka mida.
Thus	*(Das) Adj.*	Sidaas oo kale.
Thyroid	*(Thayarooydh) n.*	Qanjidhaha Xoqadaha.
Tibia	*(Tibiye) n.*	Lafta san-qaroorka; Labada Mataanood ee Addinka ta hore.
Tick 1	*(Tik) n.*	Sanqadha ama Codka ay Saacaddu sameyso marka ay soconayso.
Tick 2	*(Tik) n.*	Shilinta, Dhibiijo.
Tick 3	*(Tik) n.*	Galka Barkimada.
Ticket	*(Tikit) n.*	Tigidh, Shati (Sida Tigidhka Diyaaradda lagu raaco.
Tide	*(Taydh) n.*	Mowjad.
Tidy	*(Taydhi) Adj.*	Nadaamsan, Habaysan.
Tie	*(Tay) v.*	Xidhid; Isku xidhid.
Tiger	*(Tayga) n.*	Shabeel.
Tigress	*(Tay-garis) n.*	Shabeelka dhadig.
Tight	*(Taay) Adj.*	Adkayn, Xidhid, Ku adkayn.
Till	*(Til) Prep. Conj.*	Ilaa; Tan iyo (Waqti).
Tilt	*(Tilt) v.*	Janjeedhin.
Timber	*(Timba) n.*	Loox Guryaha lagu sameeyo ama dhiso.
Time	*(Taym) n.*	Waqti ama millay.
Timid	*(Timidh) n.*	Fulay.
Tine	*(Tayn) n.*	Afka Farageytada.
Tip 1	*(Tip) v.*	Laaluushid Laaluush siin.
Tip 2	*(Tip) n.*	Caaro Sida (Faraha Caaraddooda).
Tire	*(Taya) v.*	Daalid, Tabcaamid.
Title	*(Taaytal) n.*	Cinwaan (Buug).

To	*(Tu) Prep.*	Ku.
Toad	*(Towdh) n.*	Nooc raha ka mid ah.
Toast	*(Towost) n.*	Duban, la dubay.
Tobacco	*(Tabaakow) n.*	Buuri.
Today	*(Todhey) Adj. n.*	Maanta.
Toddle	*(Todhal) v.*	Gaangaanbin.
Toddler	*(Todhala) n.*	Qofka yar ee Socod-baradka ah.
Toe	*(Tow) n.*	Far cageed.
Toff	*(Tof) n.*	Qof xaragoonaya, si fiican u lebisan.
Together	*(Tagada) Adj.*	Wada jir, la jiro.
Toilet	*(Toylit) n.*	Qolka Biyaha, Suuliga, Musqul.
Token	*(Towkin) n.*	Calaamad (Xusuus ah).
Tolerate	*(Tolarayt) v.*	Loo dul qaadan karo.
Tomato	*(Tamatow) n.*	Tamaandho, Yaanyo.
Tomb	*(Tuumb) n.*	Xabaal, Qabri.
Tomboy	*(Tombooy) n.*	Gabadha Ciyarta Jecel.
Tomcat	*(Tomkaat) n.*	Bisadda lab, Curri.
Tomfool	*(Tomfuul) n.*	Qofka aan sida fiican u fekrin.
Tomorrow	*(Tomorow) Adj.*	Berri, Berrito.
Ton	*(Tan) n.*	(2240 oo rodol, Tan (Miisaan).
Tongue	*(Tang) n.*	Carrabka Dadka iyo Xayawaanka.
Tonight	*(Tanayt) Adj. n.*	Caawa.
Tonsils	*(Tonsil) n.*	Xoqado, Qanjidh ku yaalla cunaha.
Tonsure	*(Tonsha) n.*	Bidaar.
Too	*(Tuu) Adj.*	Aad: Sidaas oo kale.
Tool	*(Tuul) n.*	Qalab, Qof lagu shaqaysto.
Toot	*(Tuut) n.*	Codka Foorida.
Tooth	*(Tuuth) n.*	Ilig.

Top 1	*(Top) n.*	Dusha.
Top 2	*(Top) n.*	Durbaan.
Topic	*(Topik) n.*	Cinwaan.
Topple	*(Topal) v.*	Ruxmid, Lulid-Ridis keenta.
Torch	*(Tooj) n.*	Toosh, Tooj, Kaarboono.
Tortoise	*(Tuutis) n.*	Diinka (Noole).
Tortuous	*(Taa t yuwas) Adj.*	Qalqalooc, Qalqaloocan.
Torture	*(Tooja) v.*	Ciqaabid.
Toss	*(Tus) v.*	
		Kor u tuurid.
Tot	*(Tot) n.*	Qofka yar ee Carruurta ah.
Total	*(Tootal) Adj.*	Wadar, Isu-geyn.
Totter	*(Tota) v.*	Tukubid, Jiitan.
Touch	*(Taj) v.*	Taabasho, la taabto.
Tough	*(Taf) v.*	Adag, Xoog badan.
Tour	*(Tuwa) n.*	
		Socdaal, Dalxiis.
Tourniquet	*(Tu-aniket) n.*	Aaladda lagu joojiyo dhiig bixidda.
Tow	*(Tow) v.*	Jiidid.
Towards	*(Towoodhs) Prep.*	Xaggiisa, Xaggas.
Towel	*(Tawal) n.*	Tuwaal, Shukumaan.
Tower	*(Tawa) n.*	Qudbi.
Town	*(Tawan) n.*	Magaalo, Suuq (Xaafad).
Toxic	*(Toksik) Adj.*	Sun ah, Sun leh.
Toy	*(Tooy) n.*	Alaabta yar yar ee Carrurtu ku ci-yaarto.
Trace	*(Tarays) v.*	Raadin, Calaanmad.
Track	*(Taraak) n.*	Raad.
Tractor	*(Traakta) n.*	Cagafcagaf.

Trade	*(Tereydh) n.*	Ganacsi.
Tradition	*(Taradhishan) n.*	Dhaqan, Caado Ummadi leedahay.
Traffic	*(Taraafik) n.*	Socodka Baabuurta, Dadka iwm.
Train 1	*(Tereyn) v.*	Tababarid.
Train 2	*(Tereyn) n.*	Tareen.
Trample	*(Taraampal) v.*	Ku tumasho.
Tranquil	*(Taraankwil) Adj.*	Deggan.
Transfer	*(Tarans-fee) v.*	Beddelid, La beddelo.
Transfigure	*(Taraans-figa) v.*	Qaabka Beddelid.
Transfix	*(Taranaas-fiks) v.*	Ka taagid.
Transform	*(Taraans-foom) v.*	Qaabka beddelid.
Transgress	*(Taraans-gares) v.*	Ku xad gudbid, La gardarreysto.
Transit	*(Taraansit) v.*	Dhaxdin marka meei loo sii hoydo, Deedna laga guuro.
Transition	*(Taraansishan) n.*	Kala guur.
Translate	*(Taraansleyt) v.*	Isku beddelid laba Af, Turjimid.
Translucent	*(Traansluusant) Adj.*	If yar gudbiye.
Transmit	*(Traansmit) v.*	Dirid (Sida War dirid) Tebin, La tebiyo.
Transparent	*(Taraans-peerant) Adj.*	If gudbiye, If tebiye.
Transplant	*(Taraanasalaant) v.*	Abqaalid (Beerta ama dhir).
Transport	*(Taraans-poot) v. n.*	Daadgurayn, Gaadiid.
Trap	*(Taraap) n.*	Dabin.
Travail	*(Taraafeyl) n.*	Xanuunka Umilidda (Markay Naagtu dhalayso).
Travel	*(Taraafal) v.*	'Socdaal, Socdaalid.
Traverse	*(Taraafees) v.*	Dhex mara, ka gudba.
Tray	*(Taray) n.*	Masaf, Shay balaadhan oo alaabta fudud lagu qaado.

Treacherous	(Tareshares) n.	Sir-loow, Daacad laawe.
Treasure	(Teresha) n.	Khasnad.
Treat	(Tiriit) v.	La macaamilid, Ula macaamilid.
Treaty	(Tirtiiti) n.	Heshiis.
Tree	(Tirii) n.	Geed.
Tremble	(Terembal) v.	Gariirid, Kurbasho (Jidhka).
Tremendous	(Terimendhas) Adj.	Weyn, Xoog badan.
Tremor	(Terema) n.	Ruxan, Lulan.
Trench	(Terenj) n.	Saaqiyad Mooska Biyaha daadka layskaga gudbo.
Tress	(Teres) n.	Timaha Dumarka.
Trial	(Tarayl) n.	Tijaabo.
Triangle	(Tarayaangal) n.	Saddex xagal, Saddex Geesood.
Tribe	(Tarayb) n.	Qabiil, Qabiilo, Qolo.
Trick	(Tirik) n.	Khiyaanno, Khiyaamo.
Trickle	(Tirikal) v.	Qulqulid.
Tricycle	(Taraysikal) n.	Baaskiilad Saddex shaag leh (Bush-kileyti).
Trigger	(Tiriga) n.	Keebka qoriga ama Banduuqa.
Trigonometry	(Tiriganomitri) n.	Nooc Cilmiga Xisaabta ka mid ah.
trim	(Tirim) Adj.	Habaysan.
Trip	(Tirip) n.	Socdaai.
Tripe	(Tirayp) n.	Caloosha Xoolaha qaybteeda la cuno.
Triplet	(Tiriplit) n.	Saddex Carruur ah oo mar Hooyo keliya wada dhasho.
Trivet	(Tirifit) n.	Dharaarro.
Troop	(Turup) n.	Koox Ciidan ah.
Tropic	(Trobik) n.	Kulaalle.

Trot	*(Torot) v.*	Guclayn (Orod Guclo ah).
Trouble	*(Tarubal) v.*	Arbushid, La arbusho.
Trough	*(Tarof) n.*	Jiingadda Xoolaha lagu waraabiyo.
Trouser	*(Taraw-sa) n.*	Surwaal.
Trowel	*(Tarawel) n.*	Malqacadda ama qadada Sibidhka lagu qado ee wax lagu dhiso.
Truck	*(Tarak) n.*	Baabuur Xamuul qada.
True	*(Turuu) Adj.*	Run ah.
Trug	*(Tarag) n.*	Saladda, Sanbiil.
Truncheon	*(Taranjan) n.*	Budh gaaban sida kan Askarta oo kale.
Trunk	*(Tarank) n.*	Jiridda Geedka, Maroodiga Gacankiisa.
Trust	*(Tarast) n.*	Aamin, Aaminid.
Truth	*(Turuth) n.*	Run.
Try	*(taray) v.*	Tijaabin, Isku dayid.
Tsetsefly	*(Tesetisfalay) n.*	Dhuug (Dukhsi qaniina Lo'da, geela iwm).
Tube	*(Tuyuub) n.*	Tuubo, Tuunbo, Dhuun.
Tuberculosis	*(Tuyubeek-yukoasis) n.*	Qaaxo, Cudur feedhaha ku dhaca.
Tuesday	*(Tuyusdhey) n.*	Salaasa, Talaada, Maalin ka mida Maalmaha.
Tug	*(Tag) v.*	Soo dhifasho, Soo jiidis xoog ah.
Tumble	*(Tambal) v.*	Ka soo dhicid.
Tumescent	*(Tuyuumesant) Adj.*	Bararan, Bararay.
Turban	*(Teeban) n.*	Cimaamad.

Turn	*(Teen) v.*	Weecin, Jeedin.
Tusk	*(Task) n.*	Fool dheer, Sida foolka Maroodiga ama ka Doofaarka iyo wiyisha.
Tutor	*(Tuyuuta) n.*	Macallin gaar ah.
Twaddle	*(Towodhal) n.*	Hadal doqonimo, Hadal Nacasnimo.
Twain	*(Toweyn) n.*	Laba.
Twelfth	*(Towelefth) adj. n.*	Laba iyo Tobnaad.
Twelve	*(Twelf) Adj. n.*	Laba iyo toban.
Twice	*(Towaays) Adj.*	Laba Jeer.
Twilight	*(Twaylayt) n.*	Shaac, Shucaac sida kan marka Qorraxdu dhacayso ama soo baxayso.
Twin	*(Twin) n.*	Qofka Mataanka ah.
Twaine	*(Twayn) v.*	Isku marid, Isku duubid.
Tinkle	*(Twinkal) v.*	Iftiin Mar yaraanaya marna weynaanaya.
Twinkle	*(Twinkal) v.*	Iftiin mar yaraanaya marna Weynaanaanaya.
Twist	*(Twist) v.*	Duubid, Marid, Marmarid.
Two	*(Tuu) Adj.*	Laba.
Tympanum	*(Tim-panam) n.*	Dhegta dhexdeeda, Dhegta gudaheeda.
Type	*(Tayb) n.*	Nooc.
Type	*(Tayp) v.*	Teebgareyn, Mishiin wax ku qorid.
Typhoid	*(Tay-fooydh) n.*	Xanuun ku dhaca Xiidmaha.
Typhus	*(Tay-fas) n.*	Xanuun, Cudur ama jiroo Xummad Badan iyo Daciifin leh.
Tyre	*(Taaya) n.*	Shaag.

__ U __

Udder	(Ada) n.	Candhada Xoolaha.
Ugly	(Agli) Adj.	Fool xun.
Uglify	(Aglifoy) v.	Fool xumayn, La fool xumeeyo.
Ulterior	(Altriyo) adj.	Ka danbeeya (Macanaha ama Ujeedda-da ka Dambeysa).
Ultimate	(Altimeyt) Adj.	Ugu danbayn; Kama dambayn.
Ultimatum	(Altimeytam) n.	Go'aanka ugu dambeeya.
Umbilical	(Ambilikal) Adj.	Xudunta.
Umbrage	(Ambirj) n.	Dulmid, Dulmi.
Umbrella	Ambirela) n.	Dallad, Dalaayad.
Unable	(Aneybal) Adj.	Aan kari karayn; la kari karin.
Unaccustomed	(Anakastamidh) adj.	Aan la caadaysan.
Unadvised	(Anadh-faysidh) Adj.	Aan waansanayan, aan laga tashan.
Unalloyed	(Analooydh) Adj.	Saafi ah, Waxba lagu darin (Macdan-too kale).
Unalterably	(Anoltarabili) adj.	Aan la beddeli karin.
Unanimous	(Yunaanimas) adj.	Tageerid buuxda.
Unanswerable	(An-ansarabal) adj.	Aan laga jawaabi karin.
Un-answered	(Anaansadh) adj.	Aan laga jawaabin.
Unapproachable	(Anaprowjabal) adj.	Aan loo dhowaan karin.
Unarmed	(Anaamidh) adj.	Aan hubsidan, aan Hubaysnayn.
Unasked	(Anaaskidh) adj.	Aan la weydiisan.
Unattached	(Anataajit) adj.	Aan ku xidhnayan, Ku xidhnayn.·

Unattended	*(Anatendhidh) adj.*	Aan ka soo qayb gelin.
Unavoidable	*(Anafooydhabal) adj.*	Aan laga fuesan karin.
Unaware	*(Anawee) adj.*	Aan ogeyn.
Unbalanced	*(Anbaalansidh) adj.*	Aan caadi ahayn (Dadka; Maskaxda).
Unbearably	*(Anbeerabli) adv.*	Aan loo adkaysan karin.
Unbounded	*(Anbawn-didh) Adj.*	Aan Xad lahayn.
Unbeliever	*(Anbilifa) n.*	Qofka aan Ilaahay Rumaysnayn.
Unbuttoned	*(Anbatanidh) Adj.*	Aanay Badhamadu u xidhnayn.
Uncalled	*(Ankoolidh) Adj.*	Aan loo baahnayn.
Uncared for	*(Uankeedh-foo) Adj.*	Aan la xannaanayn.
Uncertain	*(Anseetan) Adj.*	Aan la hubin.
Uncivil	*(Ansifil) Adj.*	Aan edeb lahayn.
Unclad	*(Ankalaadh) Adj.*	Qaawan.
Uncle	*(Ankal) n.*	Adeer, Abti.
Unclean	*(Anki-liin) Adj.*	Nijaas, Nadiif maaha, Nijaas ah.
Uncoloured	*(Ankaladh) Adj.*	Aan la buunbuunin, Ama lama sii dhaadheerayn Hadalka.
Uncommon	*(Ankoman) Adj.*	Aan caadi ahayn.
Unconcerned	*(Akanseenidh) Adj.*	Aan khusayn.
Unconditional	*(Ankandhishanal) Adj.*	Aan sabab lahayn, Aan sabab loo yeelin.
Unconscionable	*(Ankanshinabal) Adj.*	Aan loo fiirsan, aan laga fiirsan.
Unconsidered	*(Ankansidhadh) Adj.*	Aan loo fiirsan, aan laga fiirsan.
Uncover	*(Ankafa) v.*	Aan fur lahayn, Aan daboolnayn, Daaha ka qaaddid.

Uncrowned	(Ankarawnidh) Adj.	Aan la boqrin, Lama boqrin, Lama caleema saarin.
Undecided	(Andhisaydhidh) Adj.	Aan lagu goosan.
Undeniable	(Andhinayabl) Adj.	Aan la dafiri karin.
Under	(Andha Prep. Adv.	Hoos, Xagga hoose.
Underact	(Andhar-aakt) V.	Aan siday ahaayeen loo qaban.
Underarm	(Andha-aam) Adj.	Gacanta lagu hayo.
Under-Current	(Andhakarant) n.	Biyaha Dhulka Hoostiisa Mara.
Under-dog	(Andhadhog) n.	Nolol xun ku nool.
Under-done	(Andhadhan) Adj.	Aan aad u karsanayn (Gaar ahaan) Hilibka.
Under-fed	(Andhfedh) Adj.	Aan cunno badan haysan.
Under-foot	(Andhafut) Adv.	Cagta hoosteeda.
Under-graduate	(Andhagaraajwuwit) n.	Qofka Jaamicadda ku jira ee aan qaadan Shahaadadii uu Jaamacadda kaga qalin jebin lahaa.
Underground	(Andhagarawndh) Adv.	Dhulka hoostiisa.
Underhand	(Andhahaandh) Adv.	Si qarsoon, Si qarsoodiya.
Underlie	(Andhalay) V.	Hoos Jiifsasho.
Underling	(Andhling) n.	Qofka qof kale ka hoos shaqeeya.
Undermentioned	(Andhamashanidh) Adj.	Hoos lagu sheegay, Sida aan hoos ku sheegi doono.
Underpopulated	(Andhapoyuleytidh) Adj.	Dad yaraan, Marka loo eego dhulka weynidiisa ama khayraadkiisa.
Underproduction	(Andhaporodhagshan) n.	Wax soo saar yar.

Undersigned	*(Andhasaynidh) Adj.*	Hoos ku saxeexan.
Understand	*(Andharstandh) v.*	Garasho, Fahmid, la garto.
Undertaker	*(Andhateykar) n.*	Xabaalo qod, Xafaar.
Undervest	*(Andharfest) n.*	Garanka, Garan.
Underwear	*(Andhawee) n.*	Dharka Hoosta laga xidho sida Garanka, Nigiska, Qafaasada, Googoradda iwm.
Undersigned	*(Andhisaynidh) Adj.*	Aan loo kasin.
Undo	*(Andhuu) v.*	Furfurid
Undomesticated	*(Andhamstikeytidh) Adj.*	Naagta aan hawlaha guriga ku fiicnayn Baali ama Basari.
Undoubted	*(Andhawtidh) Adj.*	Aan shaki lahayn, Run ah.
Undying	*(Andhaying) Adj.*	Aan dhimanayn, ma guuraan.
Uneasy	*(Aniisi) Adj.*	Raaxo lahayn, Aan debecsanayn.
Unemployment	*(Animpalooyment) n.*	Shaqo la'aan.
Unending	*(An-endhing) Adj.*	Aan dhammaanayn.
Unexampled	*(Anigsaapalidh) Adj.*	Aan tusaale la mid ahi jirin.
Unfair	*(Anfee) Adj.*	Aan Xaq ahayn, xaq maaha.
Unfaithful	*(Anfeythful) Adj.*	Aan u daacad ahayn.
Unfamiliar	*(Anfemilya) Adj.*	Aan la aqoon, Caan maaha.
Unfathomable	*(Anfaadamable) Adj.*	Aan guntiisa la gaadhin.
Unfeeling	*(Anfiiling) Adj.*	Aan dareen lahayn, aan Naxariis lahayn.
Unfit	*(Anfit) Adj.*	Aan u qalmin, uma qalanto ama qalmo.
Unfounded	*(Anfundhidh) Adj.*	Aan aasaas lahayn.
Unfurnished	*(Anfeenishidh) Adj.*	Aan gogol lahayn (Guryaha).

Ungovernable	*(Angafanabul) Adj.*	Aan la xukumi karin.
Unhand	*(Anhaandh) v.*	Sii-deyn, Faraha ka bixin.
Uniform	*(Yuunifoom) Adj.*	Isku mid, Aan bed-beddelayn.
Unify	*(Yuunifay) v.*	Midayn.
Unimpeachable	*(Animbiijabal) Adj.*	Aan su'aal laga soo celin, aan laga sha-kiyin.
Union	*(Yuunyan) n.*	Isutag, Urur.
Unique	*(Yuunik) Adj.*	Keli, Gaar.
Unite	*(Yuunayt) v.*	Ururid, Isutegid.
Unity	*(Yuuniti) n.*	Midnimo.
Universe	*(Yunifees) n.*	Caalam, Kown.
University	*(Yunifeersiti) n.*	Jaamacad.
Unless	*(Anles) Conj.*	Haddii, ilaa iyo.
Unlettered	*(Anletadh) Adj.*	Aan tacliin lahayn, Aan baran waxba.
Unload	*(Anlowdh) v.*	Ka rogid, Rar-ka-dhigid.
Unlooked-for	*(Anlukit-foo) Adj.*	Aan la filayn, aan loo diyaargaroobin.
Unmatchable	*(Anmaajabl) Adj.*	Aan lays le'ekaysiin karin.
Unmeaning	*(Anmiinig) Adj.*	Aan ujeeddo lahayn.
Unmentionable	*(Anmenshanabul) Adj.*	Aan laga sheekayn karin, xumaan awgeed.
Unmistakable	*(Anmisteykabul) Adj.*	Aan lagu khaldami karin.
Unnatural	*(Annaajaral) Adj.*	Aan caadi ahayn, Dabiici maaha.
Unnumbered	*(Annambadh) Adj.*	Ka badan wax la tirin karo.
Unparalleled	*(Anpaaralelidh) Adj.*	Aan barbarro ahayn.
Unprecedented	*(Anpresidhantidh) Adj.*	Aan hore loo aqoon, Aan hore u dhicin.

Unprivileged	*(Anpirifiliidh) Adj.*	Faqiir, Dabaqadda ugu hoosaysa.
Unquestionable	*(Ankuwayshanbul) Adj.*	Ka fog in laga shakiyo.
Unquestioned	*(Ankuweysshnidh) Adj.*	Aan laga doodin.
Unravel	*(Anraaral) v.*	Fagid.
Unreasoning	*(Anriisning) Adj.*	Aan sabab lahayn.
Unreal	*(Anriyal) Adj.*	Khayaali, Aan run ahayn.
Unrest	*(Anrest) n.*	Aan degganayn.
Unsay	*(Ansey) v.*	Dafirid.
Unseat	*(Ansiit) v.*	Xafiis ka qaadid, Kursi ka qaadid.
Unseen	*(Ansiin) Adj.*	Aan la arkayn, Aan muuqan.
Unsettle	*(Ansetal) v.*	Aan degin, Aan la dejin.
Unsightly	*(Ansaaytli) Adj.*	Indhaha u daran.
Unspeakable	*(Anis-piikabal) Adj.*	Aan laga hadli karin, Aan hadal lagu soo koobi karin.
Unswerving	*(Anisweefing) Adj.*	Aan weecweecanayn, Toos ah.
Unthinking	*(an-thinking) Adj.*	Aan laga fekerin.
Until	*(Antil) Prep. Conj.*	Weli, ilaa iyo markay.
Untimely	*(Antaaym-li) Adj.*	Dhaca ama yimaada waqti ama millay Khalad ah.
Untiring	*(Antaayaring) Adj.*	Aan daalayn, Maḍaale.
Untold	*(Antowidh) Adj.*	Aan la tirin karin, aan la soo koobi karin.
Untruth	*(Anturuth) n.*	Aan run ahayn.
Untutored	*(An-tuyuutadh) Adj.*	Aan waxba aqoon, Aan waxba ka barin.

Unwritten	*(Anritan)*	Aan la qorin.
Up	*(Ap) Adv. Prep.v.*	Sare, Kore.
Upbringing	*(Abiringing) n.*	Barbaarin.
Upgrade	*(Apgireydh) v.*	Kor u qaadid, dallacsiin.
Upheavel	*(Ap-hifal) n.*	Is-beddel weyn oo degdeg ah.
Uphill	*(Ap-hil) Adj.*	Dalcad, Tiiro, Jiiro.
Upholster	*(Ap-Howlast) v.*	Sharixid, Marka qolka la dhigo Ku-raasta, Daahyada, Muunadda iwm.
Upkeep	*(Ap-kii) n.*	U hayn, u Kaydin.
Upper	*(Apa) Adj.*	Meel sare.
Upright	*(Apraayt) Adj.*	Qumman, Taagan.
Uprising	*(Apraaysing) n.*	Ku kicitaan (Ka dhiidhiyid).
Uproar	*(Aproo) n.*	Buuq iyo Qaylo.
Uproot	*(Apruut) v.*	Rujin, Xidid u saarid, Xidid u siibid.
Upset	*(Apset) v.*	Qallibid, Fadqalalayn.
Upside-down	*(Apsaaydh-dhown) Adv.*	Xagga kale u rogid, Qallibaad (Madax Manjo u celin.
Upstairs	*(Apistees) Adv.*	Dabaqa ugu sarreeya.
Upstanding	*(Apistaandindhing) Adj.*	Caafimaad-qab, kor isu taagid.
Uptake	*(Ap-teyk) n.*	Fahmid.
Up-to-date	*(Aptadheyt) Adj.*	Wakhti la socda, Casri.
Upturn	*(Apteen) n.*	Sare u jeedid, Kor u jeedin.
Upward	*(Apwadh) Adj.*	Cir-bixin, Sare u dirid, xagga kore.
Uranium	*(Yuwaryniyam) n.*	Macdanta laga sameeyo qumbula-durriya, Macdanta laga sameeyo Qu-wadda Nukliyar.

Urban	*(eeban)adj.*	Reer magaal.
Urbane	*(eebeyn)adj.*	Dabeecad fiican, dhaqan wanaagsan.
Urchin	*(eejin)n.*	Ciyaalle suuq.
Urgent	*(ejant)adj.*	Deg-deg.
Urine	*(yuwarin)n.*	Kaadi. Kaadida.
Urinate	*(yuearineyt)v.*	Kaadi, kaadiyid; kaadi sii deyn.
Us	*(as)pron.*	Annaga.
Usage	*(yuusij)n.*	Si wax loo isticmaalo. Hab wax loo isticmaalo.
Use	*(yuus)v.*	Isticmaalid. Isticmaal, ka faa'iid-eyn.
Usher	*(asha)n.*	Soo dhoweynta dadka gelaya riwaaya daha, siniimada iwm.
Usual	*(yuushuuwal)adj.*	Caadi.
Usurp	*(yuuseep)v.*	Xukun la boobay.
Utensil	*(yuutensil)n.*	Maacuun. Qalabka weelka ah ee guriga
Uterus	*(yuutaras)n.*	Ilma-galeenka dumarka.
Utilize	*(yuutilaays)v.*	Ka faa'iidaysi, isticmaalid.
Utmost	*(atmowst)adj.*	Meesha ugu fog. Ugu shisheysa.
Utopia	*(yuutowpiya)n.*	Kacaankii riyada ahaa.
Utter	*(ata)adj.*	Kaamil ah, dhihid (hadalama jabaq). Hadlid. Ugu fog, meesha fog.
Uvula	*(yuufuula)n.*	Hilib-dalqe.
Uxorious	*(aksooriyas)adj.*	Ninka naagtiisa aad u jecel.

V

Vacancy	(Feycansi) n.	Jago bannaan. Madhan.
Vacant	(Feykant) Adj.	Madhan. Bannaan.
Vacate	(Fakeyt) v.	Faaruqin. Madhin.
Vacation	(Fakeyshan) n.	Fasax. Shaqo ka nasasho.
Vaccinate	(Faak-siineyt) v.	Tallaalid (Sida Tallaalka Furuqa. Daa Cuunka, iwm.
Vacuum	(Faak-yuwm) n.	Aan hawo ku jirin, Ka madhan hawo
Vagabond	(Faagabond) Adi.	Aan lahayn meel loogu soo hagaago o uu ku nool yahay. Qof shaqo la'aan warwareegaya.
Vague	(Feyg) Adj.	Aan qeexnayn.
Valiant	(Faal-yant) Adj.	Geesi.
Valid	(Faalidh) Adj.	Inta ay wax anfacoodu sugan yihiin. Isticmaalay.
Valuable	(Faayuwabul) Adj.	Qiimo leh. Anfac leh.
Value	(Faal-yuu) n.	Qiimayn.
Valve	(Faalaf) n.	Af yar oo wax maraan.
Vanish	(Faanish) v.	Libdhid.
Vapid	(Faapidh) Adj.	Dhadhan lahayn.
Vapour	(Faaypa) n.	Uumi.
Variable	(Feeriyebal) Adj.	Is-gedgeddiyaya, La beddeli karo, is-bedbeddeli kara.
Variation	(Feeri-eyshan) n.	Bedbgeddelis, Gedgeddis.
Varicoloured	(Feerikaladh) Adj.	Midab kala geddisan.
Variety	(Farayati) n.	Noocyo.

Various	(Feeriyes) Adj.	Kala jaadjaad ah.
Varlet	(Faalit) n.	Khaayin, Daacad la'aan.
Vary	(Feeri) v.	Kala duduwid, Kala bedbeddelid, kala Gedgeddin.
Vast	(Faast) Adj.	Kala baahsan, Baaxad leh.
Vegetable	(Fajitabal) Adj.	Khudrad, Khudaar, Baradho, Biin, Kaabash, Dabacase, (Noocyada la karsho.)
Vegetarian	(Fejiteeriyan) n.	Qofka aan hilibka Cunin.
Vehicle	(Fii-ikal) n.	Baabuur.
Velocity	(Filositi) n.	Kaynaan.
Venerate	(Fenareyt) v.	Loo tixgeliyo si Ixtiraam qoto dheer leh.
Venereal	(Finiyeriyel) Adj.	Ay keento, ee ah Galmadu, Sida Cudurrada laga qaado isu tagga ragga iyo Dumarka.
Vengeance	(Fenjanis) n.	Aar goosi, ka aar goosatid.
Venison	(Fenisan) n.	Cadka ama Hilibka ugaadha (Sida Deerada).
Ventilate	(Fentileyt) v.	Hawo siin, Hawo fududayn.
Veracious	(Fareyshas) Adj.	Run ah, Run badan.
Veranda (h)	(Faandh) n.	Barandaha aqalka hortiisa ama bersedda.
Verb	(Feeb) n.	Fal (Naxwe).
Verify	(Ferfaay) v.	Caddayso, la caddeeyo (Runta, Siday wax u dhaceen.)
Verily	(Ferili) Adv.	Run ahaan, Dhabtii.
Verse	(Faas) n.	Bayt (Gabay) ama aayad (Quraan).

Vertebra	(Feetibar) n.	Lafaha dhabarka (ee is-haysta) mid ah.
Vertical	(Feetikal) Adj.	Qumman, kor u qumman.
Very	(Feri) Adv.	Aad, si aad ah.
Vessel	(Fesal) n.	Weel. Markab ama dooni weyn, Marinnada dhiigga, xididdada dhiiggu maro.
Vestige	(Festij) n.	Raad.
Veto	(Fiitow) n.	Diidmada qayaxan (Codka ay dawladaha waaweyni awoodda u leeyihiin).
Via	(Faya) Prep.	Sii maris.
Viable	(Faayabal) Adj.	Jiri kara, Waari kara.
Vial	(Faayal) n.	Dhalo yar (oo lagu shubo Dawooyinka iwm, Dareere ah).
Vibrate	(Faaybareyt) v.	Ka gariirin, Ruxruxid.
Vibration	(Faaybreshan) n.	Dhaqdhaqaaq, Gariir ah.
Vice	(Faays) n.	Dhanka kale, Ku xigeen (Derejo) Maamul, Qalab laba daan leh oo xooggan oo lagu qabto waxa lagu shaqo qabanayo.
Vicinity	(Fisinitin) n.	Isku dhowaansho, Jiiraan.
Victim	(Fiktim) n.	Nafley (Neef) Sadaqo ahaan loo dilo, Arami ama wax arami iwm, cid ku reeba.
Victory	(Fiktari) n.	Guul.
Video	(Fidi-ow) n.	Raadiyaha layska arko, Telifiishan.
View	(Fiyuu) n.	Aragti, Rayi.
Vigorous	(Figareys) Adj.	Xooggan, Tamar leh.
Villa	(Fila) n.	Guri (Dhul) & Beer (Ubax) leh siiba ka daaqa ka baxsan.

Village	*(Filij) n.*	Tuulo, Xaafad.
Vim	*(Fim) n.*	Tamar.
Vinegar	*(Finiga) n.*	Khal.
Violate	*(Fayaleyt) v.*	Wacad jebin, Axdi jebin, Heshiis jebin.
Virago	*(Firaagow) n.*	Naag qumanyo ah Coon, Naag dabeecad xun.
Virgin	*(Feejin) n.*	Gashaanti (Gabar), Dihin aan la isticmaalin.
Virus	*(Faayaras) n.*	Wax sun ah oo dhaliya fiditaanka cudurrada faafa.
Vis-a-vis	*(Fisafii) Adv. Prep.*	Iska soo horjeeda.
Visible	*(Fisibal) Adj.*	La arki karo.
Vision	*(Finshan) n.*	Quwadda ama awoodda aragga ama malaynta.
Visit	*(Fisit) n.*	Booqasho, Siyaaro.
Visual	*(Fis-yuwal) Adj.*	Ku saabsan ama lagu isticmaalo aragti.
Vital	*(Faaytal) Adj.*	Nololeed, ku xiran oo lagama maarmaan u ah nolosha.
Vitamin	*(Faaytamiin) n.*	Fiitamiin.
Vitiate	*(Fishiyeyt)*	Hoos u dhigid, daciifin.
Vitrify	*(Fitrifaay) v.*	Loo Beddelo Walax Qaruuradda oo kale ah.
Vituperate	*(Faaytayuupareyt) v.*	Caytan, Af-Xumayn.
Vixen	*(Fiksan) n.*	Dawacada dheddig, Naag coon ah, Dabeecad xun oo kala ah, Taas oo ah, lagu kala magacaabo.
Vizier	*(Fisiye) n.*	Sarkaal darajo sare ka haya Dalalka Muslinka qaarkood.
Vocabulary	*(Fakaab-yulari) n.*	Erayo ku liis garaysan Buug; Erayo la barto.

Vociferate	*(Fowsifareyt) v.*	Kor u dhawaaqid; Qaylin.
Vodka	*(Fodka) n.*	Cabitaan Alkool leh oo Ruushka laga Isticmaalo.
Voice	*(Fo-is) n.*	Cod.
Void	*(Fo-idh) Adj.*	Madhan; Bannaan.
Voile	*(Fo-il) n.*	Hu' la xidho oo khafiif ah.
Volcano	*(Fol-keynow) n.*	Meelaha dhulka dillaaca ee la qaraxa dhul gariir.
Volley Ball	*(Folibool) n.*	Kubbadda shabaqa laga laliyo.
Volt	*(Fowlt) n.*	Halbeeg lagu qiyaaso daafada Korontada (Voltage).
Voluble	*(Folyubal) Adj.*	Aftahan; Hadal kar.
Volume	*(Fol-yum) n.*	Mug; Heerka dhawaaqa ama Codka; Qayb (Buugta).
Volunteer	*(Folan-tiye) n.*	Naftii hure.
Vomit	*(Fomid) v.*	Matag, Matagid, Hunqaacid, Mantag.
Voracious	*(Fareyshas) Adj.*	Aad u gaajoonaya ama hunguri weyn; wax aad u jecel.
Vote	*(Fowt) n.*	Cod-bixin.
Voucher	*(Fawja) n.*	Xaashida lagu baxsho (lagu sameeyo) Lacag-bixinta (Mushaaro).
Vow	*(Fow) n.*	Cahdi, wacad adag (nidar).
Vowel	*(Fawal) n.*	Shaqallada (Af-Ingiriisi) a,e;i;o;u.
Voyage	*(Fo-jij) n.*	Safar dheer oo badda la maro.
Vulcanite	*(Falkanaayt) n.*	Balaastig, Balaastig laga sameeyo rabar iyo salfar (curiye).
Vulture	*(Falja) n.*	Coomaade.

W

Waddle	(Wodhal) v.	Qallaafo; socodka cagaha layska horkeeno.
Wage	(Weyj) v.	Lacag-bixinta toddobaad ama maalin walba la qaato.
Waggon	(Waagan) n.	Baabuur carabi (ama tareen yar) oo balka dhuxusha iwm, lagu qaado.
Waif	(Weyf) n.	Dibjir, qof aan hooy lahayn (siiba carruurta).
Waist	(Weyst) n.	Dhexda jidhka; feeraha & miisaska inta ka dhex ah.
Wait	(Weyt) v.	Sugid, la sugo, aad sugtid inta... sugitaan dhowris.
Wake	(Weyk) n.	Toosid, toosin, hurdo ka kicin.
Walk	(Wook) v.	Socod, lugo ku socod; socdaalka la lugeeyo la socdo.
Wall	(Wool) n.	Derbi, gidaar.
Wallet	(Wolit) n.	Kiishad yar oo jeebka lagu ridan karo.
Wall-eyed	(Woolàaydh) Adj.	Indho caddaan.
Wander	(Woon-dha) v.	Warwareegga ama guurguuridda aan u jeeddo lahayn; ambasho.
Want	(Wont) v.	Doonid yaraan, baahi la'aan.
Ward	(Woodh) n.	Ilaalin; qayb ama qol gooni ah oo jeel ama Isbitaalka ah; ka ilaalin, takoorid.
Warden	(Woodhan) n.	Ilaaliyaha xabsiga.
Wardrobe	(Woodhrowb) n.	Kabadh ama armaajo lagu gurto dharka oo khaanado leh.
Warm	(Woom) Adj.	Diirran.
Warn	(Woon) v.	U digid, ka digid ama ka waanin.

Warrant	*(Warant) n.*	Caddeyn ama awood; amar qoraal oo oo awood kuu siinaya wax.
Warrior	*(Woriyau) n.*	Dagaalyahan.
Was	*(Wos) v.*	...... Ahaa, wuxuu ahaa.
Wash	*(Wosh) v.*	Maydhid, dhaqis.
Washer	*(Wosha) n.*	Mishiinka dharka lagu dhaqo; carrab ama rabar yar ama saan yar oo boolka ama meel la xidhayo lagu adkeeyo.
Waste	*(Weyst) Adj.*	Qashin; dayacid.
Wastrel	*(Weystral) n.*	Jaallaha aan waxba ku wanaagsanayn.
Watch	*(Woj) v.*	Indho ku hayn, eegid, ilaalin; saacad goor-sheegto.
Water	*(Woot) n.*	Biyo; waraabin.
Water-bottle	*(Woota-botol) n.*	Dhalada weyn ee biyaha lagu shubto; weyso.
Water-closet (W.C.)	*(Woota-klowsat) n.*	Qolka yar ee musqusha ah ee biyaha leh.
Watery	*(Wootari) Adj.*	Biyo ah, biyo-biyo ah, biyo leh.
Watt	*(Wot) n.*	Halbeeg lagu cabbiro qiyaasta quwadda korontada.
Wave	*(Weyf) v.*	Lulid; mawjad; hir (mawjad).
Wax	*(Waakas) n.*	Xayd; Laxda Shinidu malabka ka samayso.
Way	*(Wey) n.*	Waddo, Jid, marin.
We	*(Wii) Pron.*	Annaga.
Weak	*(Wiik) Adj.*	Tamar-daran, daciif ah.

Wealth	*(Wel-th) n.*	Hanti, qaniimad.
Weapon	*(Weapan) n.*	Hub, qalabka lagu dagaal galo.
Wear	*(Wee) n.*	Xidhasho (Dharka iwm).
Weary	*(Wiyeri) Adj.*	Daal, tacbaan.
Weather	*(Weda) n.*	Jawiga (nooca ama qayb cimilada ka mid ah).
Weave	*(Wiif) v.*	Sameynta dharka.
Wedding	*(Wedhing) n.*	Aroos.
Wedlock	*(Wedhlock) n.*	Meher, nikaax (is-guuris).
Wednesday	*(Wens-dhi) n.*	Arbaco, maalinta Arbaco.
Weed	*(Wiidh) n.*	Haramo (qashinka beerta ama dhirta ka hoos baxa).
Week	*(Wiik) n.*	Toddobaad.
Weep	*(Wiib) v.*	Oohin, Ilmayn.
Weigh	*(Wey) v.*	Miisaanid (Qaysid Culeys).
Weight	*(Weyt) n.*	Culays Miisaan.
Welcome	*(Wel-kam) adj.*	Soodhawayn, soo dhawow.
Weld	*(Weldh) v.*	Alxamid.
Welfare	*(Welfee) n.*	Xaaladda Caafimaadka wanaagga, nolol Raaxo, shaqo iwm. aad haysatid.
Well	*(Wel) n.*	Ceel, fiican, hagaagsan.
Wench	*(Wenj) n.*	Booyiso, boo'iso, Jaariyad Gabadha adeegtada ah.
West	*(West) n.*	Galbeed (Jiho) Qorrax u dhac.
Western	*Westan) Adj.*	Xagga galbeed, ee galbeed.

Wet	(Wet) adj.	Qoyan.
Wether	(Weda) n.	Wanka la dhufaanay.
Whale	(Weyl) n.	Nimmiri, Nibiriga badda ku nool.
What	(Wot) adj. pron.	Maxay? waa maxay?
Whatever	(Wotefa) Adj.	Wax kasta.
Wheet	(Wiit) n.	Qammandi ama Sareen.
Wheel	(Wiil) n.	Shaag.
Wheelbarrow	(Wiil-baraw) n.	Kaar-yoone.
When	(Wen) Adv.	Goorma? Waqtigee? Marka.
Whence	(Wens) adv.	Halkee? Meelma? Meesha.
Where	(Wee) adv.	Halkee? Meeshee?
Wherever	(Weerafa) adv.	Meel kasta.
Whet	(Wet) v.	Afayn lisid soofayn, (mindi gudin) faas iwm.
Whether	(Weda) conj.	In aad, haddii ay.
Whey	(Wey) n.	Caanaha Ciirta ah ee subaggii laga saaray.
Which	(Wij) inter. adj.	Kee.
While	(Weyl) conj.	Markii, kolkii.
Whimper	(Wimpar) v.	Taah, taahid.
Whip	(Wip) n. v.	Shaabuug, Shaabuugayn, karbaash.
Whisper	(Wistal) n.	Foori, Siidhi iwm.
White	(Wayt) n.	Cad (midab) midab caddan ah.

	(Huu) inter. pron.	Kuwa? Kee? Kii.
Whoever	*(Huu-efa) pron.*	Qofkuu doono ha ahaadee.....
Whole	*(Howl) adj.*	Dhan (aan wax ka dhineyn).
Whol-sale	*(Hol-seyl) n.*	Iibinta alaabta jimlada (Tafaariiq ma aha.
Whole-some	*(Howlisam) Adj.*	Caafimaad-qab, caafimaad wanaagsan oo buuxo.
Whoop	*(Huup) n.*	Qaylo dheer, qufacaad (Codka qufaca).
Whooping-cough	*(Huuping-kof) n.*	Kix, cududr carruurta ku dhaca oo qufac xiiq dheer leh.
Why	*(Way) adv.*	Waayo? Sababma?.
Wicked	*(Wikidh) adj.*	Si xun, qalad ah, si guracan, si aan niyad ahayn (Qofka).
Wide	*(Weydh) adj.*	Ballaaran.
Widow	*(Widhow) n.*	Carmal, naagta ninkeedii dhuntay ee aan nin kale guursan.
Width	*(Widhith) n.*	Balac, ballaar.
Wield	*(Wiil-dh) v.*	Haysato oo aad isticmaasho.
Wife	*(Wayf) n.*	Afo, Oori, naagta la qabo.
Wild	*(Wayld-dh) adj.*	Debed galeen, waxshi, Duurjoog.
Willing	*(Wiling) adj.*	U diyaar ah caawin.
Win	*(Win) v.*	Libin, guuleysi.
Wind	*(Wind) n. v.*	Daybayl, duubid.
Window	*(Windhow) n.*	Daaqad, dariishad.
Wine	*(Wayn) n.*	Khamriga laga sameeyo canabka.

Wing	*(Wing) n.*	Baal, (kan shimbiraha, Dayaaradaha iwm).
Wink	*(Wink) v.*	Indho bidhiqsi, sanqasho.
Winter	*(Winta) n.*	Jiilaal, fasalka u dhexeeya dayrta iyo guga.
Wipe	*(Wayp) v.*	Masaxaad, (nadiifin ama qalajin).
Wire	*(Waya) n.*	Xadhig dheer oo bir ah, ama dunta oo kale ah.
Wireless	*(Waylas) n.*	Raadiyowga, teligaraamka iwm.
Wise	*(Ways) adj.*	Abwaan, waayo-aragnimo leh, xigmaawi.
Wisdom	*(Wisdham) n.*	Xigmad, abwaanimo.
Wish	*(Wish) v.*	Doonid, rabid.
Wit	*(Wit) n.*	Maskax furan, wax fahmi og.
Witch	*(Wij) n.*	Saaxirad, naagta saaxirka ah, falka iwm taqaan.
With	*(Wid) Prep.*	Ay weheliso, ay weheliyaan iwm. ay la jiro.
Withdraw	*(Wid-dharo) v.*	Ka saarid, katuurid, takoorid; ka noqosho.
Without	*(Widowt) Prep.*	Aan lahaysan.
Withstand	*(Wid-staandh) v.*	U adkaysi.
Witness	*(Wisnis) n.*	Marag, markhaati.
Wizard	*(Wisadh) n.*	Saaxir.
Wolf	*(Wulf) n.*	Yeey, yeey (bahal u eg eeyga).
Woman	*(Wuman) n.*	Naag, Qofka weyn ee dumarka (Dheddig).
Womb	*(Wuumb) n.*	Ilma galeen.

Wonder	*(Wandha) n.*	Yaab, cajiib.
Wonderful	*(Wandhaful) adj.*	Yaab-badan, cajiib ah (Cajaa'ib) cajab leh.
Wood	*(Wuudh) n.*	Qori, loox.
Wool	*(Wul) n.*	Suuf, dhogorta timaha jilicsan ee ariga.
Word	*(Weedh) n.*	Erey.
Work	*(Week) n. v.*	Shaqo, shaqeyn.
World	*(Weeld) n.*	Adduun.
Worm	*(Weem) n.*	Dirxi.
Worry	*(Wari) n.*	Wel-wel, walaac.
Worse	*(Wees) adj.*	Ka sii xun.
Worship	*(Weeship) v.*	Caabudaad.
Worst	*(Weest) adj.*	Ugu xun, xumaanta ugu heer sarreysa.
Worth	*(Weeth) adj.*	Leh qiime u dhigma (u qalma).
Wound	*(Wuundh) n.*	Dhaawac nabar, la duubay (lagu wareejiyey).
Wrap	*(raap) v.*	duubid, shaqlid.
Wrath	*(Rooth) n.*	Cadho weyn, cadho xun.
Wreath	*(Riith) n.*	Xidhmo ubax ah (goobo ah).
Wreck	*(Rek) n.*	Qarraqan maraakiibta iwm ku dhaca.
Wrest	*(Rest) v.*	Ka xayuubin.
Wrestle	*(Restal) v.*	Legdan, is legad, loolan.
Wring	*(Ring) v.*	Maroojin aad ah.
Wrist	*(Rist) n.*	Jiqinjiq, jalaqyada, jiqinjiqo.
Write	*(Rayt) v.*	Qorid, qoris, (farta xarfahá) dhigis.
Writer	*(Wrayta) n.*	Qofka wax qora, qore.
Wrong	*(Rong) adj.*	Khalad aan sax ahayn.

——— X ———

Xmas	*(Kirismas) n.*	Soo gaabin (qorista) masiixiyadda (Christmas).
X-ray	*(Eks-ray) n.*	Sawir fallaar ka dusta adkaha oo waxa ku hoos jira lagu arki karo, Raajito.
Xylonite	*(Saylanayt) n.*	Walax caag ah oo lagu sameeyo filimka, sawirrada iyo alaabta kale.

——— Y ———

Yacht	*(Jot) n.*	Dooni shiraac fudud oo beratanka (tartanka) lagu goolo.
Yam	*(Yaam) n.*	Sonkor-khaan (baradho macaan).
Yank	*(Yank) v.*	Ku dhufasho, ka xayuubin dhaqso ah (dhaqso).
Yard	*(Yaadh) n.*	Daarada, Bannaanka dhismaha Hortiisa ah; Waarka (Qiyaas) oo la mid ah 3 Fuudh.
Yawn	*(Yoon) v.*	Hamaansi, afkala qaad, waaxid-caajis ama lulo ku hayso awgeed.
Year	*(Yee) n.*	Sanad, Sannad.
Yearling	*(Yeeling) n.*	Xoolaha ay da'doodu ka dhexaysa hal ilaa labo sano.
Yeast	*(Yiist) n.*	Walax lagu isticmaalo samaynta Rootiga (khamiiris).
Yell	*(Yel) v.*	Qaylo dhuuban oo dheer (Sida ta damqashada).
Yellow	*(Yelow) v.*	HUrdi, huruud ah (midab).
Yen	*(Yen) n.*	Lacagta Jabaanka).
Yes	*(Yes) art.*	Haa (ka soo horjeeda maya) aq-balaad.
Yesterday	*(Yestadgey) adj. n.*	Shalay, maanta maalintii ka hor-reysay.
Yet	*(Yet) adv.*	Weli: (Sida wali muusan imaan Cali).

Yield	*(Yiidh) v. n.*	Wax-soo saar dabiici ah; bixisa, bixiya wax soo saarid lagu macaasho, laga helo miro iwm.
Yoghourt	*(Yowgeet) n.*	Khamri la khamiiriyey oo caanaha laga sameeyo, khamri caanaha laga sameeyo.
Yoke	*(Yowk) n.*	Harkhoodka ama harqoodka.
Yolk	*(Yowk) n.*	Ukunta inteeda dhexe ee huruudka ah.
You	*(Yuu) Pron.*	Adiga, idinka (wadar).
Young	*(Yang) adj.*	Da'yar (aan gaboobin) dhallin yar.
Your	*(Yu'a) idj.*	Kaaga, kiina (wadar).
Yours	*(Yu'as) Predic. adj. Pron.*	Waxaaga.
Yourself	*(Yo'aself) Reflex Pron.*	Naftaada, qudhaada, iskaa.
Youth	*(Yuuth) n.*	Dhallin-yaro.

—— Z ——

Zany	*(Seyni) n.*	Qofka yara maskaxda adag; jaajaale.
Zeal	*(Siil) n.*	Khushuuc, u qiirood.
Zealous	*(Siilows) adv.*	Khushuuc badan leh, qiiro farxadeed leh.
Zealot	*(Selat) n.*	Qofka qiiro weyn u haya Diin, Xusbi wax dhacay iwm.
Zebra	*(Siibra) n.*	Gunburi, Dameer-dibadeed.
Zebu	*(Siibuu) n.*	Xayawaan ama xoolo la dhaqdo oo Dibida u eg (waxaa laga helaa Asiya iyo Afrikada Bari).
Zero	*(Siyerow) n.*	Eber. (0) 0000.

Zest	(Sest) n.	Ahmiyad weyn, Farxad.
Zig-zag	(Sigsaag)	(Xadhig ama waddo dhuuban oo qalqaloocan, xaglo leh.
Zip	(Sip)	Shanqadha ka baxda rasaasta (Xabbad) hawada mareysa ama mara la jeexay.
Zip-fastener	(Sipfastana) n.	Siibka dharka lagu tosho ee ilkaha isgala leh; Xiris.
Zone	Sown) n.	Degmo.
Zoo	(Suu) n.	Beerta xayawaanka la daawado lagu dhaqo.
Zoology	(Sowlaji) n.	Cilmiga sayniska xayawaanka.